서술형에

더 강해지는

중학 영문법

LEVEL 2

서술형에 더 강해지는 중학 영문법

- **꼼꼼하게!** 주요 문법 포인트별 정리
- **차곡차곡!** 기본 문제부터 실전 유형까지
- **빈틈없이!** 서술형 빈출 문법과 함정 문제까지
- **실력 UP!** 누적테스트로 내신 완성

학습자의 마음을 읽는 **동아영어콘텐츠연구팀**

동아영어콘텐츠연구팀은 동아출판의 영어 개발 연구원, 현장 선생님,
그리고 전문 원고 집필자들이 공동연구를 통해 최적의 콘텐츠를 개발하는 연구조직입니다.

원고 개발에 참여하신 분들

강남숙 강윤희 김지영 김지형 배윤경 윤희진 이지현 임선화 홍미정 홍석현

교재 기획에 도움을 주신 분들

구현정 김라영 니콜 이지혜

서술형에 더 강해지는 중학 영문법

LEVEL 2

How to Study

STEP 1 문법으로 기본기 쌓기

문법 개념 다지기/바로 개념 확인하기

문법을 알아야 정확한 쓰기가 가능하니 꼭 출제되는 문법 항목을
빠짐없이 콕콕 짚어서 정리하고 개념까지 확인하자!

STEP 2 문법으로 서술형 쓰기

서술형 기본 유형 익히기

문법과 서술형 쓰기는 별개가 아니야! 배운 문법으로 서술형에
자주 출제되는 기본 유형 문제들을 풀다 보면 문법부터 서술형
쓰기까지 한 번에 연습할 수 있어!

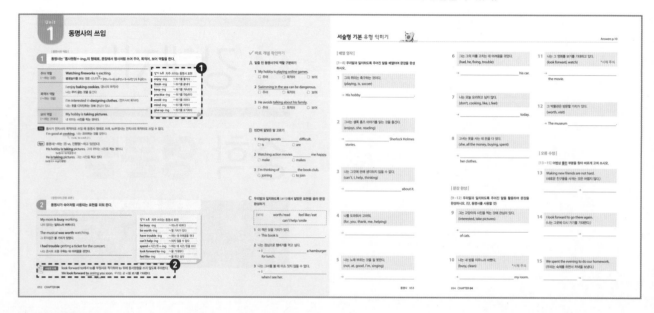

암기 노트

암기해 두면 유용한 표현이니 꼭 머릿속에 저장하자!

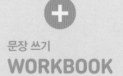 **서술형 빈출**

어느 학교에서나 꼭 출제되는 서술형 포인트는 한번 더 확인하자!!

＋
문장 쓰기
WORKBOOK

아직 자신이 없니? 걱정하지 마. 쓰기에 기본이 되는 문장 구조
이해와 기본적으로 알아야 할 단어의 변화형 등을 잘 알고 있는지
WORKBOOK을 통해 한 번 더 연습할 수 있어!

STEP 3 서술형 실력 쌓기

기출에서 뽑은 난이도별 서술형 문제

학교 시험에서 가장 많이 출제되는 문제를 뽑아 기본에서 심화까지 순차적으로 풀다 보면 서술형, 이제 어렵지 않아!

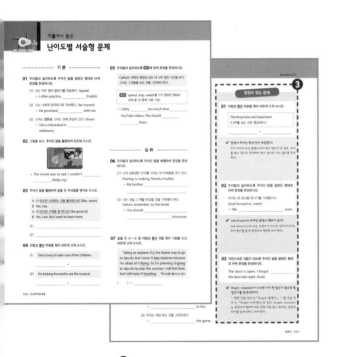

STEP 4 진짜 실력 키우기

시험에 강해지는 실전 TEST

자, 이제 진짜 시험 시간! 객관식과 서술형 모두 풀어보면서 실전처럼 진짜 실력을 확인해 보자!

함정이 있는 문제

알고 있었는데 답을 쓸 때 실수해서 감점되거나 틀린 적 있지?
'아차!' 해서 틀리는 함정들을 미리 파악하여 새는 점수를 방지하자고!

4단원마다 누적 TEST

끝난 줄 알았지?
앞 단원에서 배웠던 내용을 모두 모아 진짜 영어 실력을 키워 보자!

Contents

Ⅰ 품사

공통된 성질을 지닌 단어끼리 모아 분류한 것을 '품사'라고 해요.

명사

사람, 사물, 개념 등의 이름을 나타내는 말

(예) **pen, house, book, dog, students, apple, Jane, Korea** 등

대명사

앞에 나온 명사를 반복하지 않고
명사를 대신할 때 쓰는 말

(예) **I, you, he, she, we, they, it, this** 등

형용사

명사의 상태, 모양, 성질, 수량 등을 나타내어
명사를 꾸며 주는 말

(예) **big, sunny, red, excited, beautiful** 등

동사

사람이나 사물, 동물 등의
상태나 동작을 나타내는 말

(예) **is, am, are, play, talk, sing, sleep** 등

부사

동사, 형용사, 부사, 또는 문장 전체를
꾸며 주는 말

(예) **very, quickly, happily, always** 등

전치사

명사나 대명사 앞에서
위치, 장소, 시간 등을 나타내는 말

(예) **at, in, on, under, to, with, for** 등

접속사

단어와 단어, 구와 구, 문장과 문장을
이어 주는 말

(예) **and, or, but, because, as** 등

감탄사

놀람, 기쁨, 슬픔 등의 감정을
나타내며 하는 말

(예) **wow, oh, oops, hey, hurray** 등

II 문장의 요소

영어 문장은 기본적으로 '주어'와 '서술어(동사)'로 구성되어 있으며, 서술어(동사)에 따라 목적어가 필요한 경우도 있고, 보어가 필요한 경우도 있어요.

주어
'누가, 무엇이'에 해당하는 말로, 동작이나 상태의 주체가 되는 말

We are students.　　**우리는** 학생이다.

동사
'～이다, ～하다'에 해당하는 말로, 주어의 동작이나 상태를 나타내는 말

He **ran** quickly.　　그는 빨리 **달렸다.**

목적어
'무엇을'에 해당하는 말로, 동사의 대상을 나타내는 말

Mary ate **a sandwich.**　　Mary는 **샌드위치를** 먹었다.

보어
주어나 목적어를 보충 설명하는 말

This soup is **delicious.**　　이 수프는 **맛있다.**

수식어
문장의 의미를 풍부하게 해 주는 말 (문장의 필수 요소는 아님)

Look at the birds **on the tree.**　　**나무 위의** 새들을 봐.

● 문장 성분과 품사

문장 성분	주어	동사	목적어	보어	수식어
품사	명사 대명사	동사	명사 대명사	명사 대명사 형용사	형용사 부사

예	I	+	bought	+	a book	+	yesterday.
문장 성분	주어		동사		목적어		수식어
품사	대명사		동사		명사		부사

III 문장의 형식

영어 문장에는 총 다섯 가지의 형식이 있어요.

주어+동사만으로도 문장이 되는 경우

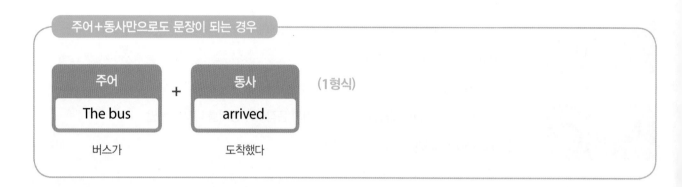

주어		동사	(1형식)
The bus	+	arrived.	
버스가		도착했다	

주어+동사 뒤에 **보어** 또는 **목적어**가 오는 경우

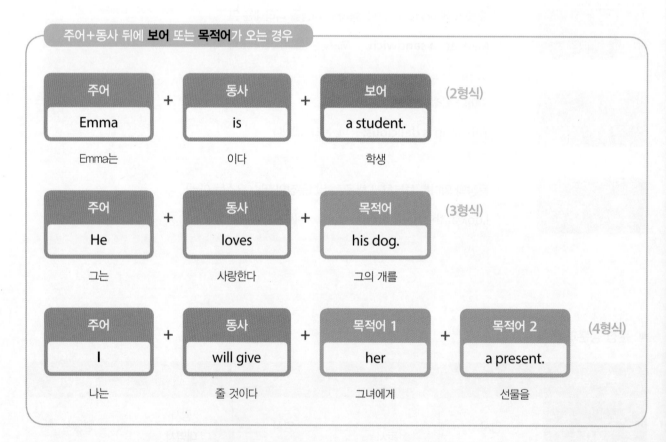

주어 + **동사** + **보어** (2형식)
Emma + is + a student.
Emma는 / 이다 / 학생

주어 + **동사** + **목적어** (3형식)
He + loves + his dog.
그는 / 사랑한다 / 그의 개를

주어 + **동사** + **목적어 1** + **목적어 2** (4형식)
I + will give + her + a present.
나는 / 줄 것이다 / 그녀에게 / 선물을

주어+동사 뒤에 **목적어**와 **보어**가 둘 다 오는 경우

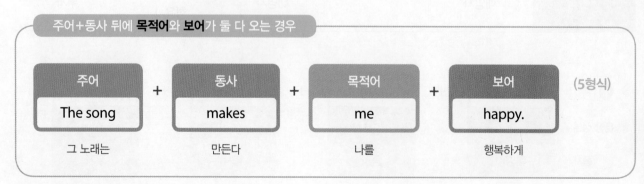

주어 + **동사** + **목적어** + **보어** (5형식)
The song + makes + me + happy.
그 노래는 / 만든다 / 나를 / 행복하게

Ⅳ 구, 절, 문장   '구'와 '절'은 문장의 일부를 구성하는 단위예요.

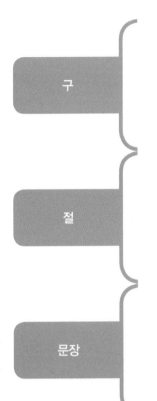

구

두 개 이상의 단어가 모여 하나의 뜻을 갖는 말로, 절이나 문장의 일부를 이루어요.

예 **big apples** 큰 사과들   **a minute ago** 1분 전에   **at the park** 공원에서
단어 + 단어   단어 + 단어 + 단어   단어 + 단어 + 단어

절

「주어+동사」를 포함한 두 개 이상의 단어가 모인 것으로, 문장의 일부로 쓰여요.

예 <u>I like him</u> <u>because he is friendly.</u>   그가 상냥하기 때문에 나는 그를 좋아한다.
     절   절
(→ 두 개의 절이 모여 하나의 문장을 이룬 것)

문장

대문자로 시작해서 문장 부호(. ! ?)로 끝나요.

예 **I like him.** 나는 그를 좋아한다.   **He is friendly.** 그는 상냥하다.

단어 〈 구 〈 절 〈 문장

단어	구	문장
library ⇨	in the **library** ⇨	<u>I met my friend</u> <u>when I was in the **library**.</u> 절 절
man ⇨	an honest **man** ⇨	<u>I think</u> <u>that he is an honest **man**.</u> 절 절
music ⇨	listen to **music** ⇨	<u>He was listening to **music**</u> <u>when I got home.</u> 절 절

CHAPTER

01

현재완료

현재완료는 과거에 시작된 일이 현재까지 영향을 미칠 때 사용한다.

| 과거시제 | I **lived** in New York last year. | 나는 작년에 뉴욕에서 **살았다.** |

| 현재완료 | I **have lived** in New York for a year. | 나는 1년 동안 뉴욕에서 **살아 왔다.** |

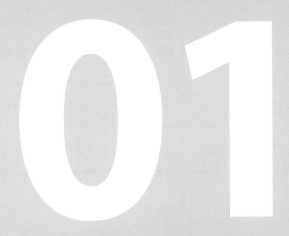

현재완료의 개념과 형태

| 현재완료란? |

1 현재완료는 「have/has+p.p.」의 형태로, 과거에 일어난 일이 현재까지 영향을 줄 때 사용한다.

과거시제	I **studied** English five years ago.	나는 5년 전에 영어를 **공부했다.** (지금도 공부하는지는 알 수 없음)
현재완료	I **have studied** English for five years.	나는 5년 동안 영어를 **공부해 왔다.** (5년 전부터 지금까지 쭉 공부하고 있음)

| 현재완료의 부정문과 의문문 |

2 현재완료의 부정문은 「have/has+not+p.p.」, 의문문은 「Have/Has+주어+p.p. ~?」의 형태로 쓴다.

→ 주어가 3인칭 단수일 때 has p.p.를 쓴다.　　　　　　　　　　　　　　　　→ 주요 동사의 p.p.형: 부록 p.169

긍정문	have / has+p.p.	I **have finished** my homework.	나는 숙제를 **끝냈다.**
부정문	have / has+not+p.p.	I **have not finished** my homework yet.	나는 숙제를 아직 **끝내지 못했다.**
의문문	Have / Has+주어+p.p. ~?	**Have** you **finished** your homework?	너는 숙제를 **끝냈니?**

(tips) have not은 haven't로, has not은 hasn't로 줄여 쓸 수 있다.
They **haven't heard** the news yet. 그들은 아직 그 소식을 **듣지 못했다.**
He **hasn't bought** the book yet. 그는 그 책을 아직 **사지 않았다.**

| 현재완료와 함께 쓸 수 없는 표현 |

3 명백한 과거를 나타내는 표현은 현재완료와 함께 쓸 수 없다.

I **practiced** the piano yesterday.　　　나는 어제 피아노를 **연습했다.**
　└ have practiced (×)

She **wrote** a book in 2019.　　　　　그녀는 2019년에 책 한 권을 **썼다.**
　└ has written (×)

When **did** you **move** to Busan?　　　너는 언제 부산으로 **이사 갔니?**
　└ have you moved (×)

암기 노트 현재완료와 함께 쓸 수 없는 표현	
~ ago	~ 전
yesterday	어제
last ~	지난 ~
in+연도	~년에
on+날짜/요일	~일에, ~요일에
When ~?	언제 ~?

바로 개념 확인하기

A 현재완료의 알맞은 형태 고르기

1 I _____ Chinese for a year.
☐ have learned ☐ has learned

2 She _____ James for three years.
☐ have known ☐ has known

3 He _____ lunch yet.
☐ not has had ☐ has not had

4 _____ your room?
☐ Have you cleaned ☐ Do you have cleaned

B 주어진 말을 활용하여 현재완료 문장 완성하기

1 I _____ _____ a letter to Tony. (send)

2 He _____ _____ a new computer.
(buy)

3 Angela _____ _____ _____
her phone yet. (not, find)

4 _____ you _____ the article about
our school? (read)

C 빈칸에 알맞은 말 고르기

1 We _____ a museum yesterday.
☐ visited ☐ have visited

2 They _____ camping last weekend.
☐ went ☐ have gone

3 She has lived in Seoul _____.
☐ ten years ago ☐ for ten years

서술형 기본 유형 익히기

| 배열 영작 |

[1~5] 우리말과 일치하도록 주어진 말을 배열하여 문장을 완성
하시오.

1 나는 내 장갑을 잃어버렸다.
(have, I, lost)

→ _____ my gloves.

2 너는 Jane에게 전화했니?
(you, called, have)

→ _____ Jane?

3 그는 내 이메일을 확인하지 않았다.
(not, has, he, checked)   *not 위치 주의

→ _____ my email.

4 그녀는 7년 동안 한국사를 공부해 왔다.
(studied, she, for, has)

→ _____ Korean history
_____ seven years.

5 그는 파리에서 2주 동안 있어 왔다.
(has, he, been, for)

→ _____ in Paris
_____ two weeks.

| 문장 전환 |

[6~7] 주어진 문장을 지시에 맞게 바꿔 쓰시오.

They have heard the news.

6 부정문으로 바꿀 것

→ _____

7 의문문으로 바꿀 것

→ _____

[8~9] 주어진 문장을 지시에 맞게 바꿔 쓰시오.

He has set the table.

8 부정문으로 바꿀 것

→ _____

9 의문문으로 바꿀 것

→ _____

| 문장 완성 |

[10~12] 우리말과 일치하도록 주어진 말을 활용하여 현재완료 문장을 완성하시오. (필요한 경우, 형태를 바꿀 것)

10 그는 영어를 20년 동안 가르쳐 왔다.
(teach, English)   *have의 형태 주의

→ _____ for 20 years.

11 너는 이 주변에서 개 한 마리를 보았니?
(see, a dog)

→ _____ around here?

12 그 프로그램은 끝나지 않았다.
(end)   *have의 형태 주의

→ The program _____.

| 오류 수정 |

[13~15] 어법상 틀린 부분을 찾아 바르게 고쳐 쓰시오.

13 She have traveled all over Europe for a year.
(그녀는 1년 동안 유럽을 두루 여행해 왔다.)

_____ → _____

14 I have read this book last night.
(나는 어젯밤에 이 책을 읽었다.)

_____ → _____

15 Does he have lived in China for a long time?
(그는 중국에서 오랫동안 살아 왔나요?)

_____ → _____

Unit 2 현재완료의 의미

| 계속 |

1 현재완료는 '(과거부터 쭉) ~해 왔다'라는 의미로, 과거부터 현재까지 계속되는 상황을 나타낸다.

| I **have known** him **for** two years. | 나는 2년 동안 그를 **알아 왔다.** |
| I **He has studied** French **since** 2017. | 그는 2017년 이후로 프랑스어를 **공부해 왔다.** |

암기 노트 자주 함께 쓰이는 표현

for+기간	~ 동안
since+시점	~ 이후로
how long	얼마나 오래

 서술형 빈출 과거시제와 현재시제 두 문장을 하나의 현재완료 문장으로 바꿔 쓸 수 있다.

I **started to learn** English five years ago. I still **learn** English now.
나는 5년 전에 영어를 **배우기 시작했다.** 나는 지금도 여전히 영어를 **배운다.**

→ I **have learned** English for five years. 나는 5년 동안 영어를 **배워 왔다.**

| 경험 |

2 현재완료는 '~한 적이 있다'라는 의미로, 과거부터 현재까지 겪은 경험을 나타낸다.

Have you **ever visited** Taiwan?	너는 지금까지 대만을 **방문한 적이 있니?**
*ever, never는 주로 p.p. 앞에 쓴다.	
He **has been** to Jeju-do **once.**	그는 제주도에 한 번 **가 본 적이 있다.**
*before, once 등은 주로 문장 끝에 쓴다.	

암기 노트 자주 함께 쓰이는 표현

ever, so far	지금까지
never	전혀 ~ 않다
before	전에
once, twice ...	한 번, 두 번, ...

| 완료 |

3 현재완료는 '막 ~했다'라는 의미로, 과거에 일어난 일이 현재에 완료되었음을 나타낸다.

I **have just had** lunch.	나는 방금 점심을 **먹었다.**
*just, already는 주로 p.p. 앞에 쓴다.	
He **hasn't done** his homework **yet.**	그는 아직 숙제를 **하지 않았다.**
*yet은 부정문과 의문문에 쓰이며, 주로 문장 끝에 쓴다.	

암기 노트 자주 함께 쓰이는 표현

just	방금
already	이미
yet	아직

| 결과 |

4 현재완료는 '~해 버렸다'라는 의미로, 과거에 일어난 일의 결과가 현재에 영향을 미치고 있음을 나타낸다.

| I **have lost** my phone. | 나는 내 전화기를 **잃어버렸다.** (그래서 지금 전화기가 없다.) |
| She **has left** Seoul. | 그녀는 서울을 **떠나버렸다.** (그래서 지금 서울에 없다.) |

암기 노트 자주 쓰이는 표현

have lost	잃어버렸다
have left	떠나버렸다
have gone	가 버렸다

서술형 빈출 have been to는 경험을, have gone to는 결과를 나타낸다.

He **has been to** Busan. 그는 부산에 **가 본 적이 있다.**
He **has gone to** Busan. 그는 부산으로 **가 버렸다.** (그래서 지금 여기에 없다.)

바로 개념 확인하기

A 밑줄 친 현재완료의 의미를 골라 기호 쓰기

계속: ⓐ	경험: ⓑ	완료: ⓒ	결과: ⓓ

1 I <u>have never seen</u> an Indian movie. _____

2 Peter <u>has just arrived</u> at the office. _____

3 They <u>have gone</u> to Germany. _____

4 She <u>has been</u> a fan of the Beatles for a long time.

_____

B 빈칸에 알맞은 말 고르기

1 I have been sick _____ last Tuesday.
☐ for   ☐ since

2 We have lived in this house _____ several years.
☐ for   ☐ since

3 She has been to Seoul _____.
☐ yet   ☐ before

C 알맞은 문장 고르기

1 나는 파리에 두 번 가 본 적이 있다.
☐ I have been to Paris twice.
☐ I have gone to Paris twice.

2 Liam은 그의 고향에 가 버려서 지금 여기 없다.
☐ Liam has been to his hometown.
☐ Liam has gone to his hometown.

3 너는 오페라를 본 적이 있니?
☐ Have you ever seen an opera?
☐ Have you never seen an opera?

서술형 기본 유형 익히기

| 배열 영작 |

[1~5] 우리말과 일치하도록 주어진 말을 배열하여 문장을 완성하시오.

1 그는 오전 9시부터 도서관에 있었다.
(since, been, has, in the library)

→ He _____ 9 a.m.

2 너는 전에 이 책을 읽어 본 적이 있니?
(this book, read, ever, you, have)

→ _____ before?

3 그녀는 그 과제를 방금 끝냈다.
(has, finished, just, the project)

→ She _____.

4 우리는 한 시간 동안 집을 청소해 왔다.
(have, for, the house, cleaned)

→ We _____ an hour.

5 그들은 새 소파를 아직 사지 않았다.
(not, have, yet, bought, a new sofa)

→ They _____.

| 오류 수정 |

[6~8] 어법상 또는 의미상 틀린 부분을 찾아 바르게 고쳐 쓰시오.

6 We are good neighbors since 2010.
(우리는 2010년 이후로 좋은 이웃이다.)

_____ → _____

7 He has gone to New York once.
(그는 뉴욕에 한 번 가 본 적이 있다.)

_____ → _____

8 How long have Chris lived in Seoul?
(Chris는 얼마나 오래 서울에서 살아 왔니?)

_____ → _____

| 문장 완성 |

[9~12] 우리말과 일치하도록 주어진 말을 활용하여 현재완료 문장을 완성하시오. (필요한 경우, 단어를 추가할 것)

9 우리는 2016년 이후로 서로를 알고 지냈다.
(know, each other)

→ We _____ 2016.

10 나는 한 달 동안 보스턴에 머물러 왔다.
(stay, in Boston)

→ I _____ a month.

11 Kate는 공항에 방금 도착했다.
(just, arrive)

→ Kate _____ at the airport.

12 나는 전에 이렇게 많은 눈을 본 적이 없다.
(never, see)

→ _____ so much snow before.

| 문장 전환 |

[13~14] |예시|와 같이 주어진 두 문장과 의미가 같도록 한 문장으로 바꿔 쓰시오.

> |예시| Jack started to live in Seattle two months
> ago. He still lives in Seattle now.
> → Jack has lived in Seattle for two months.

13 Aden began to work at the bank a year ago.
He still works at the bank now.

→ Aden _____ at the bank
_____ a year.

14 My mom started to teach math 15 years ago.
She still teaches math now.

→ My mom _____ math
_____ 15 years.

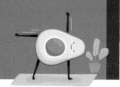

난이도별 서술형 문제

················ 기 본 ·················

01 동사 visit을 알맞은 형태로 바꿔 문장을 완성하시오.

(1) I _____ Sydney once so far.

(2) I _____ Sydney a month ago.

02 조건 에 맞게 빈칸에 알맞은 말을 써서 글을 완성하시오.

> 조건 be 또는 move를 알맞은 형태로 바꿀 것

> I (1) _____ to Busan twice. My uncle lives there. He (2) _____ to Busan last year.

03 어법상 틀린 부분을 찾아 바르게 고쳐 쓰시오.

(1) Anne has gone to the mall yesterday.
(Anne은 어제 쇼핑몰에 갔다.)

_____ → _____

(2) I haven't seen him since three years.
(나는 3년 동안 그를 보지 못했다.)

_____ → _____

04 대화의 밑줄 친 우리말을 조건 에 맞게 영어로 쓰시오.

A Have you met Jerry before?
B Yes. 나는 그를 몇 년 동안 알고 지냈다.

> 조건 1. know, several years를 이용할 것
> 2. 총 7단어로 쓸 것

→ _____

05 우리말과 일치하도록 주어진 말을 배열하여 쓰시오.

(1) 나는 그 여자를 여러 번 만난 적이 있다.
(the woman, many times, have, I, met)

→ _____
_____

(2) 그는 작년 여름 이후로 휴가를 간 적이 전혀 없다.
(he, taken, since, a vacation, never, has, last summer)

→ _____
_____

················ 심 화 ·················

신유형

06 우리말과 일치하도록 |보기|에서 필요한 단어만 골라 문장을 완성하시오.

> |보기| have   has   been   gone   to

Sally는 도서관에 가 버려서 지금 여기 없다.

→ Sally _____ _____ _____ the library.

07 주어진 두 문장과 의미가 같도록 한 문장으로 바꿔 쓰시오.

(1) Emily started to cook dinner an hour ago. She still cooks dinner now.

→ Emily _____ _____ dinner _____ an hour.

(2) Jacob began to take an art class in 2017. He still takes the class now.

→ Jacob _____ _____ an art class _____ 2017.

08 우리말과 일치하도록 주어진 말을 활용하여 문장을 쓰시오. (필요한 경우, 형태를 바꿀 것)

(1) 나는 2년 동안 이 전화기를 사용해 왔다.
(use, this phone, two years)

→ _____

_____

(2) Tom은 지난 금요일부터 한국에 머물러 왔다.
(stay, in Korea, last Friday)

→ _____

_____

고난도
09 밑줄 친 ⓐ~ⓓ 중 어법상 틀린 것 두 개를 골라 기호를 쓰고, 바르게 고쳐 쓰시오.

> Have you ⓐ<u>ever</u> listened to jazz music? Last weekend, I ⓑ<u>have watched</u> a jazz concert on TV. I really ⓒ<u>liked</u> it. Since then, I ⓓ<u>was</u> a big fan of jazz.

(   ) → _____

(   ) → _____

10 Lily와 Tim이 경험한 것을 나타낸 표를 보고, 조건에 맞게 현재완료 문장을 완성하시오.

	Lily	Tim
(1) learn yoga	○	×
(2) visit Thailand	×	○
(3) eat rice noodles	×	×

> 조건 부정문에는 never를 사용할 것

(1) Lily _____ before.

(2) Tim _____ before.

(3) Lily and Tim _____.

함정이 있는 문제

01 주어진 말을 알맞은 형태로 바꿔 빈칸에 쓰시오.

I _____ _____ _____ him since last Sunday. (see, not)

✔ last Sunday만 보고 과거시제라고 판단하지 말자!
last Sunday 앞에 since가 쓰였으므로 지난 일요일부터 현재까지 지속된 일이다. 따라서 did not see가 아니라 have not seen으로 써야 한다.

02 우리말과 일치하도록 주어진 말을 활용하여 문장을 쓰시오.

나는 중국에 한 번 가 봤다. (China, once)

→ _____

✔ 우리말에 헷갈리지 말자!
'가다'가 go라고 해서 '가 봤다'를 have gone으로 쓰면 안 된다. '~에 가 봤다'는 의미의 경험을 말할 때는 have been to를 써야 한다.

03 우리말과 일치하도록 주어진 말을 알맞은 형태로 바꿔 현재완료 문장을 완성하시오.

나는 일주일 동안 감기를 앓아 왔다. (have a cold)
→ I _____ for a week.

✔ 일반동사 have의 현재완료형에 주의하자!
일반동사 have를 현재완료로 쓸 때, 현재완료를 위한 have 동사 다음에 일반동사 have의 p.p.형 had가 온다. have가 여러 번 쓰인다고 어색해하지 말자!

시험에 강해지는

실전 TEST

시험일	월	일
시간		/ 40분
문항 수	객관식 10	/ 서술형 10
점수		/ 100점

[01~02] 빈칸에 알맞은 말을 고르시오. (6점, 각 3점)

01

Yuna _____ Spanish since last year.

① studies ② studied ③ is studying
④ has studied ⑤ have studied

02

We don't know how to play this board game.
We _____ it before.

① played ② don't play
③ has played ④ are not playing
⑤ have never played

03 |보기|의 밑줄 친 부분과 쓰임이 같은 것은? (4점)

> |보기| I <u>have never seen</u> such a beautiful scene.

① Elena <u>has left</u> for her hometown.
② Tom <u>has taken</u> an airplane twice.
③ I <u>have known</u> Brian for three years.
④ Jihun <u>has lived</u> in Jeju-do since 2000.
⑤ They <u>have just started</u> the party.

신유형
04 우리말과 일치하도록 주어진 말을 배열할 때, 세 번째로 오는 단어는? (3점)

그는 아프리카에 가 버렸다.
(to, he, Africa, gone, has)

① has ② to ③ gone
④ he ⑤ Africa

[05~06] 빈칸에 알맞은 말이 순서대로 짝지어진 것을 고르시오. (8점, 각 4점)

05

• They haven't heard any news from Katherine _____ two months.
• Mr. and Mrs. Johnson have run this restaurant _____ 2009. *run 운영하다

① for − after
② in − since
③ for − since
④ since − for
⑤ since − before

06

• I _____ my umbrella yesterday.
• She _____ sick since yesterday.

① found − was
② found − have been
③ found − has been
④ have found − have been
⑤ have found − has been

07 어법상 틀린 것은? (5점)

① We haven't decided the topic yet.
② Chloe has left her wallet on the bus.
③ My dad has taught science ten years ago.
④ They have already finished the new project.
⑤ David and Jane have known each other for a long time.

08 짝지어진 대화가 <u>어색한</u> 것은? (4점)

① A Have you cleaned your room?
　 B Not yet.

② A Where has she gone?
　 B She has been to Italy before.

③ A Would you like some pizza?
　 B No, thanks. I have just had lunch.

④ A How long have you played tennis?
　 B I have played it for ten years.

⑤ A Have you ever been to Jeju-do?
　 B Yes. I have been there once.

신유형
09 주어진 문장의 내용과 일치하지 <u>않는</u> 것은? (5점)

> Jack has lost his smartphone.

① Jack lost his smartphone.
② Jack found his smartphone.
③ Jack once had his smartphone.
④ Jack couldn't find his smartphone.
⑤ Jack doesn't have his smartphone now.

고난도
10 어법상 올바른 문장의 개수는? (5점)

> ⓐ Tina hasn't eaten anything for hours.
> ⓑ They have practiced the dance together.
> ⓒ When have you read this book?
> ⓓ The bus hasn't come yet.
> ⓔ Tom and I have been friends four years ago.

① 1개　　② 2개　　③ 3개
④ 4개　　⑤ 5개

서 술 형

[서술형1] 우리말과 일치하도록 주어진 말을 배열하여 문장을 완성하시오. (6점, 각 3점)

(1) 그는 2주 동안 그 호텔에서 머물러 왔다.
　 (stayed, he, at, the hotel, has)
　 → _____
　　 for two weeks.

(2) 그들은 2010년부터 많은 나라들을 여행해 왔다.
　 (they, traveled, to many countries, have)
　 → _____
　　 since 2010.

[서술형2] |보기|에서 알맞은 단어를 골라 형태를 바꿔 문장을 완성하시오. (6점, 각 2점)

|보기|	work	meet	finish

(1) I _____ her three times so far.

(2) He _____ here since last Monday.

(3) She _____ washing the dishes a few minutes ago.

[서술형3] 대화의 밑줄 친 우리말을 주어진 말을 활용하여 영어로 쓰시오. (8점, 각 4점)

(1)　A <u>너는 다른 나라에서 살아 본 적이 있니?</u>
　　　 (ever, live, in another country)
　　B No, I haven't.

　　→ _____

(2)　A Do you like skiing?
　　B <u>나는 전에 스키를 타 본 적이 없어.</u>
　　　 (never, ski, before)

　　→ _____

[서술형4] 다음 (A), (B)에서 어법상 알맞은 말을 골라 쓰시오.
(4점, 각 2점)

A I haven't seen Jina (A) | for / since | a long time.
B Oh, she (B) | left / has left | Seoul six months ago.

(A) _____ (B) _____

신유형
[서술형5] 다음은 한 학생이 수업 시간에 발표한 내용이다. 학생이 영작한 문장에서 <u>틀린</u> 부분을 찾아 바르게 고쳐 쓰시오.
(4점)

'나는 어젯밤부터 배가 아팠다.'는 과거부터 현재까지 계속된 일이므로 현재완료를 사용하여 "I have had a stomachache for last night."으로 나타낼 수 있습니다.

_____ → _____

[서술형6] 우리말과 일치하도록 주어진 말을 알맞은 형태로 바꿔 현재완료 문장을 쓰시오. (6점)

나는 아직 그 사실을 말하지 않았다. (tell the truth, yet)

→ _____

[서술형7] 그림을 보고, 조건 에 맞게 문장을 완성하시오. (7점)

<20 years ago>   <now>

조건 live in the same house, 20 years를 활용할 것

→ My parents _____ _____ _____

_____ _____

_____ .

[서술형8] 다음은 Ella가 전주에서 경험한 것을 나타낸 표이다. 표를 보고, 조건 에 맞게 빈칸에 알맞은 말을 쓰시오. (6점, 각 2점)

Experience	O/X
(1) stay in a *hanok*	O
(2) eat *bibimbap*	O
(3) try on a *hanbok*	X

조건 표의 내용과 일치하도록 현재완료로 쓸 것

Ella has been in the Hanok Village in Jeonju for two weeks. She has experienced new things. She
(1) _____ in a *hanok*. She
(2) _____ *bibimbap*. But
she (3) _____ a *hanbok*.

[서술형9] 주어진 두 문장을 조건 에 맞게 바꿔 쓰시오. (7점)

He started to play the cello two years ago. He still plays the cello now.

조건 1. 같은 의미의 한 문장으로 쓸 것
      2. two years를 포함하여 총 8단어로 쓸 것

→ _____

고난도
[서술형10] 다음 글을 읽고, 어법상 <u>틀린</u> 부분을 찾아 바르게 고쳐 쓰시오. (6점)

Andy is my best friend. I have known him for ten years. We lived next door to each other, so we often played together after school. But last year, he has moved to another city. I miss him very much.

_____ → _____

CHAPTER

02

조동사

Unit 1 can, may, will

Unit 2 must, should, had better, used to

조동사는 동사 앞에 쓰여 동사의 의미를 더해 주는 말로, 능력, 의무, 추측 등을 나타낸다.

능력	I **can** climb walls.	나는 벽을 오를 **수 있다**.
의무	I **must** save people.	나는 사람들을 구해**야 한다**.
추측	You **may** know me.	너는 나를 알지**도 모른다**.

I am Spiderman.

Unit 1 can, may, will

| can |

1 can은 능력, 허가, 요청을 나타내며, 부정형은 cannot(can't)이다.

~할 수 있다 〈능력〉 = be able to	I **can** help you now. He **cannot(can't)** play the guitar. └ cannot은 붙여서 쓴다. She **could** solve math problems easily.	나는 지금 너를 도울 **수 있다**. 그는 기타를 칠 **수 없다**. 그녀는 수학 문제들을 쉽게 풀 **수 있었다**.
~해도 된다 〈허가〉 = may	**Can** I go now? You **can't** take pictures here.	지금 가도 **되나요**? 〈허가〉 너는 여기서 사진을 찍으**면 안 된다**. 〈불허〉
~해 주실래요? 〈요청〉 = will	**Can** you open the window? └ Could(Would) you ~?를 쓰면 더 정중한 표현이 된다.	창문을 열어 **주실래요**?

주의 be able to의 be동사는 주어의 인칭과 수, 문장의 시제에 맞게 쓴다.
Kate **is able to** speak Spanish. Kate는 스페인어를 말할 **수 있다**.
They **were not able to** get home early. 그들은 집에 일찍 도착할 **수 없었다**.

| may |

2 may는 불확실한 추측 또는 허가를 나타내며, 부정형은 may not이다.

~일지도 모른다 〈불확실한 추측〉	He **may** know the truth. You **may not** believe it.	그는 진실을 알**지도 모른다**. 너는 그것을 믿지 **않을지도 모른다**.
~해도 된다 〈허가〉 = can	You **may** borrow this book. They **may not** ride a bike here.	너는 이 책을 빌려**도 된다**. 〈허가〉 그들은 여기에서 자전거를 타**면 안 된다**. 〈불허〉

| will |

3 will은 미래의 일 또는 요청을 나타내며, 부정형은 will not(won't)이다.

~할 것이다 〈미래의 일〉 = be going to	I **will** visit Sam tomorrow. = I'**m going to** visit Sam tomorrow.	나는 내일 Sam을 방문할 **것이다**.
~해 주실래요? 〈요청〉 = can	**Will** you do me a favor?	부탁 하나만 들어**주실래요**?

주의 조동사는 두 개를 연달아 쓸 수 없으므로, will과 can의 의미를 동시에 나타낼 때는 will be able to로 쓴다.
I **will be able to** get there on time. 나는 그곳에 제시간에 도착할 **수 있을 것이다**.
└ will can (×)

바로 개념 확인하기

A 밑줄 친 조동사의 의미 고르기

1 My uncle <u>can</u> speak Japanese.
☐ 능력　　　　　☐ 허가

2 <u>Can</u> you bring me some water?
☐ 허가　　　　　☐ 요청

3 It <u>may</u> rain in the afternoon.
☐ 허가　　　　　☐ 추측

4 She <u>will</u> go to the movies tonight.
☐ 미래　　　　　☐ 요청

B 빈칸에 알맞은 말 고르기

1 Mike _____ be at home now.
(Mike는 지금 집에 있을지도 모른다.)
☐ can　　　　　☐ may

2 _____ you take me to the airport?
(저를 공항에 데려다 주시겠어요?)
☐ Will　　　　　☐ May

3 You _____ pass the exam next time.
(너는 다음에 시험에 통과할 수 있을 것이다.)
☐ will can　　　　　☐ will be able to

C 밑줄 친 조동사와 의미가 같은 말 고르기

1 Alice <u>can</u> drive a car.
☐ is able to　　　　　☐ is going to

2 You <u>may</u> watch TV after dinner.
☐ will　　　　　☐ can

3 I <u>will</u> make some salad.
☐ am able to　　　　　☐ am going to

서술형 기본 유형 익히기

│ 배열 영작 │

[1~5] 우리말과 일치하도록 주어진 말을 배열하여 문장을 완성하시오.

1 너는 내 전화기를 써도 된다.
(may, you, use)

→ _____ my phone.

2 우리가 내일 너를 방문해도 될까?
(we, can, visit, you)

→ _____ tomorrow?

3 그들이 내일 우리와 같이 갈까?
(with, us, they, will, go)

→ _____ tomorrow?

4 그녀는 그 아이디어를 좋아하지 않을지도 모른다.
(not, may, like, she)

→ _____ the idea.

5 그들은 이번 주말에 우리를 도울 수 있을 것이다.
(will, able, they, us, be, help, to)

→ _____

this weekend.

| 오류 수정 |

[6~8] 어법상 **틀린** 부분을 찾아 바르게 고쳐 쓰시오.

6 We can able to persuade him.
(우리는 그를 설득할 수 있다.)

_____ → _____

7 She doesn't may tell the truth.
(그녀는 진실을 말하지 않을지도 모른다.)

_____ → _____

8 The movie will to start soon.
(영화가 곧 시작할 것이다.)

_____ → _____

| 문장 완성 |

[9~12] 우리말과 일치하도록 주어진 말과 알맞은 조동사를 사용하여 문장을 완성하시오.

9 내가 그 책 좀 빌려도 될까?
(borrow the book)

→ _____ I _____ ?

10 그는 전화를 받지 않을지도 모른다.
(pick up the phone)

→ He _____ .

11 너는 여기에 네 가방을 두어도 된다.
(leave your bag)

→ _____ here.

12 그 아기는 곧 말할 수 있을 것이다.
(able, talk)

→ The baby _____ soon.

| 문장 전환 |

[13~15] 주어진 문장과 의미가 같도록 지시에 맞게 문장을 바꿔 쓰시오.

13 could를 사용할 것

Would you take a picture of us?

→ _____

14 be going to를 사용할 것

He will ride a bike in the park.

→ _____

15 be able to를 사용할 것

My dad can fly a plane.

→ _____

Unit 2 must, should, had better, used to

| must |

1 **must**는 강한 의무 또는 강한 추측을 나타내고, 부정형 **must not**은 금지를 나타낸다.

～해야 한다 〈강한 의무〉 = have / has to └ 주어가 3인칭 단수일 때	긍정문	You **must**(= **have to**) stay at home.	너는 집에 머물러 있어야 **한다**. 〈의무〉
	부정문	You **must not** touch the paintings.	너는 이 그림들을 만지면 **안 된다**. 〈금지〉
～가 틀림없다 〈강한 추측〉	긍정문	The rumor **must** be true.	그 소문은 사실이 **틀림없다**.
	부정문	She **can't** be at home.	그녀는 집에 있을 **리가 없다**.

 서술형 빈출 must not은 금지를, don't/doesn't have to는 불필요를 나타낸다.
He **must not** tell the truth. 그는 진실을 말하면 **안 된다**. 〈금지〉
He **doesn't have to** tell the truth. 그는 진실을 말할 **필요가 없다**. 〈불필요〉

주의 must는 과거형·미래형이 없으므로 '～해야 했다'는 had to로, '～해야 할 것이다'는 will have to로 쓴다.
I **had to** get up early this morning. 나는 오늘 아침에 일찍 일어나야 **했다**.
I **will have to** get up early tomorrow. 나는 내일 일찍 일어나야 **할 것이다**.

| should |

2 **should**는 must보다 가벼운 의무나 충고를 나타내며, 부정형은 **should not**(shouldn't)이다.

| ～해야 한다 〈의무〉 | We **should** recycle paper. | 우리는 종이를 재활용해야 **한다**. |
| ～하는 것이 좋겠다 〈충고〉 | You **should** drink some hot water. | 너는 뜨거운 물을 좀 마시는 **게 좋겠다**. |

| had better |

3 **had better**는 should보다 강한 충고를 나타내며, 부정형은 **had better not**이다.

| ～하는 것이 좋겠다 | You **had better** hurry up. | 너는 서두르는 **것이 좋겠다**. |
| ～하지 않는 것이 좋겠다 | You **had better not** go out today. | 너는 오늘 나가지 **않는 게 좋겠다**. |

| used to |

4 **used to**는 지금은 하지 않는 과거의 습관이나 과거의 상태를 나타낸다.

| ～하곤 했다 〈과거의 습관〉 | We **used to**(= **would**) climb up the tree. | 우리는 (한때) 그 나무에 오르곤 **했다**. |
| ～이었다 〈과거의 상태〉 | They **used to** be a happy family. | 그들은 (한때) 행복한 가족**이었다**. |

주의 「used to+동사원형」 vs. 「be used to+-ing」
He **used to live** in a big city. 그는 대도시에서 **살곤 했다**.
He **is used to living** in a big city. 그는 대도시에서 **사는 것에 익숙하다**.

바로 개념 확인하기

A must와 have to 중 빈칸에 알맞은 것 고르기

1 She _____ be very sick.
(그녀는 매우 아픈 것이 틀림없다.)
☐ must ☐ has to

2 You _____ swim here.
(너는 이곳에서 수영하면 안 된다.)
☐ must not ☐ don't have to

3 We _____ hurry.
(우리는 서두를 필요가 없다.)
☐ must not ☐ don't have to

B 알맞은 표현 고르기

1 일찍 일어나야 했다
☐ had to get up early
☐ did must get up early

2 떠나지 않는 게 좋겠다
☐ had not better leave
☐ had better not leave

3 개를 두려워하곤 했다
☐ used to be afraid of dogs
☐ used to being afraid of dogs

C 빈칸에 알맞은 말 고르기

1 You will _____ make a decision soon.
☐ should ☐ have to

2 He didn't have lunch. He _____ be hungry.
☐ must ☐ should

3 There _____ be a bakery, but now there is a flower shop.
☐ used to ☐ would

서술형 기본 유형 익히기

| 배열 영작 |

[1~5] 우리말과 일치하도록 주어진 말을 배열하여 문장을 완성하시오.

1 그는 행복한 것이 틀림없다.
(be, must, he, happy)

→ _____

2 친구들은 서로 도와야 한다.
(help, should, friends, each other)

→ _____

3 너는 수업에 제시간에 와야 한다.
(come, must, you, to class)

→ _____ on time.

4 우리는 시끄럽게 하지 않는 것이 좋겠다.
(not, had, better, we, make)

→ _____ noise.

5 그녀는 매일 피아노를 치곤 했었다.
(she, the piano, play, used to)

→ _____ every day.

| 그림 영작 |

[6~7] 표지판을 보고, 조동사 must와 주어진 말을 활용하여 문장을 완성하시오.

6

→ You _____
in the pool. (wear a swimsuit)

7

→ You _____
during the test. (use a phone)

| 문장 완성 |

[8~11] 우리말과 일치하도록 주어진 말을 활용하여 문장을 완성하시오.

8 너는 너무 빨리 운전하면 안 된다.
(should, drive too fast)   *부정형 주의

→ _____

9 그들은 (한때) 친한 친구들이었다.
(be, close friends)

→ _____

10 우리는 내일 일찍 떠나야 할 것이다.
(will, leave early)

→ _____
tomorrow.

11 그들은 어제 집에 머물러야 했다.
(stay at home)   *시제 주의

→ _____
yesterday.

| 오류 수정 |

[12~14] 어법상 또는 의미상 틀린 부분을 찾아 바르게 고쳐 쓰시오.

12 We had not better go now.
(우리는 지금 가지 않는 게 좋겠다.)

_____ → _____

13 He is used to jog in the morning.
(그는 아침에 조깅하곤 했었다.)

_____ → _____

14 You must not answer every question.
(너는 모든 질문에 답할 필요가 없다.)

_____ → _____

기출에서 뽑은

난이도별 서술형 문제

·················· 기 본 ··················

01 우리말과 일치하도록 |보기|에서 알맞은 조동사를 골라 빈칸에 쓰시오.

|보기|	must	may	will

(1) 그는 너를 용서하지 않을 것이다.

→ He _____ not forgive you.

(2) 너는 헬멧을 써야 한다.

→ You _____ wear a helmet.

(3) 그것은 사실이 아닐지도 모른다.

→ That _____ not be true.

02 그림을 보고, 주어진 말을 활용하여 문장을 완성하시오.

→ You _____ _____ _____

_____ here. (must, take pictures)

03 대화를 읽고, 괄호 안에 주어진 말을 배열하여 문장을 완성하시오.

A Do you have to use the computer now?
B Yes. (have, finish, my report, I, to) today.

→ _____ today.

04 어법상 틀린 부분을 찾아 바르게 고쳐 쓰시오.

(1) We used to going fishing in the summer.
(여름에 우리는 낚시를 하러 가곤 했다.)

_____ → _____

(2) You must not knock. Just come in.
(너는 노크를 할 필요가 없어. 그냥 들어와.)

_____ → _____

05 대화를 읽고, 밑줄 친 우리말과 일치하도록 주어진 말을 활용하여 문장을 완성하시오.

A I can't focus on anything. I'm so sleepy.
B Did you play computer games again?
A Yes. Until 1 a.m.
B 너는 컴퓨터 게임을 너무 많이 하지 않는 게 좋겠다. (had better, play)

→ _____ _____ _____ _____

_____ computer games too much.

·················· 심 화 ··················

신유형
06 자연스러운 내용이 되도록 각 상자에서 알맞은 말을 하나씩 골라 빈칸에 쓰시오.

must	go
had better	see
used to	be

(1) He won the contest. He _____ happy.

(2) I _____ hiking every weekend, but now I enjoy swimming.

(3) Do you have a cold? You _____ a doctor right now.

07 표를 보고, |예시|와 같이 문장을 완성하시오.

	할 수 있는 것	할 수 없는 것
penguins	swim	(1) fly
elephants	(2) run	(3) jump

|예시| Penguins are able to swim.

(1) Penguins _____ .

(2) Elephants _____ .

(3) Elephants _____ .

08 조건에 맞게 밑줄 친 우리말을 영어로 쓰시오.

> A When can you finish your homework?
> B <u>나는 그것을 10시까지 끝낼 수 있을 거야.</u>
> (will, finish, by ten)

> 조건 1. 주어진 말을 모두 사용할 것
> 2. 총 9단어의 완전한 문장으로 쓸 것

→ _____

신유형

09 자연스러운 대화가 되도록 |보기|에서 알맞은 단어를 골라 빈칸에 쓰시오. (중복 사용 불가)

|보기|	I	you	he	be	swim
	take	must	may	should	

(1) A _____ _____ _____ here?
   B No, you may not. It's dangerous.

(2) A Where is Jiho?
   B _____ _____ _____ in the
      library. I saw him there a few minutes ago.

(3) A What's the weather like?
   B It's raining. _____ _____ _____
      your umbrella.

고난도

10 밑줄 친 ⓐ~ⓒ 중 어법상 틀린 것을 찾아 기호를 쓰고, 바르게 고쳐 쓰시오.

> I ⓐused to live in a big city, but now I live in a small town. The school is far from my house, so I take a bus to get to school. I ⓑhave to get up early in the morning to catch the bus. Yesterday I missed the bus, so I ⓒdid must wait 30 minutes for the next one.

(____) → _____

함정이 있는 문제

01 어법상 틀린 부분을 찾아 바르게 고쳐 쓰시오.

> The test may easy.
> (그 시험은 쉬울지도 모른다.)

_____ → _____

✔ 조동사 뒤에 형용사를 쓸 경우, 형용사 앞에 동사 be를 빠뜨리지 말자!
easy와 같은 형용사는 조동사 바로 뒤에 올 수 없으므로, 형용사 앞에 동사 be를 써야 한다.

02 어법상 틀린 문장의 기호를 쓰고, 바르게 고쳐 다시 쓰시오.

> ⓐ I will have to finish the project.
> (나는 그 과제를 끝내야 할 것이다.)
> ⓑ I will can arrive on time.
> (나는 제시간에 도착할 수 있을 것이다.)

(____) → _____

✔ 조동사 두 개는 연달아 쓸 수 없다!
'~할 것이다'는 「will+동사원형」으로, '~할 수 있다'는 「can+동사원형」으로 나타낼 수 있지만, 조동사 두 개는 연달아 쓸 수 없으므로 will be able to로 써야 한다.

03 우리말과 일치하도록 주어진 말을 배열하여 쓰시오.

그녀는 그곳에 가지 않는 게 좋겠다.
(had, not, go, there, she, better)
→ _____

✔ had better의 부정은 had better not이다.
had not better로 실수하지 않도록 주의하자!

시험에 강해지는

실전 TEST

시험일	월	일
시간		/ 40분
문항 수	객관식 10 /	서술형 10
점수		/ 100점

01 빈칸에 알맞은 것은? (3점)

> He bought an expensive car. He _____ be very rich.

① can   ② must   ③ have to
④ will   ⑤ should

02 |보기|의 밑줄 친 can과 의미가 같은 것은? (4점)

> |보기| You can use this computer at any time.

① She can speak Chinese.
② Can I go out and play?
③ My sister can ride a bike.
④ Can you play the violin?
⑤ The boy can climb trees very well.

03 빈칸에 May(may)가 들어갈 수 없는 것은? (4점)

① _____ I borrow it for a day?
② Emma _____ know his phone number.
③ That news _____ not be true.
④ _____ you give me some advice?
⑤ The guests _____ use the swimming pool.

04 어법상 틀린 것은? (4점)

① My brother can't ski.
② I won't be at home tomorrow.
③ She should more careful.
④ May I turn on the air conditioner?
⑤ My father used to smoke.

신유형

05 우리말과 일치하도록 주어진 말을 배열할 때, 네 번째로 오는 단어는? (3점)

> 너는 나쁜 말을 쓰지 않는 것이 좋겠다.
> (bad language, you, use, had, not, better)

① use   ② better   ③ not
④ had   ⑤ language

06 빈칸에 알맞은 말이 순서대로 짝지어진 것은? (4점)

> • It's sunny. You _____ bring an umbrella.
> • Your eyes are red. You _____ see a doctor right now.

① must – used to
② must not – used to
③ must not – shouldn't
④ don't have to – should
⑤ don't have to – shouldn't

07 짝지어진 문장의 의미가 다른 것은? (4점)

① You can play outside.
  = You may play outside.
② They will buy a chocolate cake.
  = They are going to buy a chocolate cake.
③ She must hurry to catch the train.
  = She has to hurry to catch the train.
④ He used to exercise regularly.
  = He had better exercise regularly.
⑤ I could write my name when I was five.
  = I was able to write my name when I was five.

08 주어진 두 문장을 한 문장으로 바꿔 쓸 때, 빈칸에 알맞은 것은? (4점)

> When I was young, I collected movie posters.
> But I don't collect them anymore.
> → I _____ movie posters.

① could collect   ② had to collect
③ used to collect   ④ used to collecting
⑤ am used to collecting

09 우리말 의미가 알맞은 것을 <u>모두</u> 고르면? (5점)

> ⓐ She must be tired.
>   → 그녀는 피곤할지도 모른다.
> ⓑ You had better not believe him.
>   → 너는 그를 믿지 않는 게 좋겠다.
> ⓒ They should listen to their teacher.
>   → 그들은 선생님의 말씀을 들어야 한다.
> ⓓ You must not tell anyone your password.
>   → 너는 누구에게도 네 비밀번호를 말하면 안 된다.
> ⓔ We don't have to be in the classroom.
>   → 우리는 교실에 있으면 안 된다.

① ⓐ, ⓑ   ② ⓐ, ⓒ   ③ ⓐ, ⓓ, ⓔ
④ ⓑ, ⓒ, ⓓ   ⑤ ⓒ, ⓓ, ⓔ

신유형 고난도
10 다음 (A)~(C)에 대해 <u>잘못</u> 말한 학생은? (5점)

> (A) They may be at home now.
> (B) He has to follow the rules.
> (C) She had better to study hard.

① 수지: (A)의 may는 약한 추측을 나타내.
② 모모: (A)의 부정문은 may 뒤에 not을 쓰면 돼.
③ 나은: (B)의 has to는 must로 바꿔 쓸 수 있어.
④ 찬열: (C)의 to study를 study로 고쳐야 돼.
⑤ 정국: (C)는 주어가 3인칭 단수이므로 had를 has로 고쳐야 돼.

[서술형1] 두 문장의 의미가 같도록 빈칸에 알맞은 조동사를 쓰시오. (4점, 각 2점)

(1) We are not able to finish the work.
   = We _____ finish the work.

(2) You have to fasten your seat belt.
   = You _____ fasten your seat belt.

[서술형2] 자연스러운 내용이 되도록 |보기|에서 알맞은 말을 골라 빈칸에 쓰시오. (6점, 각 2점)

|보기|	cannot	may	have to

(1) It's cloudy. It _____ rain this afternoon.

(2) It's getting dark. I _____ go home now.

(3) You _____ go into the pool without a swimming cap.

[서술형3] 어법상 <u>틀린</u> 부분을 찾아 바르게 고쳐 쓰시오. (4점, 각 2점)

(1) We used to took a walk after dinner.
   (우리는 저녁 식사 후에 산책을 하곤 했다.)

   _____ → _____

(2) He will must stay at home.
   (그는 집에 머물러야 할 것이다.)

   _____ → _____

[서술형4] 우리말과 일치하도록 주어진 말을 배열하여 쓰시오. (4점)

> 우리는 시간을 낭비해서는 안 된다.
> (not, waste, we, time, should)

→ _____

[서술형 5] 그림을 보고, 빈칸에 알맞은 말을 쓰시오. (4점)

<past> <now>

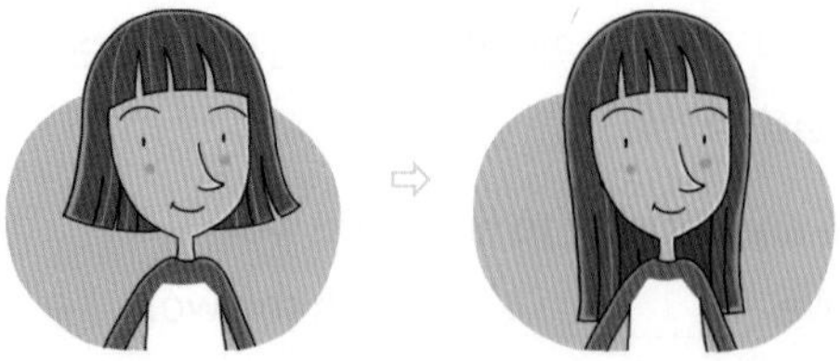

→ Sophia ________ ________ ________ short hair, but now she has long hair.

[서술형 6] 대화를 읽고, 조건에 맞게 밑줄 친 우리말을 영어로 쓰시오. (6점, 각 3점)

A Jane, it's 8 o'clock. (1) 너는 지금 일어나야 해. (get up)
B (2) 저는 오늘 학교에 갈 필요가 없어요. It's Saturday! (go to school)

조건 괄호 안에 주어진 말과 have to를 사용할 것

(1) ________________________ now.

(2) ________________________ today.

신유형

[서술형 7] 우리말과 일치하도록 주어진 말을 활용하여 문장을 쓰고, 각 조건에 맞게 바꿔 쓰시오. (9점, 각 3점)

(1) 그녀는 바쁠지도 모른다. (busy)

→ ________________________

(2) 조건 '그녀는 바쁜 **것이 틀림없다.**'라는 의미가 되도록 바꿔 쓸 것

→ ________________________

(3) 조건 '그녀는 바쁠 **리가 없다.**'라는 의미가 되도록 바꿔 쓸 것

→ ________________________

[서술형 8] Brian이 표시한 항목을 보고, |예시|와 같이 Brian에 대한 문장을 쓰시오. (6점, 각 3점)

	할 수 있음	할 수 없음
ride a bike	✔	
(1) play the violin	✔	
(2) make a cake		✔

|예시| Brian can ride a bike.

(1) ________________________

(2) ________________________

[서술형 9] 대화를 읽고, 어법상 틀린 부분을 찾아 바르게 고쳐 쓰시오. (5점)

A Mom, can I go to the movies with Jina now?
B No, you can't. It's already 9. You had not better go out at night.

____________ → ____________

[서술형 10] 각 학생들의 고민을 읽고, 조건에 맞게 조언하는 문장을 완성하시오. (12점, 각 4점)

Jenny Tom is angry at me. I don't know why.
Hana I gained a lot of weight.
Mark I got a big pimple on my nose.

*pimple 여드름, 뾰루지

조건 1. 문제 상황에 맞는 조언이 되도록 |보기|에서 알맞은 표현을 골라 쓸 것
2. should 또는 should not을 사용할 것

|보기| exercise regularly touch it have a talk with him

(1) Jenny, you ________________________.
(2) Hana, you ________________________.
(3) Mark, you ________________________.

CHAPTER

03

to부정사

Unit 1 to부정사의 명사적 용법

Unit 2 to부정사의 형용사적·부사적 용법

Unit 3 to부정사 구문

to부정사는 「to+동사원형」의 형태로 쓰며, 문장에서 다양한 역할을 한다.

| 명사 역할 | I like **to read** books. | 나는 책 읽기를 좋아한다. |

| 형용사 역할 | I have many books **to read**. | 나는 읽을 책이 많다. |

| 부사 역할 | I go to the library **to read** books. | 나는 책을 읽기 위해 도서관에 간다. |

1

to부정사의 명사적 용법

| to부정사의 명사적 용법 |

1

to부정사는 「to+동사원형」의 형태로, 문장에서 명사처럼 쓰여 주어, 목적어, 보어 역할을 한다.

주어 역할 (~ 하는 것은)	**To become a doctor** is not easy. 의사가 되는 것은 쉽지 않다. ⤷ to부정사 주어는 단수 취급한다.
목적어 역할 (~하는 것을)	I want **to become a doctor.** 나는 의사가 되는 것을 원한다.
보어 역할 (~하는 것이다)	My dream is **to become a doctor.** 내 꿈은 의사가 되는 것이다.

암기 노트 to부정사를 목적어로 쓰는 동사	
want to	~하기를 원하다
expect to	~하기를 기대하다
decide to	~하기를 결정하다
plan to	~하기를 계획하다
hope to	~하기를 희망하다
need to	~할 필요가 있다
promise to	~하기를 약속하다

주의 to부정사의 부정은 「not to+동사원형」으로 쓴다.

I promised **not to tell** a lie. 나는 거짓말을 하지 않기로 약속했다.

| 가주어 It |

2

to부정사가 주어로 쓰일 때, 주어 자리에 가주어 It을 쓰고 to부정사는 뒤로 보낸다.

To ride a roller coaster is exciting.　　롤러코스터를 타는 것은 신난다.

It is exciting **to ride** a roller coaster.
가주어　　　　　　　　　진주어

암기 노트 자주 쓰이는 「It ~ to부정사」 표현	
It is **easy** to	~하는 것은 쉽다
It is **hard(difficult)** to	~하는 것은 어렵다
It is **important** to	~하는 것은 중요하다
It is **necessary** to	~하는 것은 필수적이다
It is **exciting** to	~하는 것은 신난다
It is **impossible** to	~하는 것은 불가능하다

tips 가주어 It은 형식적인 주어이므로 '그것'으로 해석하지 않는다.

| 의문사+to부정사 |

3

「의문사+to부정사」는 '~할지'의 의미로 문장에서 명사처럼 쓰인다.

	where to go.	나는 어디로 가야 할지 모른다.
	what to buy.	나는 무엇을 사야 할지 모른다.
I don't know	**when to leave.**	나는 언제 떠나야 할지 모른다.
	how to make it.	나는 그것을 어떻게 만드는지 모른다.

주의 「why+to부정사」는 쓰지 않는다.

tips 「의문사+to부정사」는 「의문사+주어+should+동사원형」으로 바꿔 쓸 수 있다.

I don't know **what to do** first. 나는 먼저 무엇을 해야 할지 모른다.

= I don't know **what I should do** first.

✔ 바로 개념 확인하기

A 밑줄 친 to부정사의 역할 구분하기

1 To exercise regularly is good for your health.
☐ 주어　　☐ 목적어　　☐ 보어

2 My goal is to improve my English.
☐ 주어　　☐ 목적어　　☐ 보어

3 It was interesting to learn taekwondo.
☐ 주어　　☐ 목적어　　☐ 보어

4 They plan to play badminton after school.
☐ 주어　　☐ 목적어　　☐ 보어

B 가주어 It 구문으로 바꿔 쓰기

1 To get enough sleep is important.
→ _____ is important _____ enough sleep.

2 To watch the soccer game was exciting.
→ _____ was exciting _____ the soccer game.

3 To wear a seat belt is necessary.
→ _____ is necessary _____ a seat belt.

C |보기|의 표현과 to부정사를 활용하여 문장 완성하기

|보기|	what / eat	how / play
	where / buy	when / start

1 I can't decide _____ for lunch.

2 I don't know _____ the shoes.

3 Do you know _____ the violin?

4 Please tell me _____ the project.

| 배열 영작 |

[1~5] 우리말과 일치하도록 주어진 말을 배열하여 문장을 완성하시오.

1 그 규칙들을 지키는 것은 중요하다.
(the rules, is, keep, to)

→ _____ important.

2 그의 목표는 자신의 가게를 여는 것이다.
(goal, his, is, open, to)

→ _____ his own store.

3 Amy는 간호사가 되기를 원한다.
(a nurse, be, to, wants)

→ Amy _____.

4 그녀는 패스트푸드를 먹지 않기로 결심했다.
(not, decided, eat, to)　　*not 위치 주의

→ She _____ fast food.

5 그는 어머니께 어떻게 스마트폰을 사용하는지 가르쳐 드렸다. (use, to, her smartphone, how)

→ He taught his mother _____

_____.

| 문장 완성 |

[6~8] 우리말과 일치하도록 주어진 말과 to부정사를 사용하여 문장을 완성하시오.

6 여기에서 수영하는 것은 위험하다.
(it, dangerous, swim)

→ _____ here.

7 우리는 너를 곧 만나기를 희망한다.
(hope, meet)

→ _____ soon.

8 나는 그에게 뭐라고 말해야 할지 모르겠다.
(know, say)

→ I _____ to him.

| 오류 수정 |

[9~12] 어법상 틀린 부분을 찾아 바르게 고쳐 쓰시오.

9 That is impossible to arrive on time.
(제시간에 도착하는 것은 불가능하다.)

_____ → _____

10 To study for two hours are not easy.
(두 시간 동안 공부하는 것은 쉽지 않다.)

_____ → _____

11 I asked him to start when the meeting.
(나는 그에게 언제 회의를 시작하는지 물었다.)

_____ → _____

12 I promised to be not late.
(나는 늦지 않기로 약속했다.)

_____ → _____

| 문장 전환 |

[13~15] 주어진 문장과 의미가 같도록 to부정사를 사용하여 바꿔 쓰시오.

13 To meet new people is exciting.

→ It _____ .

14 To save energy is necessary.

→ It _____ .

15 Tell me when I should call her.

→ Tell me _____ .

Unit 2

to부정사의 형용사적·부사적 용법

| to부정사의 형용사적 용법 |

1 **to부정사가 형용사처럼 명사를 수식하며, 이때 to부정사는 명사의 뒤에 위치한다.**

| 형용사+명사 | I have an interesting book. | 나는 재미있는 책을 가지고 있다. |
| 명사+to부정사 | I have a book **to read**. | 나는 **읽을** 책을 가지고 있다. |

서술형 빈출 -thing, -one, -body로 끝나는 대명사가 형용사의 수식을 받는 경우, 「대명사＋형용사＋to부정사」의 순으로 쓴다.

Give me **something cold**. 내게 **차가운 것을** 줘.

Give me **something to drink**. 내게 **마실 것을** 줘.

Give me **something cold to drink**. 내게 **차가운 마실 것을** 줘.

| to부정사의 형용사적 용법 _ 전치사가 있는 경우 |

2 **「to부정사＋전치사」의 형태로 명사를 수식하는 경우, 전치사를 빠뜨리지 않도록 한다.**

| 명사+to부정사 | I have a letter **to write**.
　　　　　(← write a letter)
나는 **쓸** 편지가 있다. |
| 명사+to부정사+전치사 | I need a pen **to write** with.
　　　　　(← write <u>with</u> a pen)
나는 **쓸** 펜이 필요하다. |

> 암기 노트 「명사＋to부정사＋전치사」 표현
>
> | a house **to live** in | 살 집 |
> | a hotel **to stay** in | 머물 호텔 |
> | someone **to talk** to | 이야기할 누군가 |
> | a friend **to play** with | 함께 놀 친구 |
> | a chair **to sit** on | 앉을 의자 |
> | paper **to write** on | 쓸 종이 |

| to부정사의 부사적 용법 |

3 **to부정사가 문장에서 부사처럼 쓰인 경우에는 문맥에 따라 다양한 의미로 해석한다.**

목적 (～하기 위해서)	I went to the store **to buy** some food. 나는 음식을 좀 **사기 위해서** 가게에 갔다.
감정의 원인 (～해서)	I'm so happy **to come** back home. 나는 집으로 다시 **돌아와서** 아주 기쁘다.
판단의 근거 (～하다니)	You must be smart **to win** the quiz show. 퀴즈 쇼에서 **우승하다니** 너는 똑똑한 것이 틀림없다.
결과 (～해서 …하다)	She grew up **to be** a famous singer. 그녀는 자라서 유명한 가수가 **되었다**.

> 암기 노트 「감정형용사＋to부정사」 표현
>
> | be **glad(pleased)** to | ～해서 기쁘다 |
> | be **excited** to | ～해서 신난다 |
> | be **sorry** to | ～해서 미안하다
～해서 유감이다 |
> | be **surprised** to | ～해서 놀라다 |
> | be **disappointed** to | ～해서 실망하다 |

tips 목적의 의미를 더 확실하게 나타내기 위해 「in order to＋동사원형」을 쓰기도 한다.

I will do my best **in order to achieve** my goal. 나는 내 목표를 **달성하기 위해** 최선을 다할 것이다.

서술형 기본 유형 익히기

✔ 바로 개념 확인하기

A 밑줄 친 to부정사가 꾸미는 말에 동그라미 하기

> |예시| There are (nice places) to visit in Busan.

1 It's time <u>to go</u>.

2 She gave me something <u>to eat</u>.

3 He bought some books <u>to read</u>.

B 빈칸에 알맞은 말 고르기

1 I need a true friend _____.
☐ to talk   ☐ to talk to

2 Do you have a pen _____?
☐ to write   ☐ to write with

3 She bought a chair _____.
☐ to sit   ☐ to sit on

4 I'm looking for a hotel _____.
☐ to stay   ☐ to stay in

C 밑줄 친 부분의 알맞은 의미 고르기

1 We're very pleased <u>to visit Korea</u>.
☐ 한국을 방문하기 위해
☐ 한국을 방문해서

2 Jane studied hard <u>to be a lawyer</u>.
☐ 변호사가 되기 위해
☐ 변호사가 되어서

3 He must be kind <u>to help the old man</u>.
☐ 노인을 돕기 위해
☐ 노인을 돕는 걸 보니

| 배열 영작 |

[1~5] 우리말과 일치하도록 주어진 말을 배열하여 문장을 완성하시오.

1 그녀는 끝내야 할 숙제가 많다.
(a lot of, finish, to, homework)

→ She has _____.

2 그들은 앉을 벤치를 찾고 있다.
(to, a bench, on, sit)

→ They're looking for _____.

3 나는 입을 무언가가 필요하다.
(to, something, wear)

→ I need _____.

4 우리는 달콤한 먹을 것을 원한다.
(to, something, sweet, eat)

→ We want _____.

5 그는 그 결과를 듣고 실망했다.
(hear, to, disappointed, was)

→ He _____ the result.

| 문장 완성 |

[6~8] 우리말과 일치하도록 주어진 말과 to부정사를 사용하여 문장을 완성하시오.

6 그녀는 우리를 돕기 위해 여기에 왔다.
(help)

→ She came here _____ .

7 나의 할아버지는 살 집을 지으셨다.
(build, a house, live)   *시제 주의, 전치사 주의

→ My grandfather _____ .

8 그녀는 자라서 작가가 되었다.
(become, a writer)

→ She grew up _____ .

| 오류 수정 |

[9~12] 어법상 틀린 부분을 찾아 바르게 고쳐 쓰시오.

9 I have important something to do.
(나는 해야 할 중요한 무언가가 있다.)

_____ → _____

10 He booked a hotel to stay tomorrow.
(그는 내일 머물 호텔을 예약했다.)   *book 예약하다

_____ → _____

11 The girls were surprised to saw a mouse.
(그 여자아이들은 쥐를 보고 놀랐다.)

_____ → _____

12 I bought some pens to write.
(나는 쓸 펜들을 좀 샀다.)

_____ → _____

| 문장 전환 |

[13~15] 주어진 문장과 의미가 같도록 to부정사를 사용하여 바꿔 쓰시오.

13 He was pleased because he saw Lily there.

→ He was pleased _____ .

14 We went to the library because we wanted to borrow some books.

→ We went to the library _____
_____ .

15 His daughter grew up and became a famous director.

→ His daughter _____
a famous director.

Unit 3

to부정사 구문

| 의미상의 주어 |

1 to부정사의 행위의 주체를 나타낼 때는 to부정사 앞에 의미상의 주어를 쓴다.

의미상의 주어		
일반적인 형태: **for+목적격**	It is easy　　　　　to solve the problem. It is easy **for me** to solve the problem. _{가주어　　　의미상의 주어　　　진주어}	그 문제를 푸는 것은 쉽다. 내가 그 문제를 푸는 것은 쉽다.
성격·태도 형용사 뒤: **of+목적격**	It is kind　　　　　to say so. It is kind **of you** to say so. _{가주어　　　의미상의 주어　　　진주어}	그렇게 말하는 것은 친절하다. 네가 그렇게 말한 것은 친절하다.

암기 노트 성격·태도 형용사

kind(nice)	친절한
wise	현명한
foolish	어리석은
polite	공손한
rude	무례한
brave	용감한
generous	관대한
careless	부주의한

| too ~ to |

2 too ~ to는 '너무 ~해서 …할 수 없는'이라는 의미이다.

too+형용사/부사+to부정사 (너무 ~해서 …할 수 없는)	She is **too young to watch** the movie. 그녀는 **너무 어려서** 그 영화를 볼 **수 없다.**

tips too ~ to는 so ~ that ... can't(couldn't) 구문으로 바꿔 쓸 수 있다.

I'm **too** tired **to** leave now. 나는 **너무** 피곤해서 지금 떠날 **수 없다.**

→ I'm **so** tired **that** I **can't** leave now.

| enough to |

3 enough to는 '~할 만큼 충분히 …한/하게'라는 의미이다.

형용사/부사+enough+to부정사 (~할 만큼 충분히 …한/하게)	He is smart **enough to solve** the question. 그는 그 문제를 풀 **만큼 충분히** 똑똑하다.

주의 enough는 형용사나 부사의 바로 뒤에 쓴다.

tips enough to는 so ~ that ... can(could) 구문으로 바꿔 쓸 수 있다.

He is strong **enough to** carry the boxes. 그는 그 상자들을 옮길 **만큼 충분히** 힘이 세다.

→ He is **so** strong **that** he **can** carry the boxes.

바로 개념 확인하기

A 밑줄 친 부분의 알맞은 의미 고르기

1 It is hard <u>for me to get up</u> early.
- ☐ 나를 위해 일찍 일어나는 것은
- ☐ 내가 일찍 일어나는 것은

2 It was foolish <u>of you to believe</u> him.
- ☐ 그를 믿기 위해 너의
- ☐ 네가 그를 믿은 것은

3 It is necessary <u>for Daniel to make the right decision.</u>
- ☐ Daniel이 옳은 결정을 내리는 것은
- ☐ Daniel을 위해 옳은 결정을 내리는 것은

B 빈칸에 for 또는 of 중 알맞은 말 쓰기

1 It is generous _____ you to forgive me.

2 It is dangerous _____ you to go hiking in this weather.

3 It is polite _____ her to say so.

4 It'll be difficult _____ him to understand the book.

C 빈칸에 알맞은 말 고르기

1 It was _____ to go camping.
- ☐ too cold
- ☐ cold too

2 The bag is _____ to hold everything.
- ☐ enough big
- ☐ big enough

3 He was _____ busy to call his mother.
- ☐ too
- ☐ enough

4 My aunt is rich _____ to buy that car.
- ☐ too
- ☐ enough

서술형 기본 유형 익히기

| 배열 영작 |

[1~5] 우리말과 일치하도록 주어진 말을 배열하여 문장을 완성하시오.

1 그들이 일찍 떠난 것은 현명했다.
(wise, to, leave, them, of)

→ It was _____
early.

2 우리가 그의 이야기를 믿는 것은 힘들다.
(hard, believe, for, to, us)

→ It is _____
his story.

3 나는 너무 화가 나서 아무 말도 할 수 없었다.
(upset, to, too, say)

→ I was _____
anything.

4 그들은 그 상황을 이해할 만큼 충분히 나이가 들었다.
(enough, to, old, understand)

→ They're _____
the situation.

5 그는 너무 피곤해서 더 이상 걸을 수 없었다.
(walk, too, to, tired)

→ He was _____
anymore.

| 오류 수정 |

[6~8] 어법상 틀린 부분을 찾아 바르게 고쳐 쓰시오.

6 It was brave for him to do it.
(그것을 하다니 그는 용감했다.)

_____ → _____

7 She was so busy to have lunch.
(그녀는 너무 바빠서 점심을 먹을 수 없었다.)

_____ → _____

8 I ran enough fast to catch him.
(나는 그를 잡을 만큼 충분히 빨리 달렸다.)

_____ → _____

| 문장 완성 |

[9~12] 우리말과 일치하도록 주어진 말과 to부정사를 사용하여 문장을 완성하시오.

9 이 스파게티는 너무 짜서 먹을 수 없다.
(salty, eat)

→ This spaghetti is _____.

10 내가 혼자서 그 일을 끝내는 것은 불가능하다.
(impossible, me, finish)

→ It is _____
the work alone.

11 밖에서 놀 만큼 충분히 따뜻했다.
(warm, play outside)

→ It was _____.

12 그 영화는 너무 지루해서 볼 수 없다.
(boring, watch)

→ The movie is _____.

| 문장 전환 |

[13~15] 주어진 문장과 의미가 같도록 to부정사를 사용하여 문장을 바꿔 쓰시오.

13 I'm so tired that I can't clean the house.

→ I'm _____.

14 Emily was so sick that she couldn't eat anything.

→ Emily was _____ anything.

15 David is so wise that he can give advice to his friends.

→ David is _____ advice
to his friends.

한눈에 보는
to부정사의 용법

명사적 용법 — 명사처럼 주어, 목적어, 보어 자리에 쓴다.

주어	To play the piano is fun.	피아노를 치는 것은 재미있다.
	= It is fun **to play the piano**.	
목적어	I want **to play the piano**.	나는 **피아노를 치는 것을** 원한다.
보어	My dream is **to play the piano well**.	내 꿈은 **피아노를 잘 치는 것**이다.

to부정사

형용사적 용법 — 형용사처럼 명사를 수식하며, 명사의 뒤에 위치한다.

It's time **to say** goodbye. 작별인사를 할 시간이다.

I want something **to drink**. 나는 **마실** 무언가를 원한다.

I need a chair **to sit on**. 나는 **앉을** 의자가 필요하다.

부사적 용법 — 부사처럼 쓰이며, 문맥에 따라 다양한 의미를 가진다.

목적 (~하기 위해)	I exercise hard **to lose** weight.	나는 살을 **빼기 위해** 열심히 운동한다.
감정의 원인 (~해서)	I'm glad **to see** you.	나는 너를 **봐서** 기쁘다.
판단의 근거 (~하다니)	She must be angry **to say** so.	그렇게 **말하다니** 그녀는 화난 것이 틀림없다.
결과 (~해서 …하다)	He grew up **to be** a teacher.	그는 자라서 교사가 **되었다**.

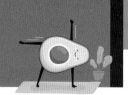
난이도별 서술형 문제

·············· 기 본 ··············

01 우리말과 일치하도록 주어진 말을 배열하여 쓰시오.

(1) 나는 학교 밴드에 가입하기를 원한다.

(want, the school band, I, join, to)

→ _____

(2) 그의 꿈은 과학자가 되는 것이다.

(to, dream, be, a scientist, his, is)

→ _____

02 그림을 보고, 주어진 말을 활용하여 문장을 완성하시오.

(1) (go)   (2) (eat)

(1) He doesn't know _____ _____ _____.

(2) She can't decide _____ _____ _____.

03 어법상 틀린 부분을 찾아 바르게 고쳐 쓰시오.

(1) It was nice for Rachel to remember my birthday.

_____ → _____

(2) Can you bring me warm something to wear?

_____ → _____

04 우리말과 일치하도록 주어진 말을 활용하여 문장을 쓰시오.

나는 떠나지 않기로 결정했다. (decide, leave, not)

→ _____

05 그림을 보고, 조건에 맞게 문장을 완성하시오.

DANGER

조건 1. 가주어를 사용할 것
　　 2. dangerous, swim을 활용할 것

→ _____ _____ _____ _____

_____ in this river.

·············· 심 화 ··············

06 주어진 문장과 의미가 같도록 to부정사를 사용한 문장으로 바꿔 쓰시오.

(1) Amy was so kind that she helped me.

→ Amy was _____ _____

_____ me.

(2) Daniel woke up so late that he couldn't have breakfast.

→ Daniel woke up _____ _____

_____ _____ breakfast.

신유형

07 다음은 한 학생이 수업 시간에 발표한 내용이다. 학생이 영작한 문장에서 틀린 부분을 찾아 바르게 고쳐 쓰시오.

'그들은 살 집이 필요하다.'는 to부정사의 형용사적 용법을 사용하여 "They need a house to live."로 나타낼 수 있습니다.

_____ → _____

08 우리말과 일치하도록 조건 에 맞게 문장을 쓰시오.

> 조건 1. to부정사를 사용할 것
> 2. 주어진 말을 모두 활용할 것

(1) 나는 너무 긴장해서 잠을 잘 수 없었다.
(nervous, sleep)

→ _____

(2) 그는 5개 국어를 말할 만큼 충분히 똑똑하다.
(smart, speak five languages)

→ _____

고난도
09 어법상 틀린 문장 두 개를 찾아 기호를 쓰고, 틀린 부분을 바르게 고쳐 쓰시오.

> ⓐ It was foolish of you to believe him.
> ⓑ To learn new things is not easy.
> ⓒ She was too tired walking to the river.
> ⓓ Did you book a hotel to stay during the vacation?

( ) _____ → _____
( ) _____ → _____

고난도
10 |예시|와 같이 주어진 두 문장을 to부정사를 사용하여 한 문장으로 바꿔 쓰시오.

> |예시| I have homework. I should finish it.
> → I have homework to finish.

He has a meeting. He should attend it.

→ He has _____.

01 우리말과 일치하도록 주어진 말을 활용하여 문장을 완성하시오.

모두에게 친절한 것은 중요하다. (kind)
→ It is important _____
to everyone.

✔ to부정사의 to 뒤에 형용사를 쓸 경우, 동사 be를 빠뜨리지 말자!
kind는 형용사이다. to부정사의 to 바로 뒤에는 형용사가 올 수 없으므로, 형용사 앞에 동사 be를 써야 한다.

02 우리말과 일치하도록 주어진 말을 활용하여 문장을 완성하시오.

나는 서랍 안에서 쓸 종이 한 장을 찾았다.
(a piece of paper, write)
→ I found _____
_____ in the drawer.

✔ 「to부정사+전치사」 뒤에 전치사가 또 나와도 당황하지 말자!
「to부정사+전치사」 뒤에 부사구가 이어지면 전치사가 연달아 나올 수 있다. in the drawer의 전치사 in을 보고 혼동하여, to부정사에 필요한 전치사 on을 빠뜨리지 않도록 주의하자.

03 어법상 틀린 부분을 찾아 바르게 고쳐 쓰시오.

> It was very hot to go outside.
> (너무 더워서 밖에 나갈 수 없었다.)

_____ → _____

✔ 「too ~ to」 형태를 묶어서 기억해 두자!
'너무 ~해서 …할 수 없는'은 「too+형용사/부사+to부정사」로 나타낸다. too를 so나 very로 착각하지 않도록 주의하자.

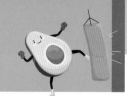

시험에 강해지는

실전 TEST

시험일	월	일
시간		/ 40분
문항 수	객관식 10 / 서술형 10	
점수		/ 100점

01 빈칸에 알맞은 것은? (3점)

> A What should I do to be healthy?
> B You need _____ healthy food.

① eat   ② eats   ③ eating
④ to eat   ⑤ to eating

02 빈칸에 들어갈 수 <u>없는</u> 것은? (3점)

> I don't know _____ .

① what to say   ② where to go
③ why to make   ④ when to stop
⑤ how to dance

03 빈칸에 공통으로 들어갈 말은? (3점)

> • Julie bought a chair to sit _____ .
> • I need some paper to write _____ .

① with   ② to   ③ for
④ on   ⑤ by

신유형
04 우리말과 일치하도록 주어진 말을 배열할 때, 다섯 번째로 오는 단어는? (4점)

> 나는 읽을 잡지 두 권을 샀다.
> (I, two, magazines, bought, read, to)

① two   ② magazines   ③ bought
④ read   ⑤ to

05 |보기|의 밑줄 친 부분과 쓰임이 같은 것은? (4점)

> |보기| I'm looking for someone <u>to help</u> us.

① I like <u>to read</u> fantasy novels.
② I came to Austria <u>to study</u> music.
③ They planned <u>to go</u> to Spain.
④ She was surprised <u>to hear</u> the news.
⑤ Harry has a lot of homework <u>to do</u>.

06 밑줄 친 It의 쓰임이 나머지와 <u>다른</u> 것은? (4점)

① <u>It</u> is on the third floor.
② <u>It</u> is bad to hurt others' feelings.
③ <u>It</u> is not good to drink too much soda.
④ <u>It</u> is dangerous to go out alone at night.
⑤ <u>It</u> is important to wash your hands often.

07 밑줄 친 부분을 <u>잘못</u> 고친 것은? (5점)

① <u>That</u> is not easy to make gimchi.
    → It
② I don't have a pen <u>to write</u>.
    → to write with
③ She decided <u>to fight not</u> with her brother.
    → not to fight
④ He was <u>enough kind</u> to help me.
    → kind enough
⑤ Please give me <u>hot something to drink</u>.
    → something to drink hot

08 빈칸에 들어갈 말이 나머지와 <u>다른</u> 것은? (4점)

① It is exciting _____ me to ski.
② It is important _____ us to save money.
③ It is nice _____ you to take care of him.
④ It is interesting _____ me to study science.
⑤ It is not easy _____ Laura to learn Korean.

09 우리말을 영어로 바르게 옮긴 것은? (4점)

> Kate는 너무 어려서 학교에 갈 수 없다.

① Kate is so young to go to school.
② Kate is very young to go to school.
③ Kate is too young to go to school.
④ Kate is young enough to go to school.
⑤ Kate is so young that she can go to school.

^{고난도}
10 밑줄 친 부분의 의미가 같은 것끼리 짝지어진 것은? (6점)

> ⓐ I'm excited <u>to meet</u> new classmates.
> ⓑ He opened the window <u>to get</u> some fresh air.
> ⓒ She was sad <u>to lose</u> her ring.
> ⓓ Amanda studied hard <u>to be</u> a doctor.
> ⓔ He went to the supermarket <u>to buy</u> some vegetables.

① ⓐ, ⓑ   ② ⓐ, ⓓ   ③ ⓐ, ⓑ, ⓒ
④ ⓑ, ⓓ, ⓔ   ⑤ ⓒ, ⓓ, ⓔ

서 술 형

[서술형1] 우리말과 일치하도록 주어진 말을 배열하여 쓰시오. (6점, 각 3점)

(1) 나는 경기에 이겨서 기쁘다.
(to, the game, I'm, pleased, win)
→ _____

(2) 나는 무엇을 해야 할지 모르겠다.
(know, I, what, do, don't, to)
→ _____

[서술형2] 어법상 틀린 부분을 찾아 바르게 고쳐 쓰시오. (4점, 각 2점)

(1) It was wise for you to say so.
_____ → _____

(2) He is enough tall to be a basketball player.
_____ → _____

[서술형3] 주어진 두 문장과 의미가 같도록 조건에 맞게 한 문장으로 바꿔 쓰시오. (5점)

> Tina has a puppy. She should take care of it.

> 조건 to부정사의 형용사적 용법을 사용할 것

→ Tina has _____.

[서술형4] 우리말과 일치하도록 주어진 말을 활용하여 문장을 완성하시오. (5점)

> 그녀는 오늘 밖에 나가지 않기로 결정했다.
> (decide, go out)

→ _____ today.

[서술형5] 주어진 문장과 의미가 같도록 to부정사를 사용한 문장으로 바꿔 쓰시오. (6점, 각 3점)

(1) He is so full that he can't eat any more.

→ He is _____ .

(2) She is so healthy that she can run a marathon.

→ She is _____ .

[서술형6] 조건 에 맞게 우리말을 영어로 쓰시오. (6점)

조건 1. 가주어와 의미상의 주어를 쓸 것
2. hard, make new friends를 포함할 것

그녀가 새 친구들을 사귀는 것은 어렵다.

→ _____ _____ _____ _____

_____ _____ _____ _____

_____ .

[서술형7] Emma의 SNS 프로필을 보고, 주어진 말과 to부정사를 사용하여 Emma에 대한 문장을 완성하시오. (9점, 각 3점)

••••• 10:35PM 📶 🔋

i_am_emma ▼ 🕘 🔖 ☰ 👤 ⋮

Emma Watson

(1) 좋아하는 것: 맛집 가기
(like, go to famous restaurants)
(2) 목표: 5 킬로그램 감량하기
(goal, lose five kilograms)
(3) 장래희망: 음악 선생님
(want, a music teacher)

(1) Emma _____ .

(2) Her _____ .

(3) She _____ .

[서술형8] 지호가 적은 메모를 보고, 각 상자에서 알맞은 표현을 하나씩 골라 빈칸에 알맞은 말을 쓰시오. (단, 메모에 적힌 순서대로 쓸 것) (9점, 각 3점)

〈여행 준비물〉
• 기차에서 읽을 책
• 기차에서 먹을 샌드위치
• 해변에서 신을 샌들 한 켤레

some sandwiches	eat
a book	wear
a pair of sandals	read

Jiho will go to Haeundae Beach this summer. He will bring (1) _____ and (2) _____ on the train. He will also bring (3) _____ at the beach.

[서술형9~10] 다음 대화를 읽고, 물음에 답하시오.

Amy Do you have any plans for the vacation?
Josh Yes. I'm planning go to Paris.
Amy Oh, really?
Josh Yes, I really want to see the Eiffel Tower.

[서술형9] 위 대화에서 어법상 틀린 부분을 찾아 바르게 고쳐 쓰시오. (5점)

_____ → _____

[서술형10] 위 대화의 내용을 to부정사를 사용하여 한 문장으로 나타내시오. (5점)

→ Josh will go to Paris _____

_____ during the vacation.

CHAPTER

04

동명사

Unit 1 동명사의 쓰임
Unit 2 동명사와 to부정사

동명사는 동사원형에 -ing를 붙여 명사처럼 쓰이는 말로, 문장에서 다양한 역할을 한다.

| 주어 역할 | **Cooking** is fun. | 요리하는 것은 재미있다. |

| 목적어 역할 | I like **cooking**. | 나는 요리하는 것을 좋아한다. |

| 보어 역할 | My hobby is **cooking**. | 나의 취미는 요리하는 것이다. |

동명사의 쓰임

|동명사의 역할|

1 동명사는 「동사원형+-ing」의 형태로, 문장에서 명사처럼 쓰여 주어, 목적어, 보어 역할을 한다.

주어 역할 (~하는 것은)	**Watching fireworks** is exciting. **불꽃놀이를 보는 것은** 신난다. ↳ 동명사 주어도 to부정사 주어처럼 단수 취급한다.
목적어 역할 (~하는 것을)	I enjoy **baking cookies**. 〈동사의 목적어〉 나는 **쿠키 굽는 것을** 즐긴다.
	I'm interested in **designing clothes**. 〈전치사의 목적어〉 나는 **옷을 디자인하는 것에** 관심이 있다.
보어 역할 (~하는 것이다)	My hobby is **taking pictures**. 내 취미는 **사진을 찍는 것이다.**

암기 노트 자주 쓰이는 동명사 표현

enjoy -ing	~하기를 즐기다
finish -ing	~하기를 끝내다
keep -ing	~하기를 계속하다
practice -ing	~하기를 연습하다
avoid -ing	~하기를 피하다
mind -ing	~하기를 꺼리다
give up -ing	~하기를 포기하다

주의 동사가 전치사의 목적어로 쓰일 때 동명사 형태로 쓰며, to부정사는 전치사의 목적어로 쓰일 수 없다.
I'm good at **cooking**. 나는 **요리하는 것을** 잘한다.
└ cook, to cook (×)

tips 동명사(~하는 것) vs. 진행형(~하고 있(었)다)
His hobby **is taking** pictures. 그의 취미는 사진을 **찍는 것이다.**
　　　　be동사+보어(동명사)
He **is taking** pictures. 그는 사진을 **찍고 있다.**
be동사+-ing(진행형)

|동명사의 관용 표현|

2 동명사가 숙어처럼 사용되는 표현을 외워 둔다.

My mom **is busy** working.
나의 엄마는 **일하느라 바쁘시다.**

The musical **was worth** watching.
그 뮤지컬은 **볼 가치가 있었다.**

I **had trouble** getting a ticket for the concert.
나는 콘서트 표를 **구하는 데 어려움을 겪었다.**

암기 노트 자주 쓰이는 동명사 표현

be busy -ing	~하느라 바쁘다
be worth -ing	~할 가치가 있다
have trouble -ing	~하는 데 어려움을 겪다
can't help -ing	~하지 않을 수 없다
spend+시간/돈+-ing	~하는 데 시간/돈을 쓰다
look forward to -ing	~을 기대하다
feel like -ing	~을 하고 싶다

 서술형 빈출 look forward to에서 to를 부정사로 착각하여 to 뒤에 동사원형을 쓰지 않도록 주의한다.
We **look forward to** seeing you soon. 우리는 곧 너를 **보기를 기대한다.**
　　　　　　　　└ to see (×)

바로 개념 확인하기

A 밑줄 친 동명사구의 역할 구분하기

1 My hobby is <u>playing online games</u>.
☐ 주어　　☐ 목적어　　☐ 보어

2 <u>Swimming in the sea</u> can be dangerous.
☐ 주어　　☐ 목적어　　☐ 보어

3 He avoids <u>talking about his family</u>.
☐ 주어　　☐ 목적어　　☐ 보어

B 빈칸에 알맞은 말 고르기

1 Keeping secrets _____ difficult.
☐ is　　　　　　☐ are

2 Watching action movies _____ me happy.
☐ make　　　　☐ makes

3 I'm thinking of _____ the book club.
☐ joining　　　☐ to join

C 우리말과 일치하도록 |보기|에서 알맞은 표현을 골라 문장 완성하기

|보기|	worth / read	feel like / eat
		can't help / smile

1 이 책은 읽을 가치가 있다.
→ This book is _____.

2 나는 점심으로 햄버거를 먹고 싶다.
→ I _____ a hamburger for lunch.

3 나는 그녀를 볼 때 미소 짓지 않을 수 없다.
→ I _____ when I see her.

| 배열 영작 |

[1~8] 우리말과 일치하도록 주어진 말을 배열하여 문장을 완성하시오.

1 그의 취미는 축구하는 것이다.
(playing, is, soccer)

→ His hobby _____.

2 그녀는 셜록 홈즈 이야기를 읽는 것을 즐긴다.
(enjoys, she, reading)

→ _____ Sherlock Holmes stories.

3 나는 그것에 관해 생각하지 않을 수 없다.
(can't, I, help, thinking)

→ _____ about it.

4 나를 도와줘서 고마워.
(for, you, thank, me, helping)

→ _____

5 나는 노래 부르는 것을 잘 못한다.
(not, at, good, I'm, singing)

→ _____

6 그는 그의 차를 고치는 데 어려움을 겪었다.
(had, he, fixing, trouble)

→ _____ his car.

7 나는 오늘 요리하고 싶지 않다.
(don't, cooking, like, I, feel)

→ _____ today.

8 그녀는 옷을 사는 데 돈을 다 썼다.
(she, all the money, buying, spent)

→ _____
   her clothes.

| 문장 완성 |

[9~12] 우리말과 일치하도록 주어진 말을 활용하여 문장을
완성하시오. (단, 동명사를 사용할 것)

9 그는 고양이의 사진을 찍는 것에 관심이 있다.
(interested, take pictures)

→ _____
   of cats.

10 나는 내 방을 치우느라 바빴다.
(busy, clean)   *시제 주의

→ _____ my room.

11 나는 그 영화를 보기를 기대하고 있다.
(look forward, watch)   *시제 주의

→ _____
   the movie.

12 그 박물관은 방문할 가치가 있다.
(worth, visit)

→ The museum _____ .

| 오류 수정 |

[13~15] 어법상 틀린 부분을 찾아 바르게 고쳐 쓰시오.

13 Making new friends are not hard.
(새로운 친구들을 사귀는 것은 어렵지 않다.)

_____ → _____

14 I look forward to go there again.
(나는 그곳에 다시 가기를 기대한다.)

_____ → _____

15 We spent the evening to do our homework.
(우리는 숙제를 하면서 저녁을 보냈다.)

_____ → _____

Unit 2 동명사와 to부정사

| 동사에 따른 목적어의 형태 |

1 동사에 따라 목적어의 형태를 다르게 쓴다.

동명사를 목적어로 쓰는 동사	enjoy, finish, keep, stop, quit, practice, avoid, mind, give up ...	I **enjoy taking** pictures. She **gave up buying** a ticket.	나는 사진 **찍는 것을 즐긴다.** 그녀는 표를 **사는 것을 포기했다.**
to부정사를 목적어로 쓰는 동사	want, expect, decide, plan, hope, need, learn, agree, promise ...	I **want to have** a dog. She **decided to learn** Chinese.	나는 개를 **기르고 싶다.** 그녀는 중국어를 **배우기로 결심했다.**
동명사와 to부정사를 모두 목적어로 쓰는 동사	like, love, hate, begin, start, continue ...	Josh **likes riding (to ride)** a bike. He **started singing (to sing)**. *목적어로 동명사를 쓸 때와 to부정사를 쓸 때 의미 차이는 없다.	Josh는 자전거 **타는 것을 좋아한다.** 그는 **노래하기 시작했다.**

| 동명사/to부정사 목적어의 의미가 다른 동사 |

2 remember, forget, try는 목적어로 동명사와 to부정사를 모두 쓰지만 의미가 달라진다.

remember + 동명사 (~했던 것을 기억하다)	I **remember meeting** Jane last year. 나는 작년에 Jane을 **만났던 것을 기억한다.**
remember + to부정사 (~할 것을 기억하다)	Please **remember to meet** Jane tomorrow. 내일 Jane을 **만나야 할 것을 기억해라.**
forget + 동명사 (~했던 것을 잊다)	I **forgot buying** milk. 나는 우유를 **샀던 것을 잊었다.**
forget + to부정사 (~할 것을 잊다)	I **forgot to buy** milk. 나는 우유를 **사야 할 것을 잊었다.**
try + 동명사 (시험 삼아 한번 ~ 해 보다)	I **tried drawing** myself. 나는 (시험 삼아 한번) 내 모습을 **그려봤다.**
try + to부정사 (~하려고 노력하다)	I **tried to draw** myself. 나는 내 모습을 **그리려고 노력했다.**

주의 동사 stop은 목적어로 동명사를 쓰지만, 뒤에 to부정사가 오면 목적을 나타내는 부사적 용법으로 '~하기 위해 멈추다'로 해석된다.

He stopped <u>talking</u>. 그는 **이야기하는 것을** 멈추었다.
　　　　 stopped의 목적어

The man stopped <u>**to talk**</u>. 그 남자는 **이야기하기 위해** (하던 행동을) 멈추었다.
　　　　　　 to부정사 (목적: ~하기 위해)

✔ 바로 개념 확인하기

A 빈칸에 알맞은 말 <u>모두</u> 고르기

1 I practice _____ the violin every day.
☐ to play ☐ playing

2 The baby started _____.
☐ to cry ☐ crying

3 Would you mind _____ the window?
☐ to open ☐ opening

4 She decided _____ her job.
☐ to quit ☐ quitting

5 I gave up _____ there on time.
☐ to arrive ☐ arriving

6 Ella loves _____ online.
☐ to shop ☐ shopping

B 밑줄 친 부분의 알맞은 의미 고르기

1 She <u>tried solving the problem</u>.
☐ 시험 삼아 한번 문제를 풀어 보았다
☐ 문제를 풀려고 노력했다

2 He <u>forgot to turn off the lights</u>.
☐ 전등을 껐던 것을 잊었다
☐ 전등을 꺼야 할 것을 잊었다

3 I <u>remember visiting my aunt</u> a long time ago.
☐ 고모를 방문했던 것을 기억한다
☐ 고모를 방문할 것을 기억한다

4 I <u>stopped to send a text message</u>.
☐ 문자 메시지 보내는 것을 그만뒀다
☐ 문자 메시지를 보내기 위해 멈췄다

| 배열 영작 |

[1~5] 우리말과 일치하도록 주어진 말을 배열하여 문장을 완성하시오.

1 우리는 그 벽을 칠하는 것을 끝냈다.
(we, painting, finished)

→ _____ the wall.

2 그들은 내일 일찍 떠날 필요가 있다.
(to, leave, need, they, early)

→ _____ tomorrow.

3 나는 엄마에게 전화해야 할 것을 잊었다.
(call, forgot, to, I)

→ _____ my mom.

4 너는 내일 병원에 가야 할 것을 기억해야 한다.
(see, a doctor, remember, to)

→ You should _____
tomorrow.

5 나는 시험 삼아 한번 그에게 전화해 봤지만, 그는 받지 않았다. (calling, I, tried, him)

→ _____,
but he didn't answer.

| 오류 수정 |

[6~8] 어법상 틀린 부분을 찾아 바르게 고쳐 쓰시오.

6 We plan going to Europe next year.
(우리는 내년에 유럽에 갈 계획이다.)

_____ → _____

7 He avoids to speak in front of many people.
(그는 많은 사람들 앞에서 말하는 것을 피한다.)

_____ → _____

8 She stopped calling Mike.
(그녀는 Mike에게 전화하려고 멈췄다.)

_____ → _____

| 문장 완성 |

[9~13] 우리말과 일치하도록 주어진 말을 활용하여 문장을 완성하시오. (필요한 경우, 형태를 바꿀 것)

9 나는 살을 좀 빼려고 노력할 것이다.
(will, try, lose)

→ _____ some weight.

10 그 여자아이들은 계속해서 빗속을 걸었다.
(the girls, keep, walk)   *시제 주의

→ _____ in the rain.

11 그들은 늦었기 때문에 뛰기 시작했다.
(start, run)   *시제 주의

→ _____

because they were late.

12 나는 집으로 친구들을 초대하는 것을 아주 좋아한다.
(love, invite)

→ _____ my friends

over to my house.

13 그는 나를 동물원에 데려가기로 약속했다.
(promise, take)   *시제 주의

→ _____ to the zoo.

| 문장 전환 |

[14~15] |예시와 같이 주어진 두 문장을 동명사나 to부정사를 사용하여 한 문장으로 바꿔 쓰시오.

> |예시   I didn't send the letter. I forgot it.
>   → I forgot to send the letter.

14 I didn't return the book. I forgot it.

→ I forgot _____ the book.

15 I watched the movie. I remember it.

→ I remember _____ the movie.

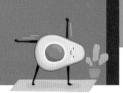

난이도별 서술형 문제

01 우리말과 일치하도록 주어진 말을 알맞은 형태로 바꿔 문장을 완성하시오.

(1) 나는 자주 영어 말하기를 연습한다. (speak)
→ I often practice _____ English.

(2) 그는 나에게 정직하기로 약속했다. (be honest)
→ He promised _____ with me.

(3) 그녀는 웹툰을 그리는 것에 관심이 있다. (draw)
→ She is interested in _____
webtoons.

02 그림을 보고, 주어진 말을 활용하여 빈칸에 쓰시오.

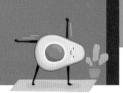

→ The movie was so sad. I couldn't _____
_____. (help, cry)

03 주어진 말을 활용하여 밑줄 친 우리말을 영어로 쓰시오.

> A (1)당신은 수영하는 것을 좋아하나요? (like, swim)
> B Yes, I do.
> A (2)당신은 수영을 잘 하나요? (be good at)
> B Yes, I am. But I want to learn more.

(1) _____

(2) _____

04 어법상 틀린 부분을 찾아 바르게 고쳐 쓰시오.

(1)
> She is busy to take care of her children.

_____ → _____

(2)
> I'm looking forward to see the musical.

_____ → _____

05 우리말과 일치하도록 조건에 맞게 문장을 완성하시오.

> Cathy는 유튜브 동영상 보는 데 너무 많은 시간을 쓴다.
> 그녀는 그것들을 보는 것을 그만둬야 한다.

> 조건 spend, stop, watch를 각각 알맞은 형태로
> 바꿔 쓸 것 (중복 사용 가능)

→ Cathy _____ too much time _____
YouTube videos. She should _____
_____ them.

06 우리말과 일치하도록 주어진 말을 배열하여 문장을 완성하시오.

(1) 나의 남동생은 친구를 사귀는 데 어려움을 겪고 있다.
(having, is, making, friends, trouble)
→ My brother _____

_____.

(2) 너는 내일 그 책을 반납할 것을 기억해야 한다.
(return, remember, to, the book)
→ You should _____

_____ tomorrow.

07 밑줄 친 ⓐ~ⓔ 중 어법상 틀린 것을 찾아 기호를 쓰고, 바르게 고쳐 쓰시오.

> Taking an airplane ⓐis the fastest way to go
> to Jeju-do. But I never ⓑtake airplanes because
> I'm afraid of ⓒflying. So I'm planning ⓓgoing
> to Jeju-do by ship this summer. I will feel tired,
> but I will enjoy ⓔtraveling.   *fly (비행기를 타고) 날다

( ) → _____

08 자연스러운 문장이 되도록 |보기|에서 알맞은 단어를 골라 형태를 바꿔 문장을 완성하시오.

|보기|	save	meet	take

(1) It is raining. Don't forget _____ an umbrella.

(2) I don't know the boy's name, but I remember _____ him at the party.

(3) I want to buy a new computer, so I'm trying _____ a lot of money.

고등유형

09 대화를 읽고, 조건에 맞게 문장을 완성하시오.

Bomi Have you finished reading the book?
Andy No. It was too difficult, so I stopped reading it.

조건 1. 대화의 내용과 일치하는 문장을 완성할 것
2. 대화 속의 표현을 그대로 활용할 것

→ Andy gave up _____ _____ _____ because it was too difficult.

신유형

10 조건에 맞게 우리말과 일치하는 문장을 완성하시오.

조건 1. 각 상자에서 필요한 단어를 하나씩 골라 형태를 바꿔 쓸 것 (중복 사용 가능)
2. 시제에 유의할 것

finish	stop	play	write	talk

(1) 나는 보고서를 쓰는 것을 끝냈다.
→ _____ the report.

(2) 그는 그녀에게 말을 걸기 위해 멈췄다.
→ _____ to her.

(3) 우리는 게임 하는 것을 그만두었다.
→ _____ the game.

함정이 있는 문제

01 어법상 틀린 부분을 찾아 바르게 고쳐 쓰시오.

Planting trees are important.
(나무를 심는 것은 중요하다.)

_____ → _____

✔ 동명사 주어는 항상 단수 취급한다!
주어 자리에 쓰인 동명사 뒤에 복수 명사가 온 경우, 주어를 복수 명사로 착각해서 복수 동사로 쓰지 않도록 주의하자.

02 우리말과 일치하도록 주어진 말을 알맞은 형태로 바꿔 문장을 완성하시오.

우리는 곧 당신을 만나기를 기대합니다.
(look forward to, meet)
→ We _____ soon.

✔ look forward to 뒤에는 동명사 형태가 온다!
look forward to의 to는 부정사가 아니라 전치사이므로, 뒤에 동사를 쓸 때 동명사의 형태로 써야 한다.

03 자연스러운 내용이 되도록 주어진 말을 알맞은 형태로 바꿔 문장을 완성하시오.

The door is open. I forgot _____ the door last night. (lock)

✔ forget, remember가 나오면 이미 한 일인지 앞으로 할 일인지를 잘 판단하자!
'~했던 것을 잊다'는 「forget+동명사」, '~할 것을 잊다'는 「forget+to부정사」로 쓴다. forget, remember는 목적어의 형태에 따라 전혀 다른 뜻이 되므로, 문장의 의미를 잘 파악하고 써야 한다.

시험에 강해지는

실전 TEST

시험일	월	일
시간		/ 40분
문항 수	객관식 10 / 서술형 10	
점수		/ 100점

01 빈칸에 들어갈 수 <u>없는</u> 것은? (3점)

> I _____ talking about it.

① liked ② gave up ③ expected
④ hated ⑤ avoided

02 빈칸에 들어갈 동사 buy의 형태로 알맞은 것은? (3점)

> I'm going to the supermarket again because I forgot _____ cheese.

① buy ② bought
③ buying ④ to buy
⑤ to buying

03 |보기|의 밑줄 친 부분과 쓰임이 같은 것은? (4점)

> |보기| He loves cooking for his family.

① They are reading comic books.
② Her hobby is drawing pictures.
③ He is baking cookies for his mother.
④ What were you doing in your room?
⑤ Jack was watching TV last night.

04 밑줄 친 부분 중 어법상 틀린 것은? (4점)

① Yunho enjoys swimming in summer.
② She started talking to me in Chinese.
③ They decided moving to a small town.
④ He kept complaining about the food.
⑤ Would you mind opening your bag?

05 빈칸에 알맞은 말이 순서대로 짝지어진 것은? (4점)

> • I feel like _____(A)_____ some juice.
> • He is busy _____(B)_____ the house.
> • I'm looking forward _____(C)_____ the game.

	(A)	(B)	(C)
①	to drink	to clean	to watch
②	to drink	cleaning	to watching
③	drinking	to clean	to watch
④	drinking	cleaning	watching
⑤	drinking	cleaning	to watching

06 우리말을 영어로 바르게 옮긴 것은? (4점)

> 좋은 성적을 받는 것이 나의 목표이다.

① Get good grades is my goal.
② Get good grades are my goal.
③ Getting good grades is my goal.
④ Getting good grades are my goal.
⑤ To getting good grades is my goal.

07 밑줄 친 부분의 우리말 의미가 바르지 <u>않은</u> 것은? (4점)

① The movie is worth watching.
　　　　　(볼 만한 가치가 있다)
② She gave up persuading him.
　　　　　(그를 설득하는 것을 포기했다)
③ I spent an hour solving the problem.
　　　　　(푸는 데 한 시간을 보냈다)
④ He looks forward to receiving your letters.
　　　　　(받는 것을 기대하다)
⑤ I couldn't help thinking about him.
　　　　　(도울 생각을 하지 못했다)

08 밑줄 친 부분을 잘못 고친 것은? (5점)

① He avoids to meet new people.
　　　　　→ meeting
② I remember visit the town a few years ago.
　　　　　→ to visit
③ Listening to his music make me happy.
　　　　　→ makes
④ She planned taking an online math class.
　　　　　→ to take
⑤ I have trouble to wake up in the morning.
　　　　　→ waking up

09 주어진 두 문장의 의미가 같을 때, 빈칸에 알맞은 말이 순서대로 짝지어진 것은? (4점)

> He took care of the plants all morning.
> = He _____ all morning _____ care of
> the plants.

① spent – taking
② spent – takes
③ wasted – to take
④ needed – taking
⑤ wasted – to taking

신유형 **고난도**

10 괄호 안의 동사를 활용하여 빈칸에 쓸 때, 동명사 형태로 써야 하는 문장의 개수는? (5점)

> ⓐ I sometimes feel like _____ alone. (eat)
> ⓑ We agreed _____ on Saturday. (meet)
> ⓒ The book was worth _____. (read)
> ⓓ She couldn't help _____ the cat. (love)
> ⓔ I'm really sorry for _____ late. (be)

① 1개　　　② 2개　　　③ 3개
④ 4개　　　⑤ 5개

[서술형1] 우리말과 일치하도록 주어진 말을 배열하여 문장을 완성하시오. (5점)

> 나는 매일 밤 잠드는 데 어려움을 겪는다.
> (falling asleep, trouble, I, have)

→ _____ every night.

[서술형2] 조건에 맞게 주어진 문장을 바꿔 쓰시오. (5점)

> **조건** feel like를 활용하여 같은 의미의 문장으로 쓸 것

Sam wants to eat out tonight.
→ Sam _____ tonight.

[서술형3] 어법상 틀린 문장을 골라 기호를 쓰고, 틀린 부분을 바르게 고쳐 쓰시오. (5점)

> ⓐ The boy kept asking questions.
> ⓑ I remember seeing them at the park.
> ⓒ We look forward to travel abroad.

(　　　) _____ → _____

[서술형4] 우리말과 일치하도록 주어진 말을 알맞은 형태로 바꿔 문장을 완성하시오. (6점, 각 3점)

(1) 일기예보를 확인할 것을 기억해라. (check)
　　→ Remember _____ the weather forecast.

(2) 그 아기는 엄마가 방에 들어왔을 때 울음을 그쳤다. (cry)
　　→ The baby stopped _____ when her mom
　　　came into the room.

[서술형5] 우리말과 일치하도록 조건 에 맞게 문장을 완성하시오. (7점)

나는 공부하느라 바빴기 때문에 그녀에게 전화해야 할 것을 잊었다.

조건 1. forget, call, busy, study를 활용할 것
2. 시제에 유의할 것

→ I _____ _____ _____ _____

because I _____ _____ _____.

신유형
[서술형6] 어법상 틀린 문장의 기호를 쓰고, 틀린 이유를 완성하시오. (6점)

ⓐ Eating vegetables are good for your health.
ⓑ Doing exercises is good for your health.

(1) 틀린 문장: _____
(2) 틀린 이유: 주어 자리에 동명사가 쓰이면 항상 (단수 / 복수)
취급하므로, _____ 을(를) _____
로 고쳐야 합니다.

[서술형7] 주어진 두 문장과 의미가 같도록 동명사나 to부정사를 사용하여 한 문장으로 바꿔 쓰시오. (8점, 각 4점)

(1) I didn't bring an umbrella. I forgot it.

→ I forgot _____.

(2) I had a great time at the party. I remember it.

→ I remember _____
at the party.

[서술형8] 대화를 읽고, 주어진 말을 활용하여 밑줄 친 우리말을 영어로 쓰시오. (8점, 각 4점)

A Did you go to the new restaurant yesterday?
B Yes. (1)나는 자리를 기다리는 데 한 시간을 보냈어.
(spend, an hour, wait for a table)
A That's too long.
B (2)그래도 기다릴 만한 가치가 있었어.
(worth, wait)
Their spaghetti was really good.

(1) I _____.

(2) But it _____.

[서술형9~10] 다음 글을 읽고, 물음에 답하시오.

I ⓐstarted to learn English when I was ten years old. ⓑLearning English is not easy for me, but I'm enjoying it. I ⓒwant to make friends from other countries, so I ⓓpractice to speak English every day. 나는 또한 영어로 일기를 쓰려고 노력한다.

[서술형9] 윗글의 밑줄 친 ⓐ~ⓓ 중 어법상 틀린 것을 찾아 기호를 쓰고, 바르게 고쳐 쓰시오. (5점)

( ) → _____

[서술형10] 윗글의 밑줄 친 우리말을 조건 에 맞게 영어로 쓰시오. (5점)

조건 try, keep a diary를 활용할 것

→ I also _____ in English.

01 빈칸에 알맞은 말이 순서대로 짝지어진 것은?

> • I expected _____ Megan at the party.
> • He gave up _____ for the bus.

① saw – wait
② to see – waiting
③ seeing – waited
④ to see – to wait
⑤ seeing – waiting

02 |보기|의 밑줄 친 부분과 쓰임이 같은 것은?

> |보기| I have been to India.

① Jack has lost his locker key.
② He has seen the movie twice.
③ I have known him since 2015.
④ She has just heard some bad news.
⑤ We haven't met each other for a long time.

신유형
03 우리말과 일치하도록 주어진 말을 배열할 때, 네 번째로 오는 단어는?

> 그는 그 사과를 딸 수 있을 정도로 키가 크다.
> (tall, pick, enough, he, to, is, the apple)

① tall
② pick
③ enough
④ to
⑤ the

04 대화의 빈칸에 들어갈 말로 어색한 것은?

> A I lied to my parents about my grades.
>   Should I tell the truth?
> B Yes, you should. _____

① Telling a lie is not right.
② It's not nice to tell a lie.
③ You don't have to tell the truth.
④ You should not lie to your parents.
⑤ You had better tell them the truth soon.

05 밑줄 친 부분을 to부정사로 바꿀 수 없는 것은?

① Suddenly it began raining.
② Her job is designing shoes.
③ Swimming here is dangerous.
④ He continued reading after dinner.
⑤ I'm interested in learning new languages.

06 밑줄 친 부분을 잘못 고친 것은?

① You should more careful.
   → should be
② He used to studying abroad.
          → study
③ I will can solve the problem.
   → will be able to
④ She had not better talk about it.
        → has not better
⑤ The news may be not true.
       → may not be

고난도
07 어법상 틀린 문장의 개수는?

> ⓐ He has lived in Jeju-do for three years.
> ⓑ I have bought a new bag yesterday.
> ⓒ I never have seen a UFO.
> ⓓ She has been to Japan before.
> ⓔ Have you seen Mike on Monday?

① 1개
② 2개
③ 3개
④ 4개
⑤ 5개

08 우리말을 영어로 바르게 옮긴 것을 모두 고르면?

> 나는 너무 바빠서 점심을 먹을 수 없었다.

① I was so busy to have lunch.
② I was too busy to have lunch.
③ I was too busy having lunch.
④ I was so busy that I can't have lunch.
⑤ I was so busy that I couldn't have lunch.

서 술 형

09 우리말과 일치하도록 주어진 말을 배열하여 쓰시오.

(1) 나는 아직 점심을 먹지 않았어.

(yet, lunch, have, I, not, had)

→ _____

(2) 그는 방금 설거지하는 것을 끝냈다.

(doing, he, the dishes, finished, just, has)

→ _____

10 그림을 보고, 조건 에 맞게 문장을 완성하시오.

Tom →

조건 1. to부정사를 사용할 것
      2. young, go를 활용할 것

→ Tom is 9 years old. He _____

_____ into the ghost house.

11 자연스러운 의미가 되도록 조건 에 맞게 문장을 완성하시오.

조건 1. |보기|와 괄호 안에 주어진 말을 활용할 것
      2. |보기|의 단어는 한 번씩만 쓸 것
      3. 필요한 경우 부정문으로 쓸 것

|보기| have to   must   may

(1) You _____ it, but it is

true. (believe)

(2) She _____ to hear the

news. (sad)

(3) It's Sunday. We _____

to school. (go)

12 주어진 문장과 의미가 같도록 빈칸에 알맞은 말을 쓰시오.

When you finish your homework, be sure to
turn off the computer.   *be sure to 반드시 ~하다

→ Don't forget _____ the computer

when you finish your homework.

[13~14] 다음 대화를 읽고, 물음에 답하시오.

A 너는 이집트에 가 본 적이 있니? (ever, Egypt)
B No, I haven't. But I want ⓐto go there someday.
  How about you?
A I have ⓑbeen there twice.
B That's great.
A I enjoy ⓒto travel. I'm planning ⓓto go to Brazil
  this summer.

13 위 대화의 밑줄 친 우리말을 주어진 말을 활용하여 6단
어로 쓰시오.

→ _____

14 위 대화의 밑줄 친 ⓐ~ⓓ 중 어법상 틀린 것을 찾아 기
호를 쓰고, 바르게 고쳐 쓰시오.

(   ) → _____

15 다음은 고민 상담 게시판에 올라온 글이다. 조건 에 맞게
문장을 완성하시오.

조건 자연스러운 의미가 되도록 괄호 안에 주어진 말
      을 동명사 또는 to부정사의 형태로 쓸 것

Q I have trouble (1) _____

at night. What can I do? (fall asleep)

Comments

↳You need (2) _____ at

the same time every day. (wake up)

↳Avoid (3) _____ in the

afternoon or evening. (take a nap)

*take a nap 낮잠 자다

CHAPTER

05

분사와 분사구문

Unit 1 현재분사와 과거분사

Unit 2 분사구문

분사는 동사원형에 -ing나 -(e)d를 붙여 형용사처럼 쓰이는 말이다.

| 현재분사 | Look at the **sleeping** baby. | 자고 있는 아기를 봐. |

| 과거분사 | Don't touch the **broken** glass. | 깨진 유리를 만지지 마라. |

분사구문은 분사를 사용하여 부사절을 줄여 쓴 구문이다.

| 분사구문 | **Feeling thirsty**, I drank some water. | 목이 말라서 나는 물을 좀 마셨다. |

현재분사와 과거분사

1 분사란 동사의 형태를 바꾸어 형용사처럼 사용하는 말이며, 분사에는 현재분사와 과거분사가 있다.

| 현재분사
〈능동 · 진행〉 | 동사원형 + -ing
(~하는, ~하는 중인) | **boiling** water 끓고 있는 물
falling leaves 떨어지고 있는 잎들 |
| 과거분사
〈수동 · 완료〉 | 동사원형 + -ed / 불규칙 과거분사
(~되는, ~된) | **boiled** water 끓인 물
fallen leaves 떨어진 잎들 |

(tips) 현재분사는 문장에서 형용사 역할을 하고, 동명사는 문장에서 명사 역할을 한다.

Look at the **swimming** dog. 수영하고 있는 개를 봐.
　　　　　현재분사

Swimming is good for your health. 수영하는 것은 네 건강에 좋다.
동명사

2 분사가 단독으로 명사를 수식할 때는 주로 명사의 앞에, 분사가 다른 어구와 함께 쓰일 때는 명사의 뒤에 쓴다.

| 분사+명사 | Look at the **crying** girl. | 울고 있는 여자아이를 봐. |
| 명사+분사구 | Look at the girl **crying on the street**. | 거리에서 울고 있는 여자아이를 봐. |

3 감정을 일으키는 주체이면 현재분사를, 감정을 느끼는 대상이면 과거분사를 쓴다.

Learning yoga is **interesting**.
요가를 배우는 것은 **흥미롭다**.

Amy is **interested** in learning yoga.
Amy는 요가를 배우는 것에 **흥미를 느낀다**.

My grades were very **disappointing**.
내 성적은 매우 **실망스러웠다**.

I was **disappointed** with my grades.
나는 내 성적에 **실망했다**.

암기 노트 감정을 나타내는 분사

현재분사		과거분사	
boring	지루하게 하는	bored	지루한
exciting	신나게 하는	excited	신난
interesting	흥미로운	interested	흥미를 느끼는
amazing(surprising)	놀라운	amazed(surprised)	놀란
shocking	충격을 주는	shocked	충격을 받은
satisfying	만족스러운	satisfied	만족한
disappointing	실망스러운	disappointed	실망한
moving(touching)	감동을 주는	moved(touched)	감동받은

✔ 바로 개념 확인하기

A 알맞은 의미 고르기

1 baked bread
- ☐ 굽고 있는 빵
- ☐ 구워진 빵

2 a growing child
- ☐ 자라고 있는 아이
- ☐ 다 자란 아이

3 a closed door
- ☐ 닫히고 있는 문
- ☐ 닫힌 문

B 알맞은 표현 고르기

1 달리고 있는 소년
- ☐ a running boy
- ☐ a run boy

2 도난당한 자전거
- ☐ a stealing bike
- ☐ a stolen bike

3 영어로 쓰인 편지
- ☐ the letter writing in English
- ☐ the letter written in English

4 마당에서 놀고 있는 아이들
- ☐ the children playing in the yard
- ☐ the children played in the yard

C 빈칸에 알맞은 말 고르기

1 I was _____ with the movie.
- ☐ boring
- ☐ bored

2 The parade was _____.
- ☐ amazing
- ☐ amazed

3 I heard an _____ story.
- ☐ exciting
- ☐ excited

| 배열 영작 |

[1~8] 우리말과 일치하도록 주어진 말을 배열하여 문장을 완성하시오.

1 나는 아침으로 삶은 달걀 두 개를 먹었다.
(two, eggs, ate, boiled)

→ I _____ for breakfast.

2 그의 이야기는 매우 감동적이었다.
(touching, was, very)

→ His story _____.

3 소방관들이 불타고 있는 집에 들어갔다.
(burning, entered, house, the)

→ Firefighters _____.

4 너에게 웃고 있는 여자아이는 귀여워 보인다.
(you, the girl, smiling at)

→ _____ looks cute.

5 너는 음식에 만족하니?
(you, satisfied, are)

→ _____ with the food?

6 소파에 누워 있는 남자아이는 내 남동생이다.
(lying, the boy, on the sofa, is)

→ _____ my brother.

7 우리는 언 호수와 내리는 눈을 봤다.
(lake, falling, frozen, snow)

→ We saw a _____ and

_____.

8 자전거를 타고 있는 사람들이 많이 있다.
(people, a lot of, bikes, riding)

→ There are _____.

문장 완성

[9~12] 우리말과 일치하도록 주어진 말을 활용하여 문장을 완성하시오. (필요한 경우, 형태를 바꿀 것)

9 그 영화는 지루하고 실망스러웠다.
(bore, and, disappoint)   *시제 주의

→ The movie _____.

10 그들은 진실을 알아서 충격을 받았다.
(shock)   *시제 주의

→ _____ to know the truth.

11 그녀는 파란색으로 칠해진 문을 두드렸다.
(the door, paint blue)

→ She knocked on _____.

12 벤치에 앉아 있는 남자는 걱정스러워 보인다.
(the man, sit on the bench)

→ _____

looks worried.

오류 수정

[13~15] 어법상 틀린 부분을 찾아 바르게 고쳐 쓰시오.

13 We ate frying chicken for dinner.
(우리는 저녁으로 튀겨진 닭고기를 먹었다.)

_____ → _____

14 He is looking at the fallen rain.
(그는 내리는 비를 보고 있다.)

_____ → _____

15 The kids are exciting about the trip.
(그 아이들은 여행에 대해 신이 나 있다.)

_____ → _____

Unit

2 분사구문

| 분사구문이란? |

1 분사구문은 분사를 사용하여 부사절을 간략하게 나타낸 것이다.

부사절	**When I watched** the movie,	I ate some popcorn.	나는 영화를 **볼 때**, 팝콘을 먹었다.
분사구문	**Watching** the movie,		

| 분사구문 만드는 법 |

2 분사구문을 만들 때 부사절의 접속사나 주어는 생략하고 동사를 현재분사로 바꾼다.

부사절	주절
When she **entered** the theater, ① ② ③	she turned off her phone.

⇩

분사구문	주절
Entering the theater, 극장에 들어갔을 때	she turned off her phone. 그녀는 전화기를 껐다.

> **암기 노트** 부사절 → 분사구문 전환
>
> ① 접속사 생략
> ② 주어 생략
>   (주절의 주어와 같을 때)
> ③ 동사를 현재분사로 바꾼다.
>   (부사절이 주절의 시제와 같을 때)

주의 부정어(not, never 등)가 있는 부사절을 분사구문으로 바꿀 경우, 부정어는 분사 앞에 쓴다.

Because I **didn't** know the way, I asked for directions. 나는 길을 몰랐기 때문에 길을 물어보았다.

→ **Not** knowing the way, I asked for directions.

| 분사구문의 여러 의미 |

3 분사구문은 문맥에 따라 시간, 이유, 동시동작 등의 의미를 나타낸다.

분사구문의 의미	부사절에 쓰이는 접속사	
시간	~할 때(when) ~ 전에(before) ~ 후에(after)	**Hearing the news**, I was so happy. (= When I heard the news, I was so happy.) 그 소식을 들었을 때, 나는 정말 기뻤다.
이유	~ 때문에, ~해서 (because, as, since)	**Being sick**, he couldn't go to school. (= Because he was sick, he couldn't go to school.) 아팠기 때문에, 그는 등교할 수 없었다.
동시동작	~하면서, ~하는 동안 (as, while)	**Listening to music**, she made breakfast. (= As she listened to music, she made breakfast.) 음악을 들으면서, 그녀는 아침을 만들었다.

(**tips**) 분사구문의 의미를 명확히 하기 위해 접속사를 생략하지 않을 수도 있다.

After having lunch, I did my homework. 점심 식사를 한 후에, 나는 숙제를 했다.

서술형 기본 유형 익히기

바로 개념 확인하기

A 밑줄 친 부사절을 분사구문으로 바르게 바꿔 쓴 것 고르기

1 <u>While I drank milk</u>, I read a book.
☐ Drinking milk
☐ Drank milk

2 <u>As she knew the answer</u>, she raised her hand.
☐ Knowing the answer
☐ Knew the answer

3 <u>When he heard the alarm</u>, he woke up.
☐ Hearing the alarm
☐ Heard the alarm

B 밑줄 친 분사구문의 알맞은 의미 고르기

1 <u>Singing a song</u>, she was washing the dishes.
☐ 노래를 부르면서 ☐ 노래를 불렀기 때문에

2 <u>Being busy</u>, I can't help you now.
☐ 바쁠 때 ☐ 바쁘기 때문에

3 <u>Walking along the street</u>, I met Ms. Taylor.
☐ 길을 걷다가 ☐ 길을 걸었기 때문에

C 주어진 말을 활용하여 밑줄 친 우리말을 부사절과 분사구문으로 쓰기

1 <u>늦게 도착해서</u>, they missed the train. (arrive late)
부사절 → Because they _____ _____
분사구문 → _____ _____

2 <u>TV를 보면서</u>, she ate a snack. (watch TV)
부사절 → While she _____ _____
분사구문 → _____ _____

배열 영작

[1~5] 우리말과 일치하도록 주어진 말을 배열하여 문장을 완성하시오.

1 늦게 일어났기 때문에 나는 아침을 먹지 못했다.
(late, getting up)

→ _____, I didn't have breakfast.

2 길에서 나를 봤을 때 그녀는 미소 지었다.
(me, on the street, seeing)

→ _____, she smiled.

3 피곤함을 느끼지 않았기 때문에 그는 계속 걸었다.
(feeling, not, tired)

→ _____, he kept walking.

4 라디오를 들으면서 그는 집을 청소했다.
(to, listening, the radio)

→ _____, he cleaned the house.

5 나가기 전에 우리는 날씨를 확인했다.
(going, before, out)

→ _____, we checked the weather.

| 문장 전환 |

[6~12] 주어진 문장과 의미가 같도록 조건에 맞게 분사구문을 사용한 문장으로 바꿔 쓰시오.

조건 1. 6~10번은 접속사를 생략할 것
　　　 2. 11~12번은 접속사를 남겨둘 것

6 When he heard the news, he started to cry.

→ _____, he started to cry.

7 Since I made a mistake, I was embarrassed.

→ _____, I was embarrassed.

8 When I stayed in Florida, I visited many places.

→ _____, I visited many places.

9 As they didn't want to be late, they left early.

→ _____, they left early.

10 Because I didn't bring my umbrella, I got wet.

→ _____, I got wet.

11 Before I went to bed, I turned off the TV.

→ _____, I turned off the TV.

12 While he played the piano, he kept his eyes closed.

→ _____, he kept his eyes closed.

| 오류 수정 |

[13~15] 어법상 틀린 부분을 찾아 바르게 고쳐 쓰시오.

13 Feeling not well, he took some medicine.
(몸이 좋지 않아서 그는 약을 좀 먹었다.)

_____ → _____

14 Enjoyed the weather, I swam in the sea.
(날씨를 즐기면서 나는 바다에서 수영했다.)

_____ → _____

15 She being sick, she went home early.
(아팠기 때문에 그녀는 일찍 집에 갔다.)

_____ → _____

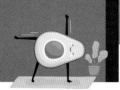

기출에서 뽑은

난이도별 서술형 문제

·········· **기 본** ··········

01 우리말과 일치하도록 주어진 말을 알맞은 형태로 바꿔 빈칸에 쓰시오.

(1) 나의 아버지는 고장 난 자전거를 고치셨다. (break)

→ My father fixed the _____ bike.

(2) 테니스를 치고 있는 여자아이는 Tina이다. (play)

→ The girl _____ tennis is Tina.

02 어법상 틀린 부분을 찾아 바르게 고쳐 쓰시오.

(1)
> We found some interested facts.
> (우리는 몇몇 흥미로운 사실들을 발견했다.)

_____ → _____

(2)
> I was disappointing with the test result.
> (나는 시험 결과에 실망했다.)

_____ → _____

03 우리말과 일치하도록 주어진 말을 활용하여 문장을 완성하시오.

> 무대 위에서 춤을 추고 있는 여자는 유명한 가수이다.
> (dance on the stage)

→ The woman _____ _____

_____ is a famous singer.

04 주어진 말을 배열하여 대화를 완성하시오.

> A Who is _____?
> (the man, a bike, riding)
> B That's my uncle.

05 조건 에 맞게 주어진 문장을 바꿔 쓰시오.

> 조건 분사구문을 사용할 것

(1) When I opened the window, I saw a rainbow.

→ _____,

I saw a rainbow.

(2) As she didn't know what to do, she asked for his advice.

→ _____,

she asked for his advice.

·········· **심 화** ··········

06 자연스러운 내용이 되도록 |보기|에서 필요한 단어를 골라 알맞은 형태로 바꿔 빈칸에 쓰시오.

|보기|	touch	excite	bore

(1) Jenny is _____ with staying at home. She wants to go out and play.

(2) The movie made me cry. It was _____.

07 우리말과 일치하도록 주어진 말을 배열하여 쓰시오.

(1) 그 웃고 있는 아기는 내 사촌이다.

(my, smiling, cousin, the, baby, is)

→ _____

(2) 사진에서 웃고 있는 남자아이는 Jake이다.

(the boy, in the picture, smiling, Jake, is)

→ _____

08 대화를 읽고, 어법상 **틀린** 부분 **두 곳**을 찾아 바르게 고쳐 쓰시오.

> A How did you like the steak?
> B I loved it. It was amazed.
> A Yes, and the baking potatoes were delicious, too.

_____ → _____

_____ → _____

신유형

09 주어진 문장을 조건에 맞게 바꿔 쓰시오.

> I received a letter.

(1) 조건 1. '나는 **흥미로운** 편지를 받았다.'는 의미의 문장으로 바꿔 쓸 것
　　 2. interest를 활용할 것

→ _____

(2) 조건 1. '나는 **영어로 쓰인** 편지를 받았다.'는 의미의 문장으로 바꿔 쓸 것
　　 2. write in English를 활용할 것

→ _____

고난도

10 우리말과 일치하도록 조건에 맞게 문장을 쓰시오.

> 너무 배고파서 나는 피자 한 판을 먹었다.
> (feel so hungry, eat a whole pizza)

조건 1. 분사구문을 사용할 것
　　 2. 주어진 말을 활용하여 총 8단어로 쓸 것

→ _____

함정이 있는 문제

01 우리말과 일치하도록 주어진 말을 알맞은 형태로 바꿔 빈칸에 쓰시오.

> 그들은 무척 놀랐다. (shock)
> → They were very _____ .

✔ 우리말 때문에 헷갈리는 감정분사에 주의하자!
'쇼킹하다'라는 말에 익숙해서 shocking으로 잘못 쓰면 안 된다. 주어 They가 놀란 감정을 느낀 것이므로 과거분사 shocked로 써야 한다.

02 자연스러운 내용이 되도록 주어진 말을 알맞은 형태로 바꿔 빈칸에 쓰시오.

> He is a _____ person. His jokes are not funny at all. (bore)

✔ 사람이 주어일 때 감정분사를 무조건 과거분사로 쓰는 것은 아니다!
주어가 사람이라서 감정을 느낀다고 생각하여 bored로 쓰면 안 된다. 이어지는 문장에서 '그의 농담은 전혀 재미있지 않다'고 했으므로 '그는 (다른 사람들을) 지루하게 만드는(boring) 사람'이라는 의미가 되어야 한다.

03 분사구문을 사용하여 바꿔 쓴 문장에서 틀린 부분을 찾아 바르게 고쳐 쓰시오.

> Because he left early, he arrived on time.
> → Left early, he arrived on time.

_____ → _____

✔ 분사구문으로 바꿀 때, 꼭 동사원형에 -ing를 붙이자!
부사절의 동사 left가 과거형이어도 분사구문으로 바꿀 때는 동사원형 leave에 -ing를 붙인 현재분사 leaving으로 써야 한다.

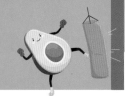

시험에 강해지는

실전 TEST

시험일	월	일
시간		/ 40분
문항 수	객관식 10	/ 서술형 10
점수		/ 100점

01 대화의 빈칸에 알맞은 것은? (3점)

> A You look sad. What's wrong?
> B John is busy, and he can't come to my party.
> A Oh, you must be _____.

① disappointing   ② disappointed
③ satisfying   ④ satisfied
⑤ worrying

02 두 문장의 의미가 같을 때, 빈칸에 알맞은 것은? (3점)

> Having a contest tomorrow, she is practicing the piano.
> = _____ she has a contest tomorrow, she is practicing the piano.

① When   ② While   ③ Because
④ Before   ⑤ After

03 |보기|의 밑줄 친 부분과 쓰임이 같은 것을 <u>모두</u> 고르면? (4점)

> |보기| She is looking at <u>falling</u> leaves.

① The musical was <u>boring</u>.
② My father enjoys <u>fishing</u>.
③ Who is the <u>sleeping</u> baby?
④ <u>Exercising</u> regularly is important.
⑤ My hobby is <u>playing</u> board games.

04 어법상 틀린 것은? (4점)

① I was shocked at the news.
② Push the cart, he checked the list.
③ I received a postcard written in English.
④ The girl standing by the window is cute.
⑤ Talking on the phone, she got on the bus.

05 주어진 문장의 밑줄 친 부분을 분사구문으로 바르게 바꿔 쓴 것은? (4점)

> <u>As I don't know the truth</u>, I can't talk about it.

① Known the truth
② Knowing the truth
③ Not known the truth
④ Not knowing the truth
⑤ Don't knowing the truth

06 대화의 빈칸에 알맞은 말이 순서대로 짝지어진 것은? (4점)

> A Let's ride the roller coaster. It's _____!
> B That sounds great, but there are a lot of people _____ in line.
> A Oh, we should try it later.

① excited – waited   ② excited – wait
③ exciting – waiting   ④ excited – waiting
⑤ exciting – waited

고난도
07 어법상 올바른 문장의 개수는? (5점)

> ⓐ Live alone, she often invites her friends.
> ⓑ I was touched by his kind words.
> ⓒ Look at the flying birds in the sky.
> ⓓ While reading the book, I took some notes.
> ⓔ Most of the tourists visited my town are from China.

① 1개   ② 2개   ③ 3개
④ 4개   ⑤ 5개

08 동사 interest를 활용하여 문장을 완성할 때, 빈칸에 들어갈 말의 형태가 나머지와 <u>다른</u> 하나는? (3점)

① Riding a bicycle is _____ .
② Her new idea was _____ .
③ He is playing an _____ game.
④ Mia is _____ in writing a novel.
⑤ We have some _____ news for you.

09 주어진 문장을 분사구문을 사용하여 바꿔 쓸 때, 빈칸에 알맞은 것을 <u>모두</u> 고르면? (4점)

After he finished the work, he had dinner.
→ _____ the work, he had dinner.

① Finished
② After finished
③ Finishing
④ After finishing
⑤ He finishing

고난도
10 밑줄 친 ⓐ~ⓔ에 생략된 접속사가 |보기|와 같은 것끼리 묶인 것은? (6점)

|보기| <u>Feeling sick</u>, I stayed in bed all day.

ⓐ <u>Smiling brightly</u>, he came to me.
ⓑ <u>Not being hungry</u>, I didn't have dinner.
ⓒ <u>Opening the box</u>, she found a ring in it.
ⓓ <u>Arriving late</u>, he missed the school bus.
ⓔ <u>Turning down the volume</u>, she answered the phone.

① ⓐ, ⓑ
② ⓑ, ⓒ
③ ⓑ, ⓓ
④ ⓑ, ⓓ, ⓔ
⑤ ⓒ, ⓔ

[서술형 1] 우리말과 일치하도록 주어진 말을 알맞은 형태로 바꿔 빈칸에 쓰시오. (6점, 각 2점)

(1) 나는 냉동 과일로 후식을 만들었다. (freeze)
→ I made some desserts with _____ fruits.

(2) 우리는 떠오르는 태양을 보았다. (rise)
→ We watched the _____ sun.

(3) 그는 점심으로 볶음밥을 주문했다. (fry)
→ He ordered _____ rice for lunch.

[서술형 2] 주어진 말을 활용하여 대화의 빈칸에 알맞은 말을 쓰시오. (4점, 각 2점)

A Who is the woman (1) _____ the car? (wash)
B That's my neighbor (2) _____ Lucy. (call)

[서술형 3] 어법상 <u>틀린</u> 부분을 찾아 바르게 고쳐 쓰시오.
(4점, 각 2점)

(1) I bought a bag making in Italy.

_____ → _____

(2) The girl looked out the window is Julie.

_____ → _____

[서술형 4] 우리말과 일치하도록 주어진 말을 배열하여 쓰시오.
(6점)

멕시코에서 말해지는 주된 언어는 스페인어이다.
(Spanish, spoken, is, in Mexico, the main language)

→ _____

[서술형5] 우리말과 일치하도록 주어진 말을 알맞은 형태로 바꿔 문장을 완성하시오. (4점, 각 2점)

소민이는 과학에 관심이 있으며 흥미로운 아이디어를 많이 가지고 있다. (interest)

→ Somin is (1) _____ in science, and she has a lot of (2) _____ ideas.

[서술형6] 밑줄 친 부분을 분사구문으로 바꿔 쓰시오. (단, 접속사는 생략할 것) (6점, 각 3점)

(1) When he saw me, he ran away quickly.
→ _____, he ran away quickly.

(2) As I felt tired, I went to bed early.
→ _____, I went to bed early.

[서술형7] |보기에서 알맞은 접속사를 골라 밑줄 친 부분을 부사절로 바꿔 쓰시오. (단, 과거시제로 쓸 것) (12점, 각 4점)

|보기|	because	after	while

(1) Watching TV, she laughed a lot.
→ _____,
she laughed a lot.

(2) Parking his car, he ran into the building.
→ _____,
he ran into the building.

(3) Being very busy, I couldn't check text messages.
→ _____,
I couldn't check text messages.

[서술형8~9] 다음 글을 읽고, 물음에 답하시오.

I took a trip to Yeosu with my family last week. We left early in the morning, and we arrived there after lunchtime. 아침을 안 먹었기 때문에 우리는 너무 배고 팠다. We went to a famous restaurant and ordered several dishes. All of the dishes were satisfied.

*dish 요리

고난도
[서술형8] 윗글의 밑줄 친 우리말을 조건에 맞게 쓰시오. (8점)

조건 1. 분사구문을 사용하여 총 7단어로 쓸 것
2. not, have breakfast, feel so hungry를 모두 활용할 것

→ _____

[서술형9] 윗글에서 어법상 틀린 부분을 찾아 바르게 고쳐 쓰시오. (4점)

_____ → _____

고난도
[서술형10] 그림을 보고, 질문에 알맞은 대답을 조건에 맞게 쓰시오. (6점)

조건 1. 분사구문을 사용하여 총 8단어로 쓸 것
2. listen to music, read a book을 활용할 것
3. 질문의 시제와 일치하도록 쓸 것

Q What is the girl doing?
→ _____
_____

CHAPTER

06

수동태

Unit 1 수동태의 의미와 형태

Unit 2 주의해야 할 수동태

능동태는 주어가 동작을 할 때 사용하고, 수동태는 주어가 동작을 당할 때 사용한다.

| 능동태 | Mr. Brown **teaches** English. | Brown 선생님은 영어를 **가르친다**. |
| 수동태 | English **is taught by** Mr. Brown. | 영어는 Brown 선생님에 **의해 가르쳐진다**. |

Unit 1

수동태의 의미와 형태

| 수동태의 의미 |

1 능동태는 주어가 행위를 하는 주체일 때, 수동태는 주어가 행위의 영향을 받거나 당할 때 사용한다.

능동태	Tom **loves** Jane.	Tom은 Jane을 사랑한다. (주어가 사랑을 하는 주체)
수동태	Jane **is loved by** Tom.	Jane은 Tom에 의해 사랑받는다. (주어가 사랑을 받는 대상)

| 수동태의 형태 |

2 수동태는 「주어+be동사+p.p.(+by+목적격)」의 형태로 쓴다.

능동태	Many people 많은 사람들은	visit 방문한다	the beach. 그 해변을
수동태	The beach 그 해변은	**is visited** 방문된다	**by** many people. 많은 사람들에 의해

암기 노트 능동태 → 수동태 전환

① 능동태 목적어 → 수동태 주어
② 능동태 동사 → 「be동사+p.p.」
③ 능동태 주어 → 「by+목적격」 (문장 뒤)

tips 행위자가 일반 사람을 나타내거나 누구인지 알 수 없을 때, 밝힐 필요가 없을 때는 「by+행위자」를 생략한다.

English **is spoken** all over the world. 영어는 전 세계적으로 **말해진다**.

The building **was built** in 1990. 그 건물은 1990년에 **지어졌다**.

I **was born** on May 25. 나는 5월 25일에 **태어났다**.

| 수동태의 부정문과 의문문 |

3 수동태의 부정문은 「be동사+not+p.p.」, 의문문은 「(의문사+)Be동사+주어+p.p. ~?」의 형태로 쓴다.

긍정문	be동사 + p.p.	The teacher **is respected by** the students. 그 선생님은 그 학생들에 의해 존경받는다.
부정문	be동사 + not + p.p.	The teacher **is not respected by** the students. 그 선생님은 그 학생들에 의해 존경받지 않는다.
의문문	Be동사 + 주어 + p.p. ~?	**Is** the teacher **respected by** the students? 그 선생님은 그 학생들에 의해 존경받니?
	의문사 + be동사 + 주어 + p.p. ~?	**Why is** the teacher **respected by** the students? 왜 그 선생님은 그 학생들에 의해 존경받니?

바로 개념 확인하기

A 빈칸에 들어갈 알맞은 말 고르기

1 The classroom _____ by the students.
- ☐ cleans
- ☐ is cleaned

2 A lot of paper _____ every day.
- ☐ wastes
- ☐ is wasted

3 Korean dramas _____ by many young people.
- ☐ enjoy
- ☐ are enjoyed

4 He _____ math at a middle school.
- ☐ teaches
- ☐ is taught

B 주어진 말이 들어갈 위치 고르기

      by
1 The song ① is ② sung ③ many people.

      not
2 These shirts ① are ② sold ③ online.

      is
3 ① the hair shop ② closed ③ on Mondays?

      where
4 ① was ② the key ③ found?

C 수동태 문장 완성하기

1 We use the computer every day.
  → The computer _____ _____ _____ us every day.

2 Many sports fans read this magazine.
  → This magazine _____ _____ _____ many sports fans.

서술형 기본 유형 익히기

| 배열 영작 |

[1~5] 우리말과 일치하도록 주어진 말을 배열하여 문장을 완성하시오.

1 그 경기는 많은 사람들에 의해 시청된다.
(watched, by, is, many people)

  → The match _____.

2 이 장난감들은 아이들에 의해 사랑받는다.
(are, children, loved, by)

  → These toys _____.

3 그 의자들은 예술가에 의해 디자인되나요?
(designed, by, the chairs, are)

  → _____ an artist?

4 우유는 주말에 배달되지 않는다.
(is, not, milk, delivered)

  → _____ on weekends.

5 유튜브에는 매일 많은 동영상들이 업로드된다.
(lots of videos, uploaded, are)

  → _____ on YouTube every day.

| 문장 전환 |

[6~11] 주어진 문장을 지시에 맞게 바꿔 쓰시오.

A famous chef cooks the breakfast.

6 수동태로 바꿀 것

→ _____

   a famous chef.

7 수동태 부정문으로 바꿀 것

→ _____

   a famous chef.

8 수동태 의문문으로 바꿀 것

→ _____

   a famous chef?

Most people like the idea.

9 수동태로 바꿀 것

→ _____

   most people.

10 수동태 부정문으로 바꿀 것

→ _____

   most people.

11 수동태 의문문으로 바꿀 것

→ _____

   most people?

| 오류 수정 |

[12~14] 어법상 틀린 부분을 찾아 바르게 고쳐 쓰시오.

12 *Hanbok* is usually wear on traditional holidays.
(한복은 주로 명절에 착용된다.)

_____ → _____

13 Robots are used not in this factory.
(이 공장에서는 로봇들이 사용되지 않는다.)

_____ → _____

14 How does cheese made?
(치즈는 어떻게 만들어지나요?)

_____ → _____

| 문장 완성 |

[15~16] 우리말과 일치하도록 주어진 말을 활용하여 문장을 완성하시오. (필요한 경우, 형태를 바꿀 것)

15 스페인어는 많은 나라에서 말해진다.
(speak, in many countries)

→ Spanish _____ .

16 그 감독은 왜 많은 영화 팬들에 의해 존경받나요?
(why, the director, admire)

→ _____

   many movie fans?

Unit 2 주의해야 할 수동태

1 수동태의 시제는 be동사의 시제로 나타낸다.

현재시제	am/are/is + p.p.	The poster **is hung** on the wall. 그 포스터가 벽에 **걸려 있다**.
과거시제	was/were + p.p.	This novel **was written** by a British author. 이 소설은 한 영국 작가에 의해 **쓰였다**.
미래시제	will be + p.p.	Our project **will be completed** on time. 우리의 프로젝트는 제시간에 **완료될 것이다**.

| by를 쓰지 않는 수동태 |

2 수동태에서 by 이외의 전치사를 쓰는 경우가 있다.

The road **is covered** with ice.
그 길은 얼음으로 **덮여 있다**.

The jar **is filled** with strawberry jam.
그 병은 딸기잼으로 **가득 차 있다**.

I'm **worried** about the final test.
나는 기말고사가 **걱정된다**.

> **서술형 빈출** by 이외의 전치사를 쓰는 수동태는 숙어처럼 외워 둔다.

암기 노트 by 이외의 전치사를 쓰는 수동태

be interested in	~에 관심이 있다
be pleased with	~에 기뻐하다
be satisfied with	~에 만족하다
be disappointed with (at)	~에 실망하다
be covered with	~로 덮여 있다
be filled with	~로 가득 차 있다
be surprised at	~에 놀라다
be worried about	~을 걱정하다

| 동사구의 수동태 |

3 동사구를 수동태로 쓸 때는 동사구를 하나의 단어처럼 취급한다.

The girl **is taken care of** by her aunt.   그 여자아이는 그녀의 고모에 의해 **돌봐진다**.

A cat **was run over** by a black car.   고양이가 검은 차에 **치였다**.

> **주의** 동사구를 수동태로 쓸 때, 「by+목적격」의 by나 동사구의 전치사를 빠뜨리지 않는다.
> The girl is taken care by her aunt. (×)

암기 노트 주요 동사구 수동태

be taken care of **be looked after**	돌봐지다
be looked up to	존경받다
be run over	(차 등에) 치이다
be made fun of	놀림받다
be turned on/off	켜지다/꺼지다

서술형 기본 유형 익히기

✔ 바로 개념 확인하기

A 빈칸에 알맞은 말 고르기

1 This cake _____ last night.
☐ was baked ☐ is baked

2 The package _____ tomorrow.
☐ was sent ☐ will be sent

3 My bike _____ yesterday.
☐ was repaired ☐ will be repaired

4 The movie _____ next month.
☐ was released ☐ will be released

*release 개봉하다

B 빈칸에 알맞은 전치사 쓰기

1 Mark is interested _____ history.

2 I'm satisfied _____ life in Sydney.

3 Her eyes are filled _____ tears.

4 She is worried _____ her son.

C |보기|에서 알맞은 표현을 골라 형태를 바꿔 문장 완성하기

| |보기| | take care of | run over | look up to |

1 사슴이 트럭에 치였다.
→ A deer _____ by the truck.

2 그 아이들은 그들의 조부모에 의해 돌봐졌다.
→ The children _____ by their grandparents.

3 그는 많은 젊은이들에 의해 존경받는다.
→ He _____ by many young people.

| 배열 영작 |

[1~5] 우리말과 일치하도록 주어진 말을 배열하여 문장을 완성하시오.

1 그 다리는 20년 전에 지어졌다.
(built, the bridge, was)

→ _____ 20 years ago.

2 그 노래들은 영어로 불려질 것이다.
(will, sung, be, the songs)

→ _____ in English.

3 그 남자아이는 그의 삼촌에 의해 돌봐졌다.
(was, his uncle, taken care of, by)

→ The boy _____ .

4 올림픽은 4년마다 열린다.
(are, The Olympics, held)

→ _____ every four years.

5 그 방은 연기로 가득 차 있다.
(is, with, filled, smoke)

→ The room _____ .

| 문장 전환 |

[6~9] 주어진 문장을 지시에 맞게 바꿔 쓰시오.

The police caught the thief.

6 수동태로 바꿀 것

→ _____ the police.

7 미래시제 수동태로 바꿀 것

→ _____ the police.

The pictures are displayed in the museum.

8 과거시제로 바꿀 것

→ _____

in the museum.

9 미래시제로 바꿀 것

→ _____

in the museum.

| 오류 수정 |

[10~12] 어법상 틀린 부분을 찾아 바르게 고쳐 쓰시오.

10 The book will published next year.
(그 책은 내년에 출판될 것이다.)

_____ → _____

11 Sam is interested by Korean culture.
(Sam은 한국 문화에 관심이 있다.)

_____ → _____

12 The girl was made fun of her friends.
(그 여자아이는 그녀의 친구들에 의해 놀림받았다.)

_____ → _____

| 문장 완성 |

[13~15] 우리말과 일치하도록 주어진 말을 활용하여 문장을 완성하시오. (필요한 경우, 형태를 바꿀 것)

13 팬들은 그의 새 앨범에 만족할 것이다.
(satisfy)   *시제 주의, 전치사 주의

→ Fans _____ his new album.

14 그는 그 소식에 기뻐했다.
(pleased)   *시제 주의, 전치사 주의

→ _____ the news.

15 개가 오토바이에 치였다.
(a dog, run over)   *시제 주의, 전치사 주의

→ _____ a motorbike.

난이도별 서술형 문제

·············· **기 본** ··············

01 우리말과 일치하도록 주어진 말을 알맞은 형태로 바꿔 문장을 완성하시오.

(1) 수학은 김 선생님에 의해 가르쳐진다. (teach)

→ Math _____ by Mr. Kim.

(2) 그 축제는 5월에 열릴 것이다. (hold)

→ The festival _____ in May.

(3) 이 기사는 Kate에 의해 쓰였다. (write)

→ This article _____ by Kate.

02 주어진 문장을 수동태로 바꿔 쓰시오.

(1) She will decorate the room.

→ _____

(2) The cat scratched my face.

→ _____

03 우리말과 일치하도록 주어진 말을 배열하여 쓰시오.

(1) 그 기계는 그에 의해 수리되지 않았다.

(was, by, repaired, the machine, not, him)

→ _____

(2) 그 남자아이들은 자원봉사자들에 의해 구조되었니?

(the volunteers, the boys, rescued, by, were)

→ _____

04 |보기|에서 알맞은 전치사를 골라 빈칸에 쓰시오.

|보기|	in	with	at

(1) Linda is interested _____ art.

(2) His office is filled _____ lots of books.

(3) I was surprised _____ her decision.

05 표를 보고, |예시|와 같이 문장을 완성하시오.

	내일 할 일
Dad	clean the bathroom
Mom	(1) paint the wall
me	(2) water the plants

|예시| The bathroom will be cleaned by Dad.

(1) The wall _____ by Mom.

(2) The plants _____ by me.

·············· **심 화** ··············

06 우리말과 일치하도록 주어진 말을 알맞은 형태로 바꿔 문장을 완성하시오.

(1) 나는 그들의 서비스에 실망했다. (disappoint)

→ _____

their services.

(2) 그들은 그 결과에 만족했다. (satisfy)

→ _____

the result.

`신유형`
07 우리말과 일치하도록 |보기|에서 필요한 단어를 골라 문장을 완성하시오. (중복 사용 가능)

|보기|	why	was	took
	when	were	taken

(1) 이 사진들은 Noah에 의해 찍혔나요?

→ _____ these pictures _____

by Noah?

(2) 이 사진은 언제 찍혔나요?

→ _____ _____ this picture

_____?

08 그림을 보고, 조건 에 맞게 문장을 완성하시오.

조건 1. bake, some cupcakes를 활용할 것
2. (1)은 능동태, (2)는 수동태로 쓰되 행위자를
반드시 포함할 것
3. 과거시제로 쓸 것

(1) _____

(2) _____

신유형
09 우리말과 일치하도록 주어진 말을 활용하여 문장을 완성
하고, 각 조건 에 맞게 바꿔 쓰시오.

(1) 그 제품은 중국에서 만들어졌다. (make, in China)

→ The product _____ .

(2) 조건 (1)을 미래시제로 바꿔 쓸 것

→ The product _____ .

(3) 조건 (2)를 부정문으로 바꿔 쓸 것

→ The product _____ .

10 어법상 틀린 부분을 찾아 바르게 고쳐 문장을 다시 쓰시오.

(1) Dr. Brown is looked up to everyone.
(Brown 박사님은 모두에 의해 존경받는다.)

→ _____

(2) My puppy was run by a bike.
(나의 강아지가 자전거에 치였다.)

→ _____

함정이 있는 문제

01 우리말과 일치하도록 주어진 말을 알맞은 형태로
바꿔 문장을 완성하시오.

이 잡지는 많은 십 대들에 의해 읽힌다. (read)
→ This magazine _____
many teenagers.

✔ 동사원형, 과거형, p.p.형이 같은 동사를 주의하자!
read, cut, put 등은 동사원형, 과거형, p.p.형이 똑같다.
수동태를 쓸 때 p.p.형을 readed, cutted, putted로 잘못
쓰지 않도록 확실히 외워두자.

02 어법상 틀린 부분 한 곳을 찾아 바르게 고쳐 문장을
다시 쓰시오.

Did the apple trees planted by your father?

→ _____

✔ 수동태일지 능동태일지 한 번 더 고민하자!
Did로 시작하는 의문문인 것을 보고 planted를 plant로
고치면 안 된다. 문장 끝에 「by+행위자」가 있는 것으로
보아 the apple trees는 심어진 것이므로, 수동태 의문문
으로 써야 한다.

03 우리말과 일치하도록 주어진 말을 활용하여 문장을
완성하시오.

그 고양이들은 Bill에 의해 돌봐졌다.
(take care of)
→ The cats _____ Bill.

✔ 동사구를 수동태로 쓸 때 전치사를 빠뜨리지 말자!
동사구의 수동태 뒤에 「by+행위자」가 이어지면 전치사
를 빠뜨리기 쉬우므로 주의하자.

시험에 강해지는

실전 TEST

시험일	월	일
시간		/ 40분
문항 수	객관식 10 /	서술형 10
점수		/ 100점

[01~02] 빈칸에 알맞은 말을 고르시오. (6점, 각 3점)

01
> My brother _____ a dog.
> (나의 남동생은 개에게 물렸다.)

① bit ② bitten ③ bitten by
④ was bitten ⑤ was bitten by

02
> The new president _____ next month.
> (새로운 대통령은 다음 달에 선출될 것이다.)

① elects ② is elected
③ was elected ④ will elect
⑤ will be elected

03 대화의 빈칸에 알맞은 말이 순서대로 짝지어진 것은?

(3점)

> A Where was this car _____?
> B It _____ in Germany.

① make – make ② make – made
③ made – made ④ made – was made
⑤ was made – was made

신유형

04 우리말과 일치하도록 주어진 말을 배열할 때, 네 번째로 오는 단어는? (4점)

> 로마는 하루 만에 이루어지지 않았다.
> (was, Rome, in a day, built, not)

① day ② not ③ was
④ built ⑤ Rome

05 우리말을 영어로 바르게 옮긴 것은? (4점)

> 나는 그 파티에 초대받지 못했다.

① I invited to the party.
② I didn't invite to the party.
③ I am not invited to the party.
④ I wasn't invited to the party.
⑤ I won't be invited to the party.

06 수동태 문장으로 잘못 바꾼 것은? (4점)

① The mayor will write a letter.
→ A letter will be written by the mayor.
② The police stopped the car.
→ The car was stopped by the police.
③ My mother designed this dress.
→ This dress was designed by my mother.
④ Susan found my lost cat.
→ My lost cat found by Susan.
⑤ People waste too much water every day.
→ Too much water is wasted every day.

07 밑줄 친 부분이 어법상 틀린 것은? (4점)

① A fox was run over by a truck.
② I was made fun by some boys.
③ He is looked up to by his students.
④ She will be taken care of by her aunt.
⑤ The dog will be looked after by them.

08 밑줄 친 부분을 잘못 고친 것은? (5점)

① The art museum built in 1950.
→ was built
② These books read by many people.
→ are read by
③ Harry was received a strange letter.
→ received
④ Sally is interested by making films.
→ in
⑤ When did the wheel invented?
→ was

신유형

09 빈칸에 들어갈 말이 같은 것끼리 짝지어진 것은? (5점)

ⓐ The bottle is filled _____ water.
ⓑ She was satisfied _____ her new hairstyle.
ⓒ We were surprised _____ his performance.
ⓓ I'm worried _____ my interview tomorrow.
ⓔ They were pleased _____ their daughter's exam results.

① ⓐ, ⓓ
② ⓑ, ⓒ
③ ⓐ, ⓑ, ⓔ
④ ⓐ, ⓒ, ⓓ
⑤ ⓐ, ⓓ, ⓔ

고등유형

10 다음 (A)~(C)에서 어법상 알맞은 말이 순서대로 짝지어진 것은? (5점)

When Oliver got home, he was surprised. The vase was (A) breaking / broken and the carpet was wet. Then, he (B) found / was found some footprints on the floor. They were his cat's. His cat was (C) hiding / hidden under the bed.

*footprint 발자국

	(A)	(B)	(C)
①	breaking	found	hiding
②	breaking	was found	hidden
③	broken	found	hiding
④	broken	found	hidden
⑤	broken	was found	hidden

서술형

[서술형1] 우리말과 일치하도록 주어진 말을 배열하여 문장을 완성하시오. (6점, 각 3점)

(1) 그 차는 나의 아버지에 의해 주말마다 세차된다.
(the car, my father, washed, is, by)
→ _____
every weekend.

(2) 그 축제는 다음 주에 열릴 것이다.
(be, the festival, will, held)
→ _____
next week.

[서술형2] 다음 질문에 대한 답을 주어진 말로 시작하여 완성하시오. (4점, 각 2점)

Q Who designed the building?

→ (1) My uncle _____ it.

(2) It _____ my uncle.

[서술형3] 주어진 말을 알맞은 형태로 바꾸고, 밑줄 친 부분을 묻는 의문사를 추가하여 대화를 완성하시오. (5점)

A _____ ?
(the book, publish)
B It was published in 2006.

[서술형4] 주어진 문장을 **조건** 에 맞게 바꿔 쓰시오. (8점, 각 4점)

조건 1. 수동태로 바꿔 쓸 것
2. 생략할 수 있는 말은 생략할 것

(1) People use smartphones every day.
→ _____

(2) Columbus discovered America.
→ _____

[서술형5] |보기|에서 알맞은 표현을 골라 과거시제 수동태 문장을 완성하시오. (6점, 각 2점)

| |보기| | look up to | run over | look after |

(1) A little boy _____ a bicycle.

(2) The children _____ their grandparents.

(3) She _____ many girls as a role model.

[서술형6] 다음은 어느 호텔에서 게시한 안내문이다. 주어진 말을 활용하여 안내문을 완성하시오. (단, 현재시제로 쓸 것) (6점, 각 3점)

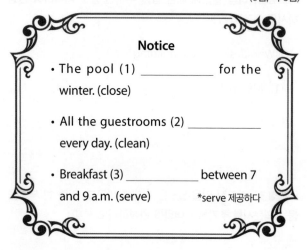

Notice

• The pool (1) _____ for the winter. (close)

• All the guestrooms (2) _____ every day. (clean)

• Breakfast (3) _____ between 7 and 9 a.m. (serve)

*serve 제공하다

[서술형7] 수동태 문장에 대해 <u>잘못</u> 설명한 학생의 이름을 쓰고, 그 이유를 쓰시오. (6점)

현주 Many people love his songs.를 수동태로 바꾸려면 his songs를 주어로 사용합니다.

다은 English is spoken all over the world.는 「by+행위자」가 생략된 수동태 문장입니다.

규빈 I'm interested by going to the concert.에서 by는 with로 고쳐야 합니다.

잘못 설명한 학생: _____

이유: _____

_____

[서술형8] 다음 대상을 소개하는 문장을 조건에 맞게 쓰시오. (8점, 각 4점)

(1)   (2)

Hangeul (create, King Sejong)   Mona Lisa (paint, Leonardo da Vinci)

조건 1. Hangeul, Mona Lisa를 주어로 쓸 것
2. 괄호 안에 주어진 말을 모두 활용할 것
3. 과거시제로 쓸 것

(1) _____

(2) _____

[서술형9~10] 다음 글을 읽고, 물음에 답하시오.

On Halloween last year, my brother and I ⓐput on Halloween costumes and ⓑwent outside. A lot of people ⓒwere celebrating Halloween. We ⓓwere visited almost every house to get candy. By the end of the day, <u>우리의 핼러윈 가방은 사탕으로 가득 차 있었다.</u>

*celebrate 기념하다

[서술형9] 윗글의 밑줄 친 ⓐ~ⓓ 중 어법상 틀린 것을 찾아 기호를 쓰고, 바르게 고쳐 쓰시오. (5점)

(___) → _____

[서술형10] 윗글의 밑줄 친 우리말을 조건에 맞게 쓰시오. (6점)

조건 1. Halloween bags, fill, candy를 모두 활용할 것
2. 7단어로 쓸 것

→ _____

CHAPTER

07

대명사

Unit 1 one, another, the other

Unit 2 each, every, both, all, 재귀대명사

부정대명사는 정해지지 않은 사람이나 사물을 지칭할 때 쓰는 말이다.

부정대명사	I lost my smartphone. I need a new **one**. 나는 내 스마트폰을 잃어버렸다. 나는 새로운 **하나**가 필요하다. I have two cats. **One** is white, and **the other** is black. 나는 고양이가 두 마리 있다. **하나**는 흰색이고, **나머지 하나**는 검은색이다.

재귀대명사는 인칭대명사의 소유격 또는 목적격에 -self(-selves)를 붙여 '~ 자신'을 나타내는 말이다.

재귀대명사	She looked at **herself** in the mirror. 그녀는 거울 속의 **자신**을 보았다.

Unit 1

one, another, the other

| one |

1 one은 앞에 언급된 명사와 같은 종류의 아무것 하나를 가리킬 때 쓴다.

I need a pen. Can you lend me **one**?
                    = a pen

나는 펜이 필요해. 나에게 **하나** 빌려줄 수 있니?

My glasses are broken. I should buy new **ones**.
                                   = glasses

내 안경이 부러졌다. 나는 새로운 **하나**를 사야 한다.
＊복수명사는 ones로 대신한다.

주의 앞에 언급된 명사와 동일한 것을 가리킬 때는 it을 쓴다.
I bought a smartphone. I like **it**. (it: 앞에 언급한 바로 그 스마트폰)

| one, another, the other |

2 2개를 하나씩 언급할 때는 one, the other, 3개를 하나씩 언급할 때는 one, another, the other로 쓴다.

| one
하나 | the other
나머지 하나 | one
하나 | another
또 다른 하나 | the other
나머지 하나 |

| There are two apples. **One** is red, and **the other** is green.
사과가 두 개 있다. **하나**는 빨간색이고, **나머지 하나**는 초록색이다. | There are three apples. **One** is red, **another** is yellow, and **the other** is green.
사과가 세 개 있다. **하나**는 빨간색이고, **또 다른 하나**는 노란색이고, **나머지 하나**는 초록색이다. |

---

tips 마지막에 언급하는 것 앞에는 반드시 and를 써야 한다.
One is big, **and** the other is small. 하나는 크고, 나머지 하나는 작다.
One is blue, another is purple, **and** the other is pink. 하나는 파란색이고, 또 다른 하나는 보라색이고, 나머지 하나는 분홍색이다.

| some, others, the others |

3 여러 개를 묶어서 언급할 때는 some, others 또는 some, the others를 쓴다.

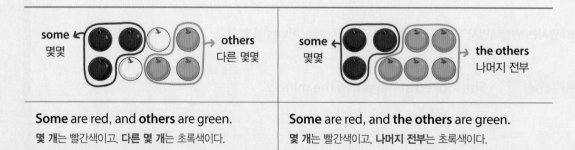

| some
몇몇   others
다른 몇몇 | some
몇몇   the others
나머지 전부 |

| **Some** are red, and **others** are green.
몇 개는 빨간색이고, **다른 몇 개**는 초록색이다. | **Some** are red, and **the others** are green.
몇 개는 빨간색이고, **나머지 전부**는 초록색이다. |

주의 others vs. the others
others: 앞에 언급한 것 외에 **나머지 중 일부**
the others: 앞에 언급한 것 외에 **나머지 전부**

서술형 기본 유형 익히기

대명사 **091**

✔ 바로 개념 확인하기

A 빈칸에 알맞은 말 고르기

1 My computer is too old. I want to buy a new
_____.
☐ one ☐ it

2 I bought a jacket. I like _____.
☐ one ☐ it

3 I lost my sunglasses. I need new _____.
☐ one ☐ ones

B 그림을 보고, 빈칸에 알맞은 말 고르기

1

● ■

_____ a circle, and the other is a square.

☐ One is ☐ Some are

2

● ● ● ■ ■ ■ ▲▲

_____ circles, and others are squares.

☐ One is ☐ Some are

C |보기|에서 알맞은 표현을 골라 문장 완성하기

|보기| another   the other   the others

1 하나는 고양이이고, 나머지 하나는 개이다.
→ One is a cat, and _____ is a dog.

2 한 명은 가수이고, 또 다른 한 명은 모델이고, 나머지 한
명은 댄서이다.
→ One is a singer, _____ is a model,
and the other is a dancer.

3 몇 명은 여름을 좋아하고, 나머지 전부는 겨울을 좋아한
다. (다른 계절을 좋아하는 사람은 없음)
→ Some like summer, and _____
like winter.

| 배열 영작 |

[1~5] 우리말과 일치하도록 주어진 말을 배열하여 문장을 완성
하시오.

1 나는 배낭이 없어. 너는 하나 가지고 있니?
(have, don't, one, have, a backpack)

→ I _____.
Do you _____?

2 Jane은 야구모자를 샀다. John도 하나 샀다.
(bought, one, bought, a cap)

→ Jane _____.
John _____, too.

3 나는 그 책을 다 읽었다. 나는 도서관에 그것을 반납해
야 한다. (return, the book, reading, it)

→ I finished _____.
I have to _____ to the library.

4 몇 명은 한국인이고, 다른 몇 명은 중국인이다.
(are, Chinese, Korean, some, are, others)

→ _____,
and _____.

5 한 명은 17살이고, 또 다른 한 명은 14살이고, 나머지
한 명은 10살이다.
(other, the, and, 10 years old, is)

→ One is 17 years old, another is 14 years old,
_____.

| 그림 영작 |

[6~8] 그림을 보고, |보기|에서 알맞은 말을 골라 빈칸에 쓰시오. (중복 사용 가능)

|보기|	one	some	others
	the other	the others	

6

→ I have two dogs. _____ is black, and _____ is white.

7

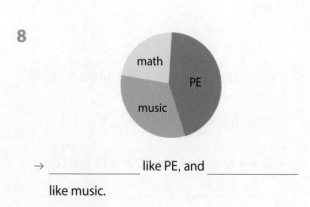

→ I have a basket of fruits. _____ are apples, and _____ are oranges.

8

math
PE
music

→ _____ like PE, and _____ like music.

| 오류 수정 |

[9~11] 어법상 **틀린** 부분을 찾아 바르게 고쳐 쓰시오.

9 She doesn't have a boyfriend. She wants ones.

_____ → _____

10 There are three boys. One is my friend, another is my brother, and other is my cousin.

_____ → _____

11 I watched two movies. One was funny, and another was touching.

_____ → _____

| 문장 완성 |

[12~13] 우리말과 일치하도록 주어진 말을 활용하여 문장을 완성하시오.

12 나는 TV에서 불쌍한 새끼 고양이들을 보았다. 나는 그것들을 돕고 싶다. (poor kittens, help)

→ I saw _____ _____ on TV. I want to _____ _____.

13 우리는 파티를 위해 케이크가 필요하다. 우리는 하나 구울 것이다. (a cake, bake)

→ We need _____ _____ for the party. We will _____ _____.

Unit 2

each, every, both, all, 재귀대명사

| each, every |

1 each는 여러 대상을 각각 지칭할 때, every는 여러 대상을 모두 지칭할 때 사용한다.

each 각자, 각각(의)	단수 취급	**Each** student **is** wearing a cap.	각 학생은 모자를 쓰고 있다.
		Each of them **likes** Indian food.	그들 **각자**는 인도 음식을 좋아한다.
every 모든	단수 취급	**Every** child **needs** love.	**모든** 아이는 사랑이 필요하다.

 서술형 빈출 every 뒤에는 단수 명사와 단수 동사가 온다.
Every child is special. 모든 아이는 특별하다.
└── children are (×)

| all, both |

2 all은 여러 대상을 모두 지칭할 때, both는 두 개를 지칭할 때 사용한다.

all 모두, 모든 (것)	뒤에 오는 명사에 따라 단수/복수 취급	**All** (of) the milk **is** fresh.	**모든** 우유가 신선하다.
		All (of) my friends **like** dancing.	내 친구들 **모두** 춤추기를 좋아한다.
both 둘 다(의)	복수 취급	**Both** boys **are** tall.	남자아이 **둘 다** 키가 크다.
		Both of us **live** in Seattle.	우리 **둘 다** 시애틀에 산다.

주의 all vs. every: 둘 다 '모든'을 의미하지만, every는 단수 취급하고 all은 뒤에 오는 명사에 따라 단수 또는 복수 취급한다.

| 재귀대명사 |

3 재귀대명사는 -self / -selves 형태의 대명사로, '~ 자신'이라는 뜻을 나타낸다.

재귀 용법 (생략 불가능)	You should love **yourself**. *주어와 목적어가 같은 대상일 때 목적어로 재귀대명사를 사용한다. 너는 **너 자신**을 사랑해야 한다.		
강조 용법 (생략 가능)	I (**myself**) cannot agree with him. (주어 강조) 나 **자신**은 그에게 동의할 수 없다. I saw the crime scene (**itself**). (목적어 강조) 나는 범죄 현장 **자체**를 목격했다.		
관용 표현	He used to go fishing **by himself**. 그는 **혼자서** 낚시하러 가곤 했다.		

암기 노트 재귀대명사의 관용 표현

by oneself	혼자서(= alone)
introduce oneself	자기소개를 하다
enjoy oneself	즐거운 시간을 보내다
cut oneself	베이다
hurt oneself	다치다
talk to oneself	혼잣말하다
help oneself (to)	(~을) 마음껏 먹다

바로 개념 확인하기

A 알맞은 표현 고르기

1 각각의 쿠키
☐ each cookie   ☐ each cookies

2 여기 있는 모든 집
☐ every house here   ☐ every houses here

3 그 남자아이들 모두
☐ all the boy   ☐ all the boys

B 빈칸에 알맞은 말 고르기

1 _____ child is holding a balloon.
☐ Each   ☐ All

2 _____ players are practicing for the game.
☐ All   ☐ Every

3 All the food _____ very delicious.
☐ was   ☐ were

4 Both of my parents _____ strict with me.
☐ is   ☐ are

*strict 엄격한

C 우리말과 일치하도록 빈칸에 알맞은 재귀대명사 쓰기

1 너는 어제 즐거운 시간을 보냈니?
→ Did you enjoy _____ yesterday?

2 그 남자는 혼잣말을 했다.
→ The man talked to _____ .

3 Anderson 선생님은 자기소개를 했다.
→ Ms. Anderson introduced _____ .

서술형 기본 유형 익히기

| 배열 영작 |

[1~5] 우리말과 일치하도록 주어진 말을 배열하여 문장을 완성하시오.

1 그 남자아이들 각자는 축구를 잘한다.
(each, the boys, of, plays)

→ _____ soccer well.

2 모든 아이가 마실 무언가를 원한다.
(something, every, wants, kid)

→ _____ to drink.

3 모든 정보는 그 웹사이트에 있다.
(all, information, the, is)

→ _____ on the website.

4 여자아이들 둘 다 수영을 잘한다.
(are, both, girls, good, at)

→ _____ swimming.

5 나는 체육 시간 중에 다쳤다.
(myself, hurt, I)

→ _____ during PE class.

| 문장 완성 |

[6~8] 우리말과 일치하도록 주어진 말을 활용하여 문장을 완성하시오. (필요한 경우, 형태를 바꿀 것)

6 모든 가게들은 일요일마다 문을 닫는다.
(the stores, be closed)

→ _____

on Sundays.

7 Brown 선생님은 5분 동안 자신에 대해 이야기했다.
(Mr. Brown, talk about)   *시제 주의

→ _____

for five minutes.

8 이 학교의 모든 학생은 교복을 입는다.
(every, in this school, wear)

→ _____

a school uniform.

[9~11] 우리말과 일치하도록 |보기|의 단어와 재귀대명사를 사용하여 문장을 완성하시오. (필요한 경우, 형태를 바꿀 것)

|보기|	talk to	help	enjoy

9 Sarah는 파티에서 즐거운 시간을 보냈다.   *시제 주의

→ Sarah _____ at the party.

10 나의 할아버지는 종종 혼잣말을 하신다.

→ My grandfather often _____.

11 사과 파이를 마음껏 먹으렴, Jane.

→ _____ to the apple pie, Jane.

| 오류 수정 |

[12~14] 어법상 틀린 부분을 찾아 바르게 고쳐 쓰시오.

12 Every students has to take this class.
(모든 학생은 이 수업을 들어야 한다.)

_____ → _____

13 Both of the boys goes to high school.
(그 남자아이들 둘 다 고등학교에 다닌다.)

_____ → _____

14 All of his classmates wants to help him.
(그의 학급 친구들 모두가 그를 돕기를 원한다.)

_____ → _____

난이도별 서술형 문제

···········공··········· 기 본 ·······················

01 밑줄 친 부분을 바르게 고쳐 쓰시오.

(1) I don't have a cap. I want to buy <u>it</u>.

→ _____

(2) My sister bought a bag. She gave <u>one</u> to me.

→ _____

(3) He lost his gloves. He should buy new <u>one</u>.

→ _____

02 그림을 보고, |보기|에서 알맞은 단어를 골라 빈칸에 쓰시오. (중복 사용 가능)

|보기|	one	the other	another

(1)　　　　　　　　　　(2)

(1) I have two younger brothers. _____ is 10 years old, and _____ is 5 years old.

(2) There are three flavors of ice cream.

_____ is vanilla, _____ is chocolate, and _____ is strawberry.

03 표의 내용을 나타낸 문장에서 어법상 <u>틀린</u> 부분을 찾아 바르게 고쳐 쓰시오.

(총 학생 수: 20명)

선택 과목	일본어	중국어
학생 수	8	12

There are 20 students in the class. Some take the Japanese class, and others take the Chinese class.

_____ → _____

04 우리말과 일치하도록 |보기|에서 알맞은 단어를 골라 빈칸에 쓰시오.

|보기|	both	all	each

(1) 각 건물은 다섯 개의 층이 있다.

→ _____ building has five floors.

(2) 모든 돈은 금고에 보관된다.

→ _____ the money is kept in the safe.

(3) 나의 부모님 두 분 다 선생님이시다.

→ _____ of my parents are teachers.

05 우리말과 일치하도록 빈칸에 알맞은 말을 쓰시오.

(1) 그는 자기 자신을 천재라고 부른다.

→ _____ calls _____ a genius.

(2) 그녀는 그녀 자신을 자랑스러워한다.

→ _____ is proud of _____.

···················· 심 화 ····················

06 대화를 읽고, 빈칸에 공통으로 들어갈 대명사를 쓰시오.

A I need rain boots. Do you have any?
B Yes. I have red _____ and blue _____.
A Can I borrow the red _____?
B Sure.

고난도
07 우리말과 일치하도록 조건에 맞게 문장을 쓰시오.

그의 옷장에 있는 모든 셔츠는 흰색이다.

조건 the shirts in his closet, white를 포함하여 총 8단어로 쓸 것

→ _____

08 우리말과 일치하도록 주어진 말을 활용하여 쓰시오.

(1) 그는 그의 학급 친구들에게 자기소개를 했다.

(introduce, to his classmates)

→ _____

(2) 우리는 그 축제에서 즐거운 시간을 보냈다.

(enjoy, at the festival)

→ _____

신유형
09 우리말과 일치하도록 |보기|에서 필요한 단어를 골라 문장을 완성하시오. (필요한 경우, 단어를 추가할 것)

|보기|	the	one	some
	other	others	another

(1) 나는 머리핀 두 개를 샀다. 하나는 나를 위한 것이고, 나머지 하나는 Alice를 위한 것이다.

→ I bought two hairpins. _____

for me, and _____ for Alice.

(2) 남자아이들이 편의점에 갔다. 몇 명은 샌드위치를 샀고, 나머지 전부는 컵라면을 샀다.

→ The boys went to a convenience store.

_____ sandwiches, and

_____ cup noodles.

10 어법상 틀린 문장의 기호를 쓰고, 틀린 부분을 바르게 고쳐 쓰시오.

ⓐ Each of the kids have a unique habit.
(그 아이들 각자는 독특한 버릇이 있다.)

ⓑ All of the kids have a unique habit.
(그 아이들 모두는 독특한 버릇이 있다.)

(   ) _____ → _____

함정이 있는 문제

01 학생들이 좋아하는 운동을 나타낸 그래프를 보고, |보기|에서 필요한 단어를 골라 빈칸에 쓰시오.

|보기|	some	others	the others

tennis
soccer   baseball

→ _____ like baseball, and _____ like soccer.

✔ others와 the others를 혼동하지 말자!

others는 지칭한 것 외에 남은 것이 있을 때, the others는 지칭한 것 외에 남은 것이 없을 때 사용한다.

02 우리말과 일치하도록 주어진 말을 알맞은 형태로 바꿔 각 문장을 완성하시오.

모든 학생은 애완동물을 가지고 있다.

(student, have, a pet)

(1) Every _____ .

(2) All _____ .

✔ every와 all은 의미는 같지만 쓰임은 다르다!

셀 수 있는 명사가 올 때 every 뒤에는 「단수 명사+단수 동사」를 쓰고, all 뒤에는 「복수 명사+복수 동사」를 쓴다.

03 어법상 틀린 부분을 찾아 바르게 고쳐 쓰시오.

Jenny is angry at her because she made a big mistake.
(Jenny는 큰 실수를 해서 스스로에게 화가 났다.)

_____ → _____

✔ 주어와 목적어가 같은 대상인지 아닌지 파악하자!

주어와 목적어가 같은 대상이면 목적어에 재귀대명사를 쓴다. 위 문장에서 목적어를 her로 쓰면, Jenny는 자기 자신이 아니라 다른 여자에게 화가 났다는 뜻이 된다.

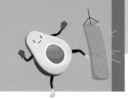

실전 TEST

시험일		월	일
시간			/ 40분
문항 수	객관식 10	/	서술형 10
점수			/ 100점

01 대화의 빈칸에 알맞은 것은? (3점)

> **A** These pants are too long for me. Do you have shorter _____?
> **B** Sure. Wait a moment, please.

① it   ② one   ③ ones
④ other   ⑤ them

02 빈칸에 공통으로 들어갈 말은? (3점)

> • _____ of them have their own room.
> • _____ the food was cooked by Anna.

① Every   ② Both   ③ All
④ Each   ⑤ Other

03 빈칸에 들어갈 수 <u>없는</u> 것을 <u>모두</u> 고르면? (4점)

> Jessica has three cats. _____ is white, _____ is gray, and _____ is black.

① Some   ② One   ③ another
④ the other   ⑤ the others

04 밑줄 친 부분 중 생략할 수 <u>없는</u> 것은? (4점)

① He built his garden <u>himself</u>.
② She <u>herself</u> cleaned the house.
③ I cut <u>myself</u> while I was cooking.
④ Did you meet the mayor <u>himself</u>?
⑤ The children <u>themselves</u> made these cookies.

05 밑줄 친 부분의 우리말 의미가 <u>어색한</u> 것은? (4점)

① I <u>hurt myself</u> at the gym.
    (다쳤다)
② A woman is <u>talking to herself</u>.
    (혼잣말을 하고 있다)
③ I really <u>enjoyed myself</u> tonight.
    (즐거운 시간을 보냈다)
④ <u>Help yourself</u> to the dishes here.
    (스스로를 돌보아라)
⑤ The teacher <u>introduced himself</u> to us.
    (자기소개를 했다)

신유형 **고난도**

06 밑줄 친 (A)~(C)와 바꿔 쓸 수 있는 말이 순서대로 짝지어진 것은? (5점)

> **A** Have you seen my phone? I can't find (A)<u>my phone</u>.
> **B** I saw (B)<u>a phone</u> in the classroom, but I'm not sure (C)<u>the phone</u> is yours.

	(A)		(B)		(C)
①	one	⋯⋯	it	⋯⋯	it
②	one	⋯⋯	one	⋯⋯	it
③	it	⋯⋯	one	⋯⋯	it
④	it	⋯⋯	it	⋯⋯	one
⑤	it	⋯⋯	one	⋯⋯	one

07 어법상 틀린 것을 <u>모두</u> 고르면? (4점)

① Both boys are tall.
② Every boys has short hair.
③ Each boy are wearing glasses.
④ All of the boys are going to school.
⑤ Every boy of my age knows the actor.

고난도

08 밑줄 친 ⓐ~ⓔ 중 어법상 틀린 것은? (4점)

> Many students are enjoying the festival. ⓐSome are wearing green hats, and ⓑothers are wearing green shirts. Every student ⓒis holding green balloons. ⓓAll the things at the festival ⓔis green!

① ⓐ   ② ⓑ   ③ ⓒ
④ ⓓ   ⑤ ⓔ

09 그림을 보고, 밑줄 친 ⓐ~ⓔ를 바르게 고친 것을 고르시오. (5점)

> There are some ⓐflowers in the vase. ⓑSome are roses, and ⓒothers are tulips. ⓓEach of them ⓔis beautiful.

① ⓐ → flower   ② ⓑ → One
③ ⓒ → the others   ④ ⓓ → Every
⑤ ⓔ → are

고난도

10 밑줄 친 부분의 쓰임이 어법상 올바른 것끼리 묶인 것은? (4점)

> ⓐ The girls herself made this cake.
> ⓑ He wrote a letter to himself.
> ⓒ She hurt herself at her dance class.
> ⓓ My brother cut itself badly.

① ⓐ, ⓑ   ② ⓐ, ⓒ   ③ ⓑ, ⓒ
④ ⓑ, ⓓ   ⑤ ⓒ, ⓓ

서술형

[서술형1] 대화를 읽고, (A)와 (B)에서 어법상 알맞은 말을 골라 쓰시오. (4점, 각 2점)

- A Can you lend me a pen?
  B Sorry, I don't have (A) it / one .
- A Do you know where my pen is?
  B You put (B) it / one on the table.

(A) _____   (B) _____

[서술형2] 우리말과 일치하도록 주어진 말을 배열하여 쓰시오. (6점, 각 3점)

(1) 모든 신발은 할인 중이다.
(are, shoes, on sale, all)
→ _____

(2) 나는 혼자서 집을 청소했다.
(cleaned, by, I, the house, myself)
→ _____

[서술형3] 우리말과 일치하도록 주어진 말을 알맞은 형태로 바꿔 문장을 완성하시오. (6점, 각 3점)

(1) 학생들 둘 다 미국에서 태어났다. (student)
→ _____ born in the U.S.

(2) 모든 승객은 안전벨트를 매야 한다.
(passenger, have to fasten)
→ Every _____
their seat belts.

신유형

[서술형4] 우리말과 일치하도록 |보기|에서 필요한 단어만 골라 문장을 완성하시오. (6점)

|보기|	student	students	in my class
	like	likes	playing soccer

나의 반의 모든 학생은 축구하는 것을 좋아한다.
→ Every _____ .

[서술형5] 대화를 읽고, 어법상 틀린 부분을 찾아 바르게 고쳐 쓰시오. (4점, 각 2점)

(1)　A　Did you get an A on the English test?
　　　B　Yes. I'm proud of me.

　　　_____ → _____

(2)　A　I like your shoes. Are they new one?
　　　B　Yes. I bought these yesterday.

　　　_____ → _____

[서술형6] 우리말과 일치하도록 주어진 말과 알맞은 대명사를 사용하여 문장을 완성하시오. (7점)

학생들은 방과 후에 세 과목을 수강한다. 하나는 수학이고, 또 다른 하나는 과학이고, 나머지 하나는 영어이다.
(math, science, English)

→ The students take three classes after school.
　_____, _____,
　and _____.

[서술형7] 그림을 보고, 조건에 맞게 문장을 완성하시오. (7점)

조건　1. look at, in the mirror를 활용할 것
　　　2. 현재진행형으로 쓸 것

→ The queen _____.

[서술형8~9] 다음 글을 읽고, 물음에 답하시오.

　I ordered two kinds of clothes online. 하나는 셔츠였고, 나머지 하나는 치마였다. The shirt fit me well, but the skirt was too small for me. So I gave the skirt to my sister, but ⓐit didn't fit her, either. So I had to exchange ⓑone for a bigger ⓒone.

[서술형8] 윗글의 밑줄 친 우리말을 조건에 맞게 영어로 쓰시오. (7점)

조건　1. a shirt, a skirt를 활용할 것
　　　2. 시제에 유의할 것

→ _____ _____ _____,
　and _____ _____ _____
　_____.

[서술형9] 윗글의 밑줄 친 ⓐ~ⓒ 중 어법상 틀린 것을 찾아 기호를 쓰고, 바르게 고쳐 쓰시오. (5점)

(　　) → _____

[서술형10] 표를 보고, James와 Olivia의 공통점을 찾아 조건에 맞게 문장을 완성하시오. (8점, 각 4점)

	James	Olivia
사는 곳	Hawaii	Hong Kong
좋아하는 것	reading books	reading books
잘하는 것	swimming	swimming
장래희망	a scientist	a doctor

조건　live in, like, be good at, want to be 중에 필요한 표현을 골라 쓸 것

(1)　Both of them _____.

(2)　Both of them _____.

CHAPTER

08

비교

Unit 1 원급, 비교급, 최상급

Unit 2 여러 가지 비교 표현

원급은 동등한 두 대상을 비교할 때 사용하고, 비교급과 최상급은 차이가 나는 둘 이상의 대상을 비교할 때 사용한다.

| 원급 | My smartphone is **as big as** yours.
내 스마트폰은 네 것**만큼** 크다. |

| 비교급 | My smartphone is **bigger than** yours.
내 스마트폰은 네 것**보다** 더 크다. |

| 최상급 | My smartphone is **the biggest** of the three.
내 스마트폰이 셋 중에서 **가장** 크다. |

원급, 비교급, 최상급

| 원급 |

1 「as+형용사/부사의 원급+as」는 동등한 두 대상을 비교하여 '~만큼 …한/하게'의 의미를 나타낸다.

as+원급+as			
I am	**as tall as**	my dad.	나는 나의 아빠**만큼 키가 크다.**
Surfing is	**as exciting as**	skiing.	서핑하는 것은 스키 타는 것**만큼 재미있다.**
Jake runs	**as fast as**	Josh.	Jake는 Josh**만큼 빠르게** 달린다.

(tips) '~만큼 …하지 않은'은 「not as+원급+as」로 나타낸다.
Canada is **not as large as** Russia. 캐나다는 러시아**만큼 크지 않다.**

(주의) 비교하는 두 대상은 서로 정도의 차이를 비교할 수 있는 것이어야 한다.
My bag is as heavy as **yours**. 내 **가방**은 네 것만큼 무겁다.
└ you (×)

| 비교급 |

2 「비교급+than」은 차이가 있는 두 대상을 비교하여 '~보다 더 …한/하게'의 의미를 나타낸다.

→ 비교급 · 최상급: 부록 p.171

비교급+than			
I am	**taller than**	my dad.	나는 나의 아빠**보다 키가 더 크다.**
Surfing is	**more exciting than**	skiing.	서핑하는 것은 스키 타는 것**보다 더 재미있다.**
Jake runs	**faster than**	Josh.	Jake는 Josh**보다 더 빠르게** 달린다.

 서술형 빈출 비교급을 강조할 때 much(still, even, far, a lot)를 비교급 앞에 쓰며, very나 too는 비교급을 강조할 수 없다.
Tim can run **much** faster than Amy. Tim은 Amy보다 **훨씬** 더 빨리 달릴 수 있다.
└ very, too (×)

| 최상급 |

3 「the+최상급」은 셋 이상을 비교하여 그중 하나가 '가장 ~한/하게'의 의미를 나타낸다.

the+최상급(+명사)			
He is	**the tallest**	in his class.	그는 그의 반**에서 가장 키가 크다.**
Surfing is	**the most exciting** sport.		서핑하는 것은 **가장 재미있는** 운동이다.
Jake runs	**fastest**	of the three.	Jake는 셋 중**에서 가장 빠르게** 달린다.

└→ 부사의 최상급은 the를 주로 생략한다.

(tips) in은 주로 장소나 집단을 나타내는 단수 명사와 함께 쓰이며, of는 기간을 나타내는 말이나 복수 명사와 함께 쓰인다.
The church is the oldest building **in this town**. 그 교회는 **이 마을에서** 가장 오래된 건물이다.
Today is the happiest day **of my life**. 오늘은 **내 인생에서** 가장 행복한 날이다.

✔ 바로 개념 확인하기

A 빈칸에 알맞은 말 고르기

1 Mia studies as _____ as Kevin.
☐ hard ☐ harder

2 Today is the _____ day of the year.
☐ colder ☐ coldest

3 Baseball is _____ popular than soccer in America.
☐ more ☐ most

4 Mars is _____ Earth.
☐ not as big as ☐ as not big as

B 밑줄 친 부분의 우리말 의미 고르기

1 Anna is the shortest of the four.
☐ 더 키가 작은 ☐ 가장 키가 작은

2 Dave can run as fast as Bolt.
☐ Bolt만큼 빠르게 ☐ Bolt보다 더 빠르게

3 John is more diligent than Amy.
☐ Amy만큼 부지런한 ☐ Amy보다 더 부지런한

C 빈칸에 알맞은 말 고르기

1 Gold is _____ more expensive than silver.
☐ very ☐ far

2 My hair is as long as _____.
☐ her ☐ hers

3 Who is the fastest swimmer _____ the world?
☐ in ☐ of

| 배열 영작 |

[1~5] 우리말과 일치하도록 주어진 말을 배열하여 문장을 완성하시오.

1 노래하는 것은 춤추는 것만큼 신난다.
(exciting, as, singing, is, as)

→ _____ dancing.

2 Ryan은 Mike보다 힘이 더 세다.
(stronger, is, Mike, than)

→ Ryan _____ .

3 그녀의 계획이 내 것보다 훨씬 더 좋다.
(far, than, better, is)

→ Her plan _____ mine.

4 호주에서 1월은 가장 더운 달이다.
(hottest, is, Australia, the, month, in)

→ January _____ .

5 에베레스트산은 세계에서 가장 높은 산이다.
(the, in, mountain, the world, is, highest)

→ Mt. Everest _____

_____ .

| 도표 영작 |

[6~9] 표를 보고, 형용사 cheap 또는 expensive를 활용하여 문장을 완성하시오.

Item	Price
cap	10,000 won
T-shirt	15,000 won
shoes	35,000 won

6 The cap _____ _____ _____
of the three.

7 The T-shirt _____ _____ _____
the shoes.

8 The T-shirt _____ _____ _____
_____ the cap.

9 The shoes _____ _____ _____
_____ of the three.

[10~13] 표를 보고, 형용사 tall 또는 old를 활용하여 문장을 완성하시오. (10~11번은 나이, 12~13번은 키를 비교할 것)

Name	Age	Height
Tom	15 years old	170 cm
Jane	16 years old	165 cm
Lily	14 years old	165 cm

10 Jane _____ _____ _____
of the three.

11 Tom _____ _____ _____ Lily.

12 Tom _____ _____ _____
of the three.

13 Lily _____ _____ _____
_____ Jane.

| 문장 완성 |

[14~16] 우리말과 일치하도록 주어진 말을 활용하여 문장을 완성하시오. (필요한 경우, 형태를 바꿀 것)

14 Emma는 Sam만큼 친절하지 않다.
(not, friendly)

→ Emma _____ Sam.

15 그녀는 Julie보다 훨씬 더 아름답게 노래한다.
(sing, much, beautifully)

→ She _____
Julie.

16 독서가 TV 보는 것보다 더 재미있다.
(interesting)

→ Reading is _____
watching TV.

| 오류 수정 |

[17~18] 어법상 틀린 부분을 찾아 바르게 고쳐 쓰시오.

17 Jack sings more better than Andy.
(Jack은 Andy보다 노래를 더 잘한다.)

_____ → _____

18 Brian is very more careful than Amanda.
(Brian은 Amanda보다 훨씬 더 조심성이 있다.)

_____ → _____

Unit 2

여러 가지 비교 표현

1 「as+원급+as possible」은 '가능한 한 ~한/하게'의 의미로, 「as+원급+as+주어+can」으로 바꿔 쓸 수 있다.

Please call me **as soon as possible**.
= Please call me **as soon as you can**.

가능한 한 빨리 제게 전화해 주세요.

I want to stay there **as long as possible**.
= I want to stay there **as long as I can**.

나는 **가능한 한 오래** 그곳에서 머무르고 싶다.

(tips) 과거시제일 때는 「as+원급+as+주어+could」로 바꿔 쓸 수 있다.
He walked to the station **as fast as possible**. 그는 역까지 **가능한 한 빠르게** 걸었다.
= He walked to the station **as fast as he could**.

| 비교급을 이용한 표현 |

2 비교급을 이용하여 '더 ~할수록 더 …하다', '점점 더 ~하다'라는 의미를 나타낼 수 있다.

The+비교급+주어+동사 ~, the+비교급+주어+동사 … (더 ~할수록 더 …하다)	**The older** you get, **the wiser** you will be. 네가 **나이가 더 들수록** 너는 **더 현명해질** 것이다. **The more expensive** a car is, **the more popular** it is. 자동차는 **더 비쌀수록 더 인기가** 있다.
비교급+and+비교급 (점점 더 ~하다)	The sky is getting **darker and darker**. 하늘이 **점점 더 어두워지고** 있다. The soccer match became **more and more exciting**. 축구 경기가 **점점 더 재미있어졌다**.

주의 비교급의 형태가 「more+원급」인 경우, 「비교급+and+비교급」은 「more and more+원급」으로 쓴다.
She became **more and more famous**. 그녀는 **점점 더 유명해졌다**.

| 최상급을 이용한 표현 |

3 「one of the+최상급+복수 명사」는 '가장 ~한 … 중 하나'라는 의미이다.

He is **one of the greatest singers** in the world.
Soccer is **one of the most popular sports** in Korea.

그는 세계에서 **가장 훌륭한 가수** 중 한 명이다.
축구는 한국에서 **가장 인기 있는 스포츠** 중 하나이다.

주의 '가장 ~한 … 중 하나'는 여러 대상 중 하나를 가리키므로, 최상급 뒤에 복수 명사가 온다.
It is one of the oldest **buildings** in the city. 그것은 그 도시에서 가장 오래된 건물 중 하나이다.
└ building (×)

서술형 기본 유형 익히기

✔ 바로 개념 확인하기

A 빈칸에 알맞은 말 고르기

1 I go swimming _____ possible.
☐ as often as   ☐ more often

2 She walked _____ she could.
☐ as fast as   ☐ as faster as

3 I'll call you back as soon as _____.
☐ can   ☐ possible

B 주어진 말을 알맞은 형태로 바꿔 빈칸에 쓰기

1 바람이 점점 더 세게 불었다. (hard)
→ The wind blew _____ and _____.

2 그의 성적이 점점 더 좋아졌다. (good)
→ His grades got _____ and _____.

3 날씨가 더 따뜻해질수록 나는 더 기분이 좋다. (warm)
→ _____ _____ the weather is, the better I feel.

4 그녀는 나이가 더 들수록 더 아름다워졌다. (beautiful)
→ The older she got, _____ _____ _____ she became.

C 알맞은 표현 고르기

1 가장 빠른 주자 중 하나
☐ one of the fastest runner
☐ one of the fastest runners

2 가장 중요한 것 중 하나
☐ one of the most important thing
☐ one of the most important things

❘ 배열 영작 ❘

[1~8] 우리말과 일치하도록 주어진 말을 배열하여 문장을 완성하시오.

1 그는 가능한 한 높이 뛰었다.
(as, could, as, high, he)

→ He jumped _____.

2 그 자동차는 점점 더 빨리 달렸다.
(faster, ran, and, faster)

→ The car _____.

3 그 아이는 점점 더 크게 울기 시작했다.
(and, louder, cry, louder)

→ The kid started to _____.

4 그 노래는 세계에서 가장 인기 있는 노래 중 하나다.
(most, the, songs, one, popular, of)

→ The song is _____
in the world.

5 네가 더 많이 걸을수록 더 건강하게 느낄 것이다.
(walk, you, more, the)

→ _____, the healthier
you will feel.

6 가능한 한 일찍 집에 오세요.
(as, as, come home, early, possible)

→ Please _____ .

7 그 드라마는 점점 더 재미있어지고 있다.
(getting, is, more, exciting, and, more)

→ The drama _____ .

8 John은 학교에서 가장 힘이 센 학생 중 한 명이다.
(of, students, one, strongest, the)

→ John is _____
in the school.

| 문장 완성 |

[9~12] 우리말과 일치하도록 주어진 말을 활용하여 문장을
완성하시오. (필요한 경우, 형태를 바꿀 것)

9 네가 일찍 떠날수록 너는 더 빨리 도착할 것이다.
(early, soon)

→ _____ you leave, _____
you will arrive.

10 네가 더 열심히 연습할수록 그것은 더 쉬워질 것이다.
(hard, easy)

→ _____ you practice, _____
it will be.

11 날씨가 점점 더 추워지고 있다.
(get cold)   *시제 주의

→ The weather _____ .

12 미세먼지는 한국에서 가장 심각한 문제 중 하나이다.
(serious, problem)

→ Fine dust is _____
in Korea.

| 오류 수정 |

[13~15] 어법상 틀린 부분을 찾아 바르게 고쳐 쓰시오.

13 He kicked the ball as hard as he possible.
(그는 가능한 한 세게 공을 찼다.)

_____ → _____

14 The writer became more famous and famous.
(그 작가는 점점 더 유명해졌다.)

_____ → _____

15 He is one of the best soccer player in history.
(그는 역사상 가장 뛰어난 축구 선수 중 한 명이다.)

_____ → _____

난이도별 서술형 문제

··············· **기 본** ···············

01 주어진 말을 알맞은 형태로 바꿔 빈칸에 쓰시오.

(1) I'm as _____ as Tom. (tall)

(2) I went to bed _____ than usual. (early)

(3) This hotel is the _____ in this town.
(cheap)

02 그림을 보고, 형용사 big을 활용하여 문장을 완성하시오.

(1) The melon is _____ of the three.

(2) The peach is _____ the apple.

03 어법상 틀린 부분을 찾아 바르게 고쳐 쓰시오.

Health is very more important than money.
(건강은 돈보다 훨씬 더 중요하다.)

_____ → _____

04 우리말과 일치하도록 주어진 말을 배열하여 문장을 완성하시오.

(1) 오늘은 내 인생에서 최악의 날이다.
(of, the, my life, worst, day)
→ Today is _____.

(2) 이 소설은 저것보다 훨씬 더 재미있다.
(interesting, far, than, more)
→ This novel is _____
that one.

05 우리말과 일치하도록 주어진 말을 알맞은 형태로 바꿔 문장을 완성하시오.

(1) 네 영어 실력이 점점 더 좋아지고 있다. (good)
→ Your English is getting _____

_____ _____.

(2) 나는 가능한 한 빨리 그곳에 갈 것이다. (soon)
→ I'll go there _____ _____

_____ _____.

··············· **심 화** ···············

06 주어진 두 문장과 의미가 같도록 괄호 안의 말을 활용하여 한 문장으로 바꿔 쓰시오.

(1) This box is 10 kg. That box is 6 kg. (heavy)

→ This box is _____ that one.

(2) I go to the gym 5 days a week. Joe goes to the gym 3 days a week. (often)

→ I go to the gym _____ Joe.

07 우리말과 일치하도록 주어진 말을 알맞은 형태로 바꿔 문장을 완성하시오.

(1) 수학 시험이 영어 시험보다 훨씬 더 어려웠다.
(a lot, difficult)
→ The math exam _____

_____ the English exam.

(2) 제주도는 한국에서 가장 아름다운 섬 중 하나이다.
(beautiful island, in Korea)
→ Jeju-do is _____

_____.

08 표를 보고, 조건 에 맞게 문장을 완성하시오.

Model	Price	Popularity
X-Phone	$600	★★
Y-Phone	$600	★★★

> 조건 1. as ~ as 구문으로 쓸 것
> 2. (1)은 expensive, (2)는 popular를 활용할 것

(1) X-Phone ＿＿＿＿＿＿＿＿＿＿ Y-Phone.

(2) X-Phone ＿＿＿＿＿＿＿＿＿＿ Y-Phone.

신유형

09 우리말과 일치하도록 |보기|에서 필요한 단어만 골라 문장을 완성하시오. (중복 사용 가능)

> |보기| and   the   more   often   difficult

(1) 직업을 찾는 것이 점점 더 어려워지고 있다.
　→ Finding a job is getting ＿＿＿＿＿

　＿＿＿＿＿＿＿＿＿＿＿＿＿＿ .

(2) 내가 그를 더 자주 만날수록 나는 그가 더 좋다.
　→ ＿＿＿＿＿＿＿＿＿＿＿ I meet him,

　＿＿＿＿＿＿＿＿＿＿＿ I like him.

고난도

10 우리말과 일치하도록 조건 에 맞게 문장을 쓰시오.

> 네가 더 많이 공부할수록 너는 더 많이 배울 것이다.
> (much, study, will learn)

> 조건 1. 주어진 말을 모두 활용할 것
> 2. 필요한 경우 형태를 바꿀 것
> 3. 총 9단어로 쓸 것

→ ＿＿＿＿＿＿＿＿＿＿＿＿＿＿＿＿

함정이 있는 문제

01 어법상 틀린 부분을 찾아 바르게 고쳐 쓰시오.

> Eric studied more harder than Jane.
> (Eric은 Jane보다 더 열심히 공부했다.)

＿＿＿＿＿＿＿ → ＿＿＿＿＿＿＿

✔ 비교급에서 -er과 more를 동시에 쓰면 안 된다!
비교급은 「원급+-er」 또는 「more+원급」으로 나타내며, -er과 more는 동시에 쓰일 수 없다.

02 우리말과 일치하도록 주어진 말을 알맞은 형태로 바꿔 문장을 완성하시오.

1월은 서울에서 가장 추운 달이다. (cold)

→ January is ＿＿＿＿＿＿＿ month in Seoul.

✔ 형용사의 최상급을 쓸 때 the를 빠뜨리지 말자!
cold가 주어졌다고 해서 빈칸에 coldest만 쓰면 안 된다. 최상급 앞에 the를 빠뜨리지 않도록 주의하자.

03 우리말과 일치하도록 주어진 말을 배열하여 문장을 쓰시오.

네가 더 많이 웃을수록 너는 더 행복해질 것이다.
(you, smile, the, more, the, happier, you, become, will)

→ ＿＿＿＿＿＿＿＿＿＿＿＿＿＿＿

＿＿＿＿＿＿＿＿＿＿＿＿＿＿＿

✔ 「The 비교급 ~, the 비교급 …」 어순에 익숙해지자!
우리말을 보고 You smile … 로 문장을 시작하면 안 된다. '더 ~할수록 더 …하다'는 「The+비교급+주어+동사 ~, the+비교급+주어+동사 …」로 나타낸다.

시험에 강해지는

실전 TEST

시험일	월	일
시간		/ 40분
문항 수	객관식 10 / 서술형 10	
점수		/ 100점

01 빈칸에 알맞은 것은? (3점)

> My room is as _____ as the living room.

① big ② bigger ③ more big
④ biggest ⑤ most big

02 빈칸에 들어갈 수 없는 것은? (3점)

> Smartphones can be _____ more useful than computers.

① much ② still ③ far
④ very ⑤ a lot

03 우리말을 영어로 옮길 때, 빈칸에 알맞은 것은? (3점)

> 고흐는 역사상 가장 훌륭한 예술가 중 한 명이다.
> → Gogh is _____ artists in history.

① the greatest
② the most great
③ one of great
④ one of the greatest
⑤ one of the most great

04 우리말과 일치하도록 주어진 말을 배열할 때, 일곱 번째로 오는 단어는? (4점)

> 그가 더 오래 기다릴수록 그는 더 지루함을 느꼈다.
> (waited, he, the, longer, felt, bored, the, more, he)

① longer ② waited ③ bored
④ he ⑤ felt

05 그림과 일치하지 <u>않는</u> 문장은? (4점)

Daniel (20세) Kate (15세) Tony (15세) Juliet (10세)

① Kate is as old as Tony.
② Tony is taller than Juliet.
③ The youngest person is Juliet.
④ Kate's hair is shorter than Juliet's.
⑤ Daniel is the oldest of the four.

06 빈칸에 알맞은 말이 순서대로 짝지어진 것은? (4점)

> • The sun is _____(A)_____ larger than the moon.
> • Clara is _____(B)_____ student in her class.
> • Tomorrow will be _____(C)_____ than today.

	(A)	(B)	(C)
①	very	intelligent	hot
②	very	more intelligent	hotter
③	much	more intelligent	more hot
④	much	the most intelligent	hotter
⑤	much	the most intelligent	more hot

07 우리말을 영어로 바르게 옮긴 것은? (4점)

> 나는 점점 더 초조해졌다.

① I got nervous and nervous.
② I got nervouser and nervouser.
③ I got more and more nervous.
④ I got more nervous and nervous.
⑤ I got more nervous and more nervous.

08 밑줄 친 부분을 잘못 고친 것은? (5점)

① Sena sings <u>well</u> than Jiho.
  → better
② A cheetah is one of the fastest <u>animal</u> on Earth.
  → animals
③ The result was much <u>bad</u> than before.
  → more worse
④ This is <u>tallest</u> building in the city.
  → the tallest
⑤ Please check the email as soon as <u>can</u>.
  → you can

고난도

09 다음은 학생들의 영어 점수와 수학 점수를 나타낸 표이다. 표의 내용과 일치하지 <u>않는</u> 것은? (5점)

	Jiho	Mina	Soyun
English	95	80	90
math	50	90	70

① Jiho got the highest score of the three on the English exam.
② Mina's English score is not as high as Soyun's.
③ Mina got the highest score of the three on the math exam.
④ Soyun got the lowest score of the three on the English exam.
⑤ Soyun's math score is lower than Mina's.

고난도

10 어법상 올바른 것끼리 묶인 것은? (5점)

ⓐ It is getting cold and cold.
ⓑ Things got even worse than before.
ⓒ His idea is better than me.
ⓓ The more he ran, the more tired he got.

① ⓐ, ⓑ ② ⓐ, ⓒ ③ ⓑ, ⓒ
④ ⓑ, ⓓ ⑤ ⓒ, ⓓ

서 술 형

[서술형1] 그림을 보고, 주어진 말을 활용하여 빈칸에 알맞은 말을 쓰시오. (4점, 각 2점)

(1)   (2)
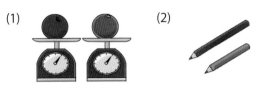
(heavy)   (long)

(1) The apple is _____ the orange.

(2) The red pencil is _____ the green one.

[서술형2] 어법상 <u>틀린</u> 부분을 찾아 바르게 고쳐 쓰시오. (3점)

Her bag is as expensive as me.
(그녀의 가방은 내 것만큼 비싸다.)

_____ → _____

[서술형3] 우리말과 일치하도록 주어진 말을 배열하여 쓰시오. (6점, 각 3점)

(1) Julie는 Alice보다 훨씬 더 춤을 잘 춘다.
  (Julie, Alice, better, a lot, dances, than)
  → _____

(2) 아빠는 우리 가족 중에서 가장 요리를 잘하는 사람이다.
  (Dad, cook, in, the, is, family, my, best)
  → _____

[서술형4] 우리말과 일치하도록 <u>조건</u>에 맞게 쓰시오. (6점)

지구가 점점 더워지고 있다. (Earth, get warm)

조건 1. 주어진 말을 활용할 것
    2. 현재진행형으로 쓸 것
    3. 총 6단어의 완전한 문장으로 쓸 것

→ _____

[서술형5] 세 도시의 평균 기온을 나타낸 그래프를 보고, 조건에 맞게 문장을 완성하시오. (6점, 각 3점)

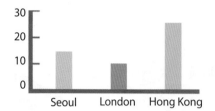

> 조건 (1)은 warm, (2)는 cool을 활용하여 다른 도시와 비교하는 긍정문 형태의 문장을 쓸 것

(1) Seoul _____ .

(2) Seoul _____ .

고난도
[서술형6] 주어진 두 문장과 의미가 같도록 조건에 맞게 문장을 바꿔 쓰시오. (8점, 각 4점)

(1)
> Yesterday, there were 150 people in the library.
> Today, there are 80 people in the library.

> 조건 crowded를 활용하여 as ~ as 구문으로 쓸 것

→ The library is _____
yesterday.

(2)
> Liam solved the problem in 10 minutes. Emily solved the problem in 30 minutes.

> 조건 quickly를 활용하여 비교급 문장으로 쓸 것

→ Liam _____

_____ Emily.

[서술형7] 어법상 틀린 문장의 기호를 쓰고, 틀린 부분을 바르게 고쳐 쓰시오. (5점)

> ⓐ Christmas is one of the most popular holiday in the world.
> ⓑ *Bulgogi* is one of the most popular Korean dishes.

( ) _____ → _____

신유형
[서술형8] 그림을 보고, 각 질문에 주어진 말을 활용하여 답한 후, 조건에 맞게 문장을 완성하시오. (12점, 각 4점)

(1) **Q** 지구(Earth)와 크기가 비슷한 행성은 무엇인가? (big)

→ _____ Earth.

(2) **Q** 가장 작은 행성은 무엇인가? (small, planet)

→ _____

(3)
> 조건 1. big을 활용하여 목성(Jupiter)과 지구(Earth)의 크기를 비교하는 문장을 쓸 것
> 2. 비교급을 강조하는 말을 쓸 것

→ _____ Earth.

[서술형9~10] 다음 글을 읽고, 물음에 답하시오.

> Near my house, there is a restaurant called Pizza Wing. They sell (A)마을에서 가장 큰 피자(big, in town). It's not so expensive, and it tastes much good than pizzas at other restaurants. So, the restaurant is getting (B)점점 더 인기 있는(popular).

[서술형9] 윗글의 밑줄 친 (A)와 (B)를 주어진 말을 활용하여 쓰시오. (6점, 각 3점)

(A) _____

(B) _____

[서술형10] 윗글에서 어법상 틀린 부분을 찾아 바르게 고쳐 쓰시오. (4점)

_____ → _____

01 |보기|의 밑줄 친 부분과 쓰임이 같은 것끼리 짝지어진 것은?

> |보기| The running boy is my brother.

> ⓐ I love trying new foods.
> ⓑ Doing yoga is good for your health.
> ⓒ The man standing over there is Mr. Smith.
> ⓓ Do you know the girl talking to Peter?

① ⓐ, ⓑ ② ⓐ, ⓒ ③ ⓑ, ⓒ
④ ⓑ, ⓓ ⑤ ⓒ, ⓓ

02 빈칸에 알맞은 말이 순서대로 짝지어진 것은?

> • I am interested _____ his idea.
> • She is satisfied _____ her new apartment.

① in – about ② about – in
③ in – with ④ with – in
⑤ in – by

03 우리말을 영어로 옮길 때, not이 들어갈 위치로 알맞은 것은?

> 그 잡지는 그 책만큼 두껍지 않다.
> → The magazine ① is ② as ③ thick ④ as
> ⑤ the book.

04 밑줄 친 부분 중 어법상 틀린 것은?

> I have two sisters. ⓐOne is 20 years old, and ⓑthe other is 18 years old. ⓒBoth of them ⓓlike to sing. I'm ⓔyoungest in my family.

① ⓐ ② ⓑ ③ ⓒ
④ ⓓ ⑤ ⓔ

05 어법상 올바른 것은?

① My hair is as long as you.
② Happiness is important than money.
③ He became more famous and famous.
④ The older he grew, the wiser he became.
⑤ He is one of the greatest artist in history.

06 |보기|의 밑줄 친 부분을 분사구문으로 바르게 바꿔 쓴 것은?

> |보기| Because I felt tired, I went to bed early.

① Felt tired ② I feeling tired
③ Feeling tired ④ Because felt tired
⑤ Because I feeling tired

고난도
07 어법상 틀린 문장의 개수는?

> ⓐ I'm very proud of me.
> ⓑ All student know the answer.
> ⓒ Both girls are middle school students.
> ⓓ Each child has to understand the rules.

① 0개 ② 1개 ③ 2개
④ 3개 ⑤ 4개

고난도
08 그림과 일치하지 않는 문장은?

① The store is closed.
② Some shoes are displayed in the store.
③ The man is taller than the woman.
④ The woman's bag is not as big as the man's.
⑤ The person talking on the phone is wearing sunglasses.

서 술 형

09 어법상 틀린 부분을 찾아 바르게 고쳐 쓰시오.

(1)
> Every student have a student card.
> (모든 학생은 학생증을 가지고 있다.)

_____ → _____

(2)
> Both room were very nice.
> (두 방 다 매우 근사했다.)

_____ → _____

10 우리말과 일치하도록 주어진 말을 배열하여 쓰시오.

(1) 내 이웃이 차에 치였다.

(by, my neighbor, run, over, a car, was)

→ _____

(2) 피아노를 치고 있는 여자아이는 Sarah이다.

(the girl, the piano, is, playing, Sarah)

→ _____

11 주어진 말을 알맞은 형태로 바꿔 다음 캐릭터에 대한 문장을 완성하시오.

(1) Mickey Mouse is one of _____

_____ in the world.

(famous, cartoon character)

(2) It _____

in 1928. (create, Walt Disney)

---

12 영수증을 보고, 조건 에 맞게 문장을 완성하시오.

```
            Date: 21/06/20××
··········································
T-shirt        $30

Jeans          $75

Skirt          $30
··········································
Total          $135
··········································
Thank you for shopping!
```

조건 형용사 expensive를 활용할 것

(1) The T-shirt was _____

the skirt.

(2) The jeans were _____

of the three.

고난도

13 조건 에 맞게 주어진 문장을 바꿔 쓰시오.

조건 1. 분사구문을 사용할 것
2. 총 7단어의 문장으로 쓸 것

Because he was sick, he didn't go to school.

→ _____

[14~15] 다음 대화를 읽고, 물음에 답하시오.

A (A) Have you found (wallet / your / lost)?
B Yes. Actually, Sophia found it.
A Good for you! Where was the wallet?
B It was in the library. (B) Sophia found it in the library.

14 위 대화의 밑줄 친 (A)에서 괄호 안의 말을 배열하여 문장을 완성하시오.

→ Have you found _____ ?

15 윗글의 밑줄 친 (B)를 수동태 문장으로 바꿔 쓰시오.

→ _____ in the library.

CHAPTER

09

문장의 구조

Unit 1 보어·목적어가 있는 문장

Unit 2 목적격보어가 있는 문장

영어 문장의 구조는 「주어+동사」가 기본이며, 동사에 따라 뒤에 보어나 목적어가 오기도 하고, 목적어와 목적격보어가 오기도 한다.

| 수여동사 | My teacher **showed** me a picture.
나의 선생님은 나에게 그림을 **보여 주셨다.** |

| 지각동사 | I **heard** a man scream.
나는 한 남자가 비명을 지르는 것을 **들었다.** |

| 감각동사 | He **looked** unhappy.
그는 불행해 **보였다.** |

| 사역동사 | He **made** me feel scared.
그는 내가 무서움을 느끼**게 했다.** |

보어·목적어가 있는 문장

| 감각동사 |

1 감각동사는 「주어＋동사＋보어」의 2형식 문장에 쓰이며, 보어로 형용사를 쓴다.

주어	감각동사	보어 〈형용사〉	
The boy	**looks**	happy.	그 남자아이는 행복해 **보인다**.
The pillow	**feels**	soft.	그 베개는 부드럽게 **느껴진다**.
This coffee	**tastes**	bitter.	이 커피는 쓴 **맛이 난다**.

암기 노트 감각동사

look	~하게 보이다
sound	~하게 들리다
smell	~한 냄새가 나다
feel	~하게 느끼다
taste	~한 맛이 나다

서술형 빈출 '~하게'라는 우리말 때문에 혼동하여 보어 자리에 부사를 쓰면 안 된다.
Your voice sounds **strange**. 네 목소리가 **이상하게** 들린다.
└ strangely (×)

| 수여동사 |

2 수여동사는 「주어＋동사＋간접목적어＋직접목적어」의 4형식 문장에 쓰인다.

주어	수여동사	간접목적어	직접목적어	
Emma	**sent**	him	a letter.	Emma는 그에게 편지를 **보냈다**.
Mom	**made**	us	pizza.	엄마는 우리에게 피자를 **만들어 주셨다**.
He	**asked**	me	a question.	그는 나에게 질문을 **했다**.

암기 노트 수여동사

give	주다	send	보내다
buy	사 주다	pass	건네주다
show	보여 주다	tell	말해 주다
lend	빌려주다	teach	가르쳐 주다
make	만들어 주다	read	읽어 주다
write	써 주다	bring	가져다주다

주의 간접목적어와 직접목적어의 어순에 주의한다.

| 수여동사가 있는 문장 전환 |

3 수여동사가 있는 4형식 문장은 「주어＋동사＋직접목적어＋전치사＋간접목적어」로 바꿔 쓸 수 있다.

He **gave** me a book. (4형식)

그는 나에게 책을 **주었다**.

He **gave** a book to me. (3형식)

She **bought** me a sandwich. (4형식)

그녀는 나에게 샌드위치를 **사 주었다**.

She **bought** a sandwich for me. (3형식)

암기 노트 간접목적어가 뒤로 갈 때
전치사 to/for를 쓰는 동사

to	give, send, pass, show, tell, lend, teach, read, write ...
for	buy, make, get, cook ...

tips 동사 ask가 있는 4형식 문장을 3형식 문장으로 바꿀 때는 전치사 of를 사용한다.
He **asked** me a question. (4형식) 그는 나에게 질문을 **했다**.
→ He **asked** a question of me. (3형식)

바로 개념 확인하기

A 빈칸에 알맞은 말 고르기

1 This soup smells _____.
☐ delicious ☐ deliciously

2 Your plan sounds _____.
☐ interesting ☐ interestingly

3 The little girl looks _____.
☐ sad ☐ sadly

B 알맞은 표현 고르기

1 나에게 돈을 좀 빌려줄 수 있니?
☐ Can you lend some money me?
☐ Can you lend me some money?

2 그녀는 Dave에게 선물을 사 줬다.
☐ She bought a gift Dave.
☐ She bought Dave a gift.

3 Peter는 우리에게 그의 사진을 보여 주었다.
☐ Peter showed us his picture.
☐ Peter showed his picture us.

C 밑줄 친 부분과 바꿔 쓸 수 있는 말 고르기

1 Can you pass me the salt?
☐ the salt to me ☐ me to the salt

2 Dad cooked us breakfast.
☐ breakfast to us ☐ breakfast for us

3 Can I ask you a question?
☐ a question to you ☐ a question of you

| 배열 영작 |

[1~5] 우리말과 일치하도록 주어진 말을 배열하여 문장을 완성하시오.

1 그 음악은 아름답게 들렸다.
(beautiful, the music, sounded)

→ _____

2 그 선생님은 우리에게 많은 숙제를 내 주셨다.
(us, gave, a lot of, homework)

→ The teacher _____.

3 나는 너에게 이메일을 쓸 것이다.
(you, write, an email, will)

→ I _____.

4 그에게 물을 좀 가져다주실래요?
(him, bring, water, some)

→ Could you _____?

5 그녀는 우리에게 그 사실을 말해 주었다.
(to, the fact, told, us)

→ She _____.

|오류 수정|

[6~8] 어법상 <u>틀린</u> 부분을 찾아 바르게 고쳐 쓰시오.

6 You look greatly in this picture.
(이 사진에서 너는 근사하게 보인다.)

_____ → _____

7 He gave a present us.
(그는 우리에게 선물을 주었다.)

_____ → _____

8 Mom bought a new bag to me.
(엄마는 나에게 새 가방을 사 주셨다.)

_____ → _____

|문장 전환|

[9~12] 주어진 문장을 |예시|와 같이 바꿔 쓰시오.

| |예시| I sent him a text message.
→ I sent a text message to him. |

9 He teaches us math.

→ _____

10 They asked him some questions.

→ _____

11 My grandfather will buy me a bike.

→ _____

12 She read her children a storybook.

→ _____

|문장 완성|

[13~15] 우리말과 일치하도록 주어진 말을 활용하여 문장을 완성하시오. (필요한 경우, 형태를 바꿀 것)

13 그들은 우리에게 샌드위치를 만들어 주었다.
(make, sandwiches)   *시제 주의

→ They _____ .

14 레몬은 신맛이 난다.
(taste, sour)

→ Lemons _____ .

15 그녀는 우리에게 아름다운 미소를 보여 주었다.
(show, a beautiful smile)   *시제 주의

→ She _____ .

목적격보어가 있는 문장

1 목적격보어는 목적어를 보충 설명하는 말로, 동사에 따라 다양한 형태의 목적격보어가 쓰인다.

주어	동사	목적어	목적격보어	
They	**call**	New York	**the Big Apple.** 〈명사〉	그들은 뉴욕을 **Big Apple이라고 부른다.**
I	**found**	Mr. Taylor	**friendly.** 〈형용사〉	나는 Talyor 씨가 **다정한 것을 알게 되었다.**
She	**wanted**	him	**to help** her. 〈to부정사〉	그녀는 그가 그녀를 **도와주기를 원했다.**

암기 노트 주요 동사와 목적격보어의 형태

make (만들다), call (부르다), elect (선출하다), name (이름 짓다)		명사
make (만들다), keep (유지하다), find (알게 되다)	+ 목적어 +	형용사
want (원하다), tell (말하다), allow (허락하다), expect (기대하다), ask (요청하다), advise (충고하다)		to부정사

2 사역동사(make, have, let)는 '~가 …하도록 시키다'라는 의미를 나타내며, 목적격보어로 동사원형을 쓴다.

주어	사역동사	목적어 (~가)	목적격보어 (… 하도록)	
He	**made**	his children	**sit** still.	그는 그의 아이들이 가만히 **앉아 있도록 시켰다.**
She	**had**	the students	**clean** the classroom.	그녀는 학생들이 교실을 **청소하도록 했다.**
My parents	**let**	me	**buy** a laptop computer.	부모님은 내가 노트북 **사는 것을 허락하셨다.**

(tips) 사역동사 의미 차이: make (시키다), have (하게 하다), let (허락하다)

3 지각동사(see, watch, hear, smell, feel 등)가 있는 문장은 목적격보어로 동사원형 또는 현재분사를 쓴다.

주어	지각동사	목적어 (~가)	목적격보어 (…하는 것을)	
He	**saw**	Jane	**ride(riding)** her bike.	그는 Jane이 자전거 **타는 것을 보았다.**
She	**heard**	her mom	**laugh(laughing).**	그녀는 엄마가 **웃는 것을 들었다.**
I	**felt**	someone	**touch(touching)** my shoulder.	나는 누군가가 내 어깨를 **건드리는 것을 느꼈다.**

(tips) 동작이 진행 중인 것을 강조할 때 목적격보어로 현재분사를 쓴다.

바로 개념 확인하기

A 목적어에 동그라미 하고, 목적격보어에 밑줄 긋기

> |예시| My parents expect(me)to study hard.

1 She always keeps her house clean.

2 We called her a genius.

3 The doctor advised him to exercise.

4 Mom told me to go to bed early.

B 밑줄 친 부분의 알맞은 의미 고르기

1 They saw the boy singing.
☐ 그 남자아이를 보고 노래했다
☐ 그 남자아이가 노래하고 있는 것을 보았다

2 Jane watched her brother cook.
☐ 남동생을 보고 요리했다
☐ 남동생이 요리하는 것을 보았다

3 He wants me to visit him.
☐ 내가 그를 방문하기를 원한다
☐ 그가 나를 방문하기를 원한다

C 빈칸에 알맞은 말 <u>모두</u> 고르기

1 She made him _____ the dishes.
☐ wash　　☐ to wash

2 Dad let me _____ to the amusement park.
☐ go　　☐ to go

3 Did you hear someone _____ ?
☐ shout　　☐ shouting

4 I felt the ground _____ .
☐ shake　　☐ shaking

| 배열 영작 |

[1~5] 우리말과 일치하도록 주어진 말을 배열하여 문장을 완성하시오.

1 그들은 그 강아지를 Big이라고 불렀다.
(Big, the puppy, called)

→ They _____ .

2 우리는 그들이 내일 오기를 기대한다.
(expect, come, to, them)

→ We _____ tomorrow.

3 엄마는 내가 30분 동안 게임하는 것을 허락하셨다.
(me, allowed, to, games, play)

→ Mom _____
for 30 minutes.

4 나는 Ann이 너의 집에 들어가는 것을 봤다.
(saw, entering, Ann, your house)

→ I _____ .

5 그 경찰관은 그가 차를 멈추게 했다.
(him, made, the car, stop)

→ The police officer _____ .

| 오류 수정 |

[6~10] 어법상 **틀린** 부분을 찾아 바르게 고쳐 쓰시오.

6 I heard Robin to laugh.
(나는 Robin이 웃는 것을 들었다.)

_____ → _____

7 The teacher had us to write a story.
(그 선생님은 우리가 이야기를 쓰게 하셨다.)

_____ → _____

8 I found the book interestingly.
(나는 그 책이 흥미롭다는 것을 알게 되었다.)

_____ → _____

9 They named Olivia their daughter.
(그들은 그들의 딸을 Olivia라고 이름 지었다.)

_____ → _____

10 He watched his son danced.
(그는 그의 아들이 춤추는 것을 보았다.)

_____ → _____

| 문장 완성 |

[11~15] 우리말과 일치하도록 주어진 말을 활용하여 문장을 완성하시오. (필요한 경우, 형태를 바꿀 것)

11 나는 나의 개가 앉게 했다.
(have, sit)   *시제 주의

→ I _____ .

12 그는 누군가가 그를 미는 것을 느꼈다.
(somebody, push)   *시제 주의

→ He _____ .

13 나의 할머니는 내가 그녀에게 자주 전화하기를 원하신다. (want, call)

→ My grandmother _____
    often.

14 나는 개가 크게 짖는 것을 들었다.
(a dog, bark)   *시제 주의

→ I _____ loudly.

15 그녀는 절대로 내가 그녀의 옷을 입지 못하게 한다.
(let, wear her clothes)

→ She never _____ .

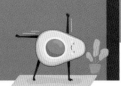

난이도별 서술형 문제

································ 기 본 ································

01 우리말과 일치하도록 주어진 말을 활용하여 문장을 완성하시오.

> 그 스카프는 부드럽게 느껴진다. (soft)

→ The scarf _____ .

02 조건에 맞게 주어진 문장을 바꿔 쓰시오.

> 조건 적절한 전치사를 사용하여 같은 의미의 문장으로 바꿔 쓸 것 (6단어)

He showed me some pictures.

→ _____

03 어법상 틀린 부분을 찾아 바르게 고쳐 쓰시오.

(1) He cooked rice noodles to me.
(그는 나에게 쌀국수를 요리해 주었다.)

_____ → _____

(2) Do you want me bake some cookies?
(너는 내가 쿠키를 좀 굽기를 원하니?)

_____ → _____

04 우리말과 일치하도록 주어진 말을 배열하여 문장을 완성하시오.

(1) 사람들은 그를 위대한 발명가라고 부른다.
(him, a great inventor, call)

→ People _____ .

(2) 나는 Jason이 크게 노래하는 것을 들었다.
(sing, Jason, loudly, heard)

→ I _____ .

05 다음은 선생님이 학생들에게 지시한 것을 나타낸 표이다. 표를 보고, |예시|와 같이 문장을 완성하시오.

Jina	open the windows
(1) Minho	sweep the floor
(2) Junsu	take out the trash

> |예시| The teacher had Jina open the windows.

(1) The teacher _____ .

(2) The teacher _____ .

································ 심 화 ································

06 우리말과 일치하도록 조건에 맞게 쓰시오.

> Sam은 나에게 책 한 권을 사 주었다.

> 조건 1. buy, a book을 활용할 것
> 2. (1)은 5단어로, (2)는 6단어로 쓸 것

(1) _____

(2) _____

07 우리말과 일치하도록 |보기|에서 필요한 단어를 골라 알맞은 형태로 바꿔 문장을 완성하시오. (중복 사용 가능)

|보기|	go	make	tell

(1) 나의 부모님은 나에게 영어 캠프에 가라고 말씀하셨다.
→ My parents _____
to an English camp.

(2) 나의 부모님은 내가 영어 캠프에 가도록 시키셨다.
→ My parents _____
to an English camp.

08 대화를 읽고, 어법상 틀린 부분을 찾아 바르게 고쳐 쓰시오.

> A Your voice sounds differently. Do you have a cold?
> B I don't feel well. I think I should see a doctor.

_____ → _____

 신유형

09 지진을 겪은 사람들의 진술을 읽고, 문장을 완성하시오.

Ms. Smith — The ground shook.

Mr. Brown — People screamed.

Ms. Jackson — Some trees fell down.

(1) Ms. Smith felt _____ .

(2) Mr. Brown heard _____ .

(3) Ms. Jackson saw _____ .

고난도

10 어법상 틀린 문장을 <u>두 개</u> 골라 기호를 쓰고, 바르게 고쳐 다시 쓰시오.

> ⓐ The cake tastes too sweet.
> ⓑ Could you lend your umbrella me?
> ⓒ I didn't expect him to come to the party.
> ⓓ He doesn't let me to go out at night.

( ) → _____

( ) → _____

 함정이 있는 문제

01 우리말과 일치하도록 주어진 말을 활용하여 문장을 완성하시오.

> 나의 부모님은 나에게 새 컴퓨터를 사 주셨다. (buy)
> → My parents _____ a new computer _____ me.

✔ '~에게'를 무조건 전치사 to로 쓰면 안 된다!
수여동사 buy, make, cook 등은 3형식 문장으로 쓸 때 간접목적어 앞에 전치사 for를 쓴다. '나에게'라는 우리말 때문에 혼동하여 to로 쓰지 않도록 주의하자.

02 어법상 틀린 문장의 기호를 쓰고, 틀린 부분을 바르게 고쳐 쓰시오.

> ⓐ The plan sounds interesting.
> ⓑ Sunny days make me happily.

( ) _____ → _____

✔ 부사처럼 해석되는 우리말 때문에 목적격보어에 부사를 쓰면 안 된다!
ⓑ는 '화창한 날은 나를 행복하게 만든다.'는 의미로 「make+목적어+목적격보어(~을 …하게 만들다)」의 구조이다. 우리말로는 '행복하게'지만 목적격보어는 형용사로 써야 한다.

03 어법상 틀린 부분을 찾아 바르게 고쳐 쓰시오.

> Dad made me to finish my homework before dinner.

_____ → _____

✔ 사역동사가 있는 문장의 목적격보어는 동사원형이다!
'~가 …하도록 시키다'는 의미의 문장에서 목적격보어를 to부정사로 잘못 쓰는 경우가 많다. 사역동사는 목적격보어로 동사원형을 쓴다는 것을 명확히 알아 두자.

시험에 강해지는

실전 TEST

시험일	월	일
시간		/ 40분
문항 수	객관식 10 /	서술형 10
점수		/ 100점

01 빈칸에 들어갈 수 없는 것은? (3점)

> The idea sounds _____.

① good　　② great　　③ strangely
④ unusual　　⑤ creative

02 빈칸에 들어갈 수 있는 말을 모두 고르면? (3점)

> She _____ her children play outside.

① saw　　② let　　③ told
④ wanted　　⑤ allowed

신유형

03 |보기와 같이 문장을 바꿔 쓸 때, 쓰이는 전치사가 다른 것은? (4점)

> |보기| My cousin sent me a card.
>
> → My cousin sent a card **to** me.

① Mr. Kim teaches us science.
② He told me an amazing story.
③ Susan lent her brother her camera.
④ My aunt bought me a new pair of shoes.
⑤ I wrote my teacher a thank-you card.

04 밑줄 친 부분이 어법상 틀린 것은? (4점)

① He let me <u>have</u> a dog.
② Do you want me <u>to help</u> you?
③ I found Ms. Park <u>generous</u>.
④ I saw my cat <u>running</u> after a butterfly.
⑤ My brother doesn't allow me <u>wear</u> his jackets.

05 우리말을 영어로 옮긴 것 중 어법상 틀린 것은? (4점)

① 나는 오늘 기분이 좋다.
　→ I feel good today.
② 제가 당신에게 부탁 하나 해도 될까요?
　→ Can I ask you a favor?
③ 나는 내 개를 코코라고 이름 지었다.
　→ I named my dog Coco.
④ 우리는 그녀가 시험에 합격할 것이라고 기대했다.
　→ We expected her pass the test.
⑤ 제가 당신의 컴퓨터를 사용하게 해 주실 수 있나요?
　→ Could you let me use your computer?

신유형

06 우리말과 일치하도록 주어진 말을 배열할 때, 다섯 번째로 오는 단어는? (3점)

> 너는 누군가가 슬프게 우는 것을 들었니?
> (hear, you, someone, did, crying sadly)

① hear　　② you　　③ crying
④ someone　　⑤ sadly

고난도

07 |보기의 밑줄 친 make와 쓰임이 같은 것은? (5점)

> |보기| I can <u>make</u> you sandwiches.

① They always <u>make</u> me laugh.
② Please don't <u>make</u> me go there.
③ She will <u>make</u> him a toy car.
④ These paintings <u>make</u> me feel happy.
⑤ My parents <u>make</u> me get up early every morning.

08 빈칸에 알맞은 말이 순서대로 짝지어진 것은? (3점)

- The teacher told us _____ many books.
- The teacher had me _____ the book aloud.

① read – read
② read – to read
③ to read – read
④ to read – to read
⑤ to read – reading

 고등유형

09 다음 (A)~(C)에서 어법상 알맞은 말이 순서대로 짝지어진 것은? (5점)

I had a scary dream last night. I heard a woman (A) calling / called my name. I turned around and looked, but no one was there. Then I felt someone (B) touching / touched my shoulder. I was so scared that I tried to run away. But then, the voice said, "I won't let you (C) go / to go."

	(A)	(B)	(C)
①	calling	touching	go
②	calling	touching	to go
③	calling	touched	go
④	called	touching	go
⑤	called	touched	to go

고난도

10 어법상 올바른 것끼리 묶인 것은? (6점)

ⓐ I didn't see you coming.
ⓑ The family looks so happily.
ⓒ He cooked Chinese food for us.
ⓓ She advised me drink enough water.
ⓔ Do you want me to go with you?

① ⓐ, ⓑ, ⓒ
② ⓐ, ⓒ, ⓓ
③ ⓐ, ⓒ, ⓔ
④ ⓑ, ⓓ, ⓔ
⑤ ⓒ, ⓓ, ⓔ

서 술 형

[서술형1] 그림을 보고, |보기|에서 알맞은 단어를 골라 문장을 완성하시오. (4점, 각 2점)

|보기|	taste	smell	good	salty

(1)

They _____ so _____.

(2)

It _____ too _____.

[서술형2] 조건에 맞게 주어진 문장을 바꿔 쓰시오. (5점)

> **조건** 적절한 전치사를 추가하여 같은 의미의 문장으로 바꿔 쓸 것 (7단어)

My uncle bought me new sneakers.

→ _____

[서술형3] 어법상 틀린 부분을 바르게 고쳐 문장을 다시 쓰시오. (9점, 각 3점)

(1) The milk smells badly.

   → _____

(2) I heard him to sing in the bathroom.

   → _____

(3) She found the man honestly.

   → _____

My grandmother is a great cook. She makes many kinds of food ⓐfor me. They all taste so ⓑgreatly. (A)Last week, she cooked me French food. It tasted ⓒfantastic.

[서술형4] 윗글의 밑줄 친 ⓐ~ⓒ 중 어법상 틀린 것을 찾아 기호를 쓰고, 바르게 고쳐 쓰시오. (3점)

(　　　) → _____

[서술형5] 윗글의 밑줄 친 (A)를 조건에 맞게 바꿔 쓰시오. (5점)

조건　3형식 문장으로 바꿔 쓸 것

→ Last week, _____.

신유형

[서술형6] 그림을 보고, 각 상자에서 알맞은 말을 하나씩 골라 문장을 완성하시오. (필요한 경우, 형태를 바꿀 것) (12점, 각 4점)

a man	play with a ball
a girl	lie on the beach
two boys	swim in the sea

(1) I saw _____.

(2) I saw _____.

(3) I saw _____.

[서술형7] 다음 글을 읽고, 어법상 틀린 부분 두 곳을 찾아 바르게 고쳐 쓰시오. (6점, 각 3점)

I like my older brother. He is good at math. He teaches math for me every week. Also, he is very kind. He always lets me to use his computer. I'm happy to have a good brother.

_____ → _____

_____ → _____

신유형

[서술형8] 다음은 친구들이 서로에게 해 준 것을 나타낸 그림이다. 그림을 보고, 주어진 말을 활용하여 문장을 완성하시오.

(9점, 각 3점)

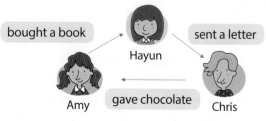

(1) Hayun _____ Chris.

(2) Chris _____ Amy.

(3) Amy _____ Hayun.

[서술형9~10] 다음 대화를 읽고, 물음에 답하시오.

A I fought with my mom again.
B What happened?
A She always (study / tells / to / me) more. I'm tired of it.
B Most moms do.
A I know, but she makes me to go to the library every day!

[서술형9] 위 대화의 밑줄 친 문장에서 괄호 안의 말을 배열하여 문장을 완성하시오. (4점)

→ She always _____ more.

[서술형10] 어법상 틀린 부분을 찾아 바르게 고쳐 쓰시오. (3점)

_____ → _____

CHAPTER

10

접속사

Unit 1 시간·조건·이유의 접속사
Unit 2 양보·결과·상관접속사
Unit 3 명사절 접속사, 간접의문문

접속사는 단어와 단어, 구와 구, 문장과 문장을 이어주는 역할을 한다.

| 부사절 접속사 | **When** I watch movies, I always eat caramel popcorn.
나는 영화를 볼 **때**, 항상 캐러멜 팝콘을 먹는다. |

| 상관접속사 | **Both** Jessie **and** I like watching action movies.
Jessie**와** 나는 **둘 다** 액션 영화를 보는 것을 좋아한다. |

| 명사절 접속사 | I think **that** Jessie has the same interests as me.
나는 Jessie가 나와 같은 관심사를 가지고 있다고 생각한다. |

시간 · 조건 · 이유의 접속사

1 시간을 나타내는 접속사는 부사절을 이끈다.

when (~할 때)	**When** I'm upset, I eat chocolate.	나는 화가 날 **때** 초콜릿을 먹는다.
while (~하는 동안)	I listened to music **while** I was cooking.	나는 요리**하는 동안** 음악을 들었다.
before/after (~ 전/후에)	She went to work **before** I woke up.	내가 일어나기 **전에** 그녀는 출근했다.
as (~할 때, ~하면서)	**As** I was walking down the street, I saw him.	나는 길을 걷**다가** 그를 보았다.
until(till) (~할 때까지)	I'll wait for him **until** he comes.	그가 올 **때까지** 나는 그를 기다릴 것이다.
since (~한 이후로)	It has been 15 years **since** they left.	그들이 떠난 **이후로** 15년이 되었다.
as soon as (~하자마자)	**As soon as** I got home, I took a nap.	나는 집에 오**자마자** 낮잠을 잤다.

(tips) 부사절이 주절 앞에 오는 경우, 부사절 뒤에 콤마(,)를 쓴다.

2 조건을 나타내는 접속사는 부사절을 이끈다.

| **if** (~하면) | **If** you help me this time, I will buy you dinner.
이번에 네가 나를 도와주**면**, 나는 너에게 저녁을 사 줄 것이다. |
| **unless** (~하지 않으면)
= **if ~ not** | **Unless** you hurry, you will be late.
(= **If** you **don't** hurry, you will be late.)
네가 서두르**지 않으면**, 너는 늦을 것이다. |

주의 unless는 이미 부정의 의미를 포함하고 있으므로, unless절의 동사를 부정형으로 쓰지 않도록 주의한다.

서술형 빈출 시간이나 조건을 나타내는 부사절에서는 미래 상황을 나타내도 현재시제로 쓴다.
When he **comes** home, we'll throw a surprise party. 그가 집에 올 때, 우리는 깜짝파티를 열 것이다.
└─ will come (×)

3 이유를 나타내는 접속사는 부사절을 이끈다.

| **because, since, as**
(~ 때문에, ~해서) | I made a mistake **because** I was so nervous.
나는 너무 긴장했기 **때문에** 실수를 했다. |

주의 because 뒤에는 「주어+동사」를 포함한 절이 오고, because of 뒤에는 명사(구)가 온다.
Roy couldn't play soccer **because** it rained. 비가 왔기 **때문에** Roy는 축구를 할 수 없었다.
Roy couldn't play soccer **because of** the rain. 비 **때문에** Roy는 축구를 할 수 없었다.

✔ 바로 개념 확인하기

A 문맥상 알맞은 접속사 고르기

1 _____ I was tired, I went to bed early.
☐ Until ☐ As

2 _____ you have any questions, raise your hand.
☐ If ☐ Because

3 She listened to the radio _____ she was driving.
☐ until ☐ while

4 He has lived in Seoul _____ he was born.
☐ since ☐ unless

B 알맞은 표현 고르기

1 내일 비가 오지 않는다면
☐ if it doesn't rain tomorrow
☐ if it won't rain tomorrow

2 네가 올 때까지
☐ until you come
☐ until you will come

3 폭설 때문에
☐ because heavy snow
☐ because of heavy snow

C 밑줄 친 부분과 의미가 같은 말 고르기

1 You'll miss the bus if you don't leave now.
☐ unless you leave now
☐ unless you don't leave now

2 You can't open it unless you have the key.
☐ if you have the key
☐ if you don't have the key

서술형 기본 유형 익히기

| 배열 영작 |

[1~5] 우리말과 일치하도록 주어진 말을 배열하여 문장을 완성하시오.

1 나는 책을 읽고 있는 동안 이 문자 메시지를 받았다.
(was, while, reading, I, a book)

→ I received this text message _____
_____.

2 우리는 그가 숙제를 끝낼 때까지 기다렸다.
(finished, he, his homework, until)

→ We waited _____.

3 그는 공항에 도착하자마자 Isabella에게 전화했다.
(he, to the airport, as soon as, got)

→ _____,
he called Isabella.

4 내가 너무 바쁘지 않으면 그 파티에 갈 것이다.
(too, am, unless, I, busy)

→ _____,
I will go to the party.

5 그는 내일 시험이 있어서 오늘 저녁에 공부할 것이다.
(he, a test, has, as)

→ _____ tomorrow,
he will study this evening.

오류 수정

[6~10] 어법상 또는 의미상 틀린 부분을 찾아 바르게 고쳐 쓰시오.

6 While I opened the door, he ran into the room.
(내가 문을 열자마자 그가 방으로 뛰어 들어왔다.)

_____ → _____

7 It has been a year after he quit his job.
(그가 일을 그만둔 이후로 1년이 되었다.)

_____ → _____

8 Unless it doesn't snow tomorrow, we'll leave.
(내일 눈이 오지 않으면 우리는 떠날 것이다.)

_____ → _____

9 If she will have time, she will visit you.
(그녀가 시간이 있으면 너를 방문할 것이다.)

_____ → _____

10 I couldn't sleep because the noise.
(나는 그 소음 때문에 잠을 잘 수 없었다.)

_____ → _____

문장 완성

[11~15] 우리말과 일치하도록 주어진 말을 활용하여 문장을 완성하시오. (필요한 경우, 형태를 바꿀 것)

11 그가 우리를 도와줬기 때문에 우리는 일찍 끝냈다.
(help)   *시제 주의

→ _____,
we finished early.

12 그녀는 소파에 앉자마자 잠이 들었다.
(sit, fall asleep)   *시제 주의

→ _____ on the sofa,
she _____.

13 당신이 도착할 때 저에게 전화해 주세요.
(arrive)

→ Please call me _____.

14 네가 지금 바쁘다면 너는 그것을 나중에 해도 된다.
(busy)

→ You can do it later _____
now.

15 네가 열심히 공부하지 않으면, 너는 안 좋은 성적을 받을 것이다.
(unless, study hard, get bad grades)

→ _____,
you _____.

양보 · 결과 · 상관접속사

| 양보 · 결과의 접속사 |

1 양보와 결과를 나타내는 접속사는 부사절을 이끈다.

양보	**although, though, even though** (비록 ~지만, ~에도 불구하고)	**Although** we did our best, we lost the game. **비록** 우리는 최선을 다했**지만**, 경기에서 졌다.
결과	**so ~ that ...** (너무 ~해서 …하다)	It was **so** hot **that** I went swimming. **너무** 더워서 나는 수영하러 **갔다**.

| 상관접속사 |

2 상관접속사는 짝을 이루어 동등한 두 대상을 연결한다.

both *A* **and** *B* (A와 B 둘 다)	동사는 복수 취급	**Both** Henry **and** Sam like art. Henry와 Sam은 **둘 다** 미술을 좋아한다.
either *A* **or** *B* (A와 B 둘 중 하나)		**Either** you **or** Jimin has to go there. 너**와** 지민이 **둘 중 한 명**은 그곳에 가야 한다.
neither *A* **nor** *B* (A도 B도 아닌)	동사는 B에 일치	**Neither** she **nor** I have a plan for this weekend. 그녀도 나도 이번 주말에 계획이 없다. → neither에 부정의 의미가 포함되어 있으므로 동사를 부정형으로 쓰지 않는다.
not only *A* **but also** *B* = *B* **as well as** *A* (A뿐 아니라 B도)		**Not only** I **but also** Chris knows the truth. = Chris, **as well as** I, knows the truth. 나**뿐 아니라** Chris도 진실을 알고 있다.

tips 상관접속사는 문법적으로 같은 형태의 단어, 구, 절을 연결한다.
I like **both** <u>singing</u> **and** <u>dancing</u>. 나는 노래하는 것과 춤추는 것 **둘 다** 좋아한다.
　　　　동명사　　동명사

| 명령문, and/or ... |

3 「명령문, and / or ...」는 If를 사용한 문장으로 바꿔 쓸 수 있다.

명령문, and ... (~해라, 그러면 …할 것이다)	Exercise every day, **and** you'll be healthy. = **If** you exercise every day, you'll be healthy. 매일 운동**해라**, **그러면** 너는 건강해질 **것이다**.
명령문, or ... (~해라, 그렇지 않으면 …할 것이다)	Take a taxi, **or** you can't get there on time. = **If** you **don't** take a taxi, you can't get there on time. = **Unless** you take a taxi, you can't get there on time. 택시를 **타라**, **그렇지 않으면** 너는 그곳에 정시에 도착할 **수 없다**.

주의 명령문 뒤의 and와 or를 '그리고'나 '또는'으로 해석하지 않도록 주의한다.

✔ 바로 개념 확인하기

A 빈칸에 알맞은 말 고르기

1 _____ he left early, he missed the bus.
☐ If   ☐ Although

2 I was_____ sad that I couldn't say a word.
☐ so   ☐ too

3 I enjoy not only skiing but also _____.
☐ swimming   ☐ to swim

B 밑줄 친 부분의 알맞은 표현 고르기

1 Jim과 Tom 둘 다 축구 동아리 회원이다.
☐ Both Jim and Tom
☐ Either Jim or Tom

2 나는 피아노뿐 아니라 기타도 연주할 수 있다.
☐ not only the piano but also the guitar
☐ neither the piano nor the guitar

3 Amy도 Mia도 공포 영화를 좋아하지 않는다.
☐ Either Amy or Mia
☐ Neither Amy nor Mia

C 밑줄 친 부분과 의미가 같은 말 고르기

1 Put on your raincoat, or you'll get wet.
☐ If you put on your raincoat,
☐ Unless you put on your raincoat,

2 Be nice to others, and they'll be nice to you, too.
☐ If you are nice to others,
☐ Unless you are nice to others,

3 He is not only kind but also smart.
☐ smart as well as kind
☐ either kind or smart

| 배열 영작 |

[1~5] 우리말과 일치하도록 주어진 말을 배열하여 문장을 완성하시오.

1 비록 그는 피곤했지만 늦게까지 일했다.
(he, although, tired, was)

→ _____, he worked late.

2 너뿐 아니라 그도 옳다.
(but, is, also, you, he, only, not)

→ _____ right.

3 너무 추워서 우리는 종일 집에 머물렀다.
(was, it, so, that, cold, we, at home, stayed)

→ _____
all day.

4 Susan도 Tom도 외출하기를 원하지 않는다.
(neither, wants, nor, to, go out)

→ _____ Susan _____ Tom
_____.

5 충분히 자라, 그러면 너는 기분이 나아질 것이다.
(enough, sleep, you, will, and, feel better)

→ _____, _____
_____.

| 오류 수정 |

[6~9] 어법상 또는 의미상 **틀린** 부분을 찾아 바르게 고쳐 쓰시오.

6 Go now, or you won't be late.
(지금 가라, 그러면 너는 늦지 않을 것이다.)

_____ → _____

7 Both Jane and Sam is going to come.
(Jane과 Sam 둘 다 올 것이다.)

_____ → _____

8 Either you or Sophia are responsible for the accident.
(너와 Sophia 둘 중 한 명이 그 사고에 책임이 있다.)

_____ → _____

9 Jake's brothers, as well as Jake, is tall.
(Jake뿐 아니라 Jake의 형제들도 키가 크다.)

_____ → _____

| 문장 완성 |

[10~12] 우리말과 일치하도록 주어진 말을 활용하여 문장을 완성하시오. (필요한 경우, 형태를 바꿀 것)

10 지하철을 타라, 그렇지 않으면 너는 늦을 것이다.
(be late)   *시제 주의

→ Take the subway, _____.

11 비록 그가 사과했지만, 그녀는 여전히 화가 나 있다.
(apologize)

→ _____,
she's still upset.

12 나뿐 아니라 Luke도 그곳에 가고 싶어 한다.
(only, but, want)

→ _____
to go there.

| 문장 전환 |

[13~15] 주어진 문장과 의미가 같도록 and나 or를 사용하여 문장을 바꿔 쓰시오.

13 If you eat now, you won't be hungry later.

→ Eat now, _____.

14 If you mix blue and yellow, you'll get green.

→ Mix blue and yellow, _____.

15 If you don't respect yourself, others won't respect you.   *respect 존중하다

→ Respect yourself, _____.

Unit 3 명사절 접속사, 간접의문문

1 접속사 that은 명사절을 이끌며, 이 명사절은 문장에서 주로 목적어 역할을 한다.

I think (**that**) he is honest. *목적어 역할을 하는 that절의 that은 생략할 수 있다.
나는 그가 정직하다고 생각한다.

Do you know (**that**) today is my birthday?
너는 오늘이 내 생일이라는 것을 알고 있니?

(**tips**) that이 이끄는 명사절은 문장에서 주어나 보어 역할을 하기도 한다.
　　That she is innocent is true.　　그녀가 무죄라는 것은 사실이다.
　　　　주어
　　The point is **that** she is innocent.　요점은 그녀가 무죄라는 것이다.
　　　　　　　　보어

암기 노트 목적어로 that절을 쓰는 동사	
I **think** (that)	나는 ~하다고 생각한다
I **know** (that)	나는 ~하다는 것을 알고 있다
I **believe** (that)	나는 ~하다는 것을 믿는다
I **hope** (that)	나는 ~하길 바란다
I **remember** (that)	나는 ~하다는 것을 기억한다
I **heard** (that)	나는 ~하다는 것을 들었다
People **say** (that)	사람들은 ~라고 말한다

2 의문사가 있는 의문문이 간접의문문에 쓰일 때는 「의문사＋주어＋동사」의 어순으로 쓴다.

I wonder. ＋ What is her name?
→ I wonder **what her name is.**　　나는 **그녀의 이름이 무엇인지** 궁금하다.
　　　　　　의문사　주어　동사

Do you know? ＋ Who made this cake?
→ Do you know **who made** this cake?　너는 이 케이크를 **누가 만들었는지** 아니?
　　　　　　　의문사　동사　*의문사가 주어인 경우, 의문사 바로 뒤에 동사가 온다.

3 의문사가 없는 의문문이 간접의문문에 쓰일 때는 「if(whether)＋주어＋동사」의 어순으로 쓴다.

I want to know. ＋ Do you like sports?
→ I want to know if(**whether**) **you like** sports.　나는 네가 운동을 좋아하는지 알고 싶다.
　　　　　　　　　　　주어　동사

I'm not sure. ＋ Was the thief caught?
→ I'm not sure if(**whether**) **the thief was caught.**　나는 그 도둑이 잡혔는지 모르겠다.
　　　　　　　　　　　　주어　　　동사

주의 부사절 접속사 if(~하면) vs. 명사절 접속사 if(~인지)
　　I'll stay at home **if it rains** tomorrow.　내일 비가 **오면** 나는 집에 머무를 것이다.
　　　　　　　　부사절 (미래 상황을 현재시제로 씀)
　　I'm not sure **if he will come.**　　나는 그가 **올지** 모르겠다.
　　　　　　　명사절

✔ 바로 개념 확인하기

A 빈칸에 알맞은 말 고르기

1 People believed _____ Earth was flat.
☐ that   ☐ if

2 I heard _____ they came back.
☐ that   ☐ if

3 I'm not sure _____ she knows me.
☐ who   ☐ whether

4 Could you tell me _____ the toilet is?
☐ if   ☐ where

B 두 문장을 한 문장으로 쓸 때 빈칸에 알맞은 말 고르기

1
> Do you know? + What is his address?
> → Do you know _____?

☐ what is his address
☐ what his address is

2
> I don't remember. + Did I lock the door?
> → I don't remember _____.

☐ whether I locked the door
☐ whether did I lock the door

C 밑줄 친 if의 알맞은 의미 고르기

1 I wonder if Jake is at home now.
☐ ~하면   ☐ ~인지

2 We'll go on a picnic if it is sunny tomorrow.
☐ ~하면   ☐ ~인지

3 I'm not sure if he is telling the truth.
☐ ~하면   ☐ ~인지

| 배열 영작 |

[1~5] 우리말과 일치하도록 주어진 말을 배열하여 문장을 완성하시오.

1 우리는 우리 팀이 이길 것이라고 믿는다.
(that, believe, our, win, team, will)

→ We _____.

2 나는 그것이 네 잘못이라고 생각하지 않는다.
(don't, your, think, it's, fault)

→ I _____.

3 그는 내가 늦게 올지 알고 싶어 한다.
(wants, to, I, will, if, know, come late)

→ He _____.

4 나는 그가 언제 도착했는지 궁금하다.
(he, I, when, arrived, wonder)

→ _____

5 나는 네가 좋은 시간을 보내길 바란다.
(that, hope, will, you, a great time, I, have)

→ _____

| 오류 수정 |

[6~8] 어법상 **틀린** 부분을 찾아 바르게 고쳐 쓰시오.

6 Do you know what are his hobbies?
(너는 그의 취미가 무엇인지 아니?)

_____ → _____

7 I want to know that he will join the club.
(나는 그가 그 동아리에 가입할지 알고 싶다.)

_____ → _____

8 Can you tell me where did you buy the bag?
(네가 그 가방을 어디에서 샀는지 내게 말해 줄래?)

_____ → _____

| 문장 완성 |

[9~11] 우리말과 일치하도록 주어진 말을 활용하여 문장을 완성하시오. (필요한 경우, 형태를 바꿀 것)

9 나는 네가 어제 아팠다고 들었다.
(hear, sick)   *시제 주의

→ I _____ yesterday.

10 나는 그가 그 컴퓨터를 어떻게 고쳤는지 궁금하다.
(wonder, fix, the computer)   *시제 주의

→ I _____ .

11 우리는 그들이 그 선물을 좋아했을지 모르겠다.
(sure, whether, like)   *시제 주의

→ We _____
the gift.

| 문장 전환 |

[12~15] 주어진 두 문장을 연결하여 한 문장으로 쓰시오.

12 I think. + Jenny has many friends.

→ _____

13 He remembers. + He met Sally last year.

→ _____

14 Do you know? + What time is it?

→ _____

15 I wonder. + Did she accept my idea?
*accept 받아들이다

→ _____

한눈에 보는
접속사의 종류

접속사

등위접속사 문법적으로 같은 것끼리 연결하는 접속사 (and, but, or 등)

단어와 단어 연결

Kate loves <u>cupcakes</u> **and** <u>donuts</u>.
Kate는 컵케이크**와** 도넛을 아주 좋아한다.

구와 구 연결

I'll <u>go shopping</u> **or** <u>watch a movie</u>.
나는 쇼핑을 하러 가거**나** 영화를 볼 것이다.

절과 절 연결

<u>It was cold</u>, **but** <u>we played outside</u>.
추웠지**만** 우리는 밖에서 놀았다.

상관접속사 두 개의 접속사가 짝이 되어 같이 쓰이는 접속사

both A and B

He can speak **both** English **and** French.
그는 영어**와** 프랑스어 **둘 다** 말할 수 있다.

either A or B

I will order **either** a sandwich **or** a hamburger.
나는 샌드위치**와** 햄버거 **둘 중 하나**를 주문할 것이다.

neither A nor B

Neither my parents **nor** my friends believed me.
내 부모님**도** 내 친구들**도** 나를 믿지 **않았다**.

not only A but also B

Not only Tom **but also** Jane is from Canada.
Tom**뿐만 아니라** Jane**도** 캐나다 출신이다.

종속접속사 주어와 동사로 이루어진 절이 문장의 일부로 쓰일 때 사용

부사절 접속사

시간(when, while, ...), 조건(if, unless), 이유(as, because, ...) 등
When I go to bed, I turn off my phone.
나는 잠자리에 들 **때**, 전화기를 끈다.

명사절 접속사

that(~것), if/whether(~인지 (아닌지))
I don't know **if** he will come.
나는 그가 올**지** 모른다.

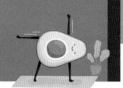
난이도별 서술형 문제

01 빈칸에 공통으로 들어갈 접속사를 쓰시오.

- It has been five years _____ we moved to this town.
- He took some medicine _____ he had a headache.

02 우리말과 일치하도록 주어진 말을 배열하여 쓰시오.

(1) 그녀는 문제가 무엇이었는지 설명했다.

(the problem, explained, she, what, was)

→ _____

(2) 나는 네가 그를 초대했는지 궁금하다.

(invited, I, you, whether, wonder, him)

→ _____

03 주어진 문장과 의미가 같도록 문장을 바꿔 쓰시오.

(1) If you are not careful, you will get hurt.

→ Be careful, _____ .

(2) If you think positively, you can make anything happen.

→ Think positively, _____

_____ .

04 그림을 보고, 조건에 맞게 문장을 완성하시오.

조건 1. so ~ that을 사용할 것
2. hot, eat ice cream을 활용할 것

→ It was _____ _____ _____

I _____ _____ _____ .

05 그림을 보고, 조건에 맞게 두 사람의 공통점을 나타내는 문장을 완성하시오.

조건 주어에 두 사람의 이름을 포함할 것

I'm from Korea.
I'm 15 years old.
I enjoy swimming.

Minho

I'm from Canada.
I'm 15 years old.
I enjoy swimming and skiing.

Lily

(1) Both _____ .

(2) Both _____ .

···················· **심 화** ····················

06 우리말과 일치하도록 주어진 말을 활용하여 문장을 완성하시오.

그는 집에 오자마자 TV를 켰다.
(turn on the TV, get home)

→ _____

_____

07 주어진 말을 활용하여 대화의 밑줄 친 우리말을 영어로 쓰시오.

A Who ate the cookies on the table? You or Brian?
B 저도 Brian도 그것들을 먹지 않았어요.
(neither, eat)

→ _____

08 어법상 **틀린** 부분을 찾아 바르게 고쳐 다시 쓰시오.

(1) When he'll arrive, I'll tell him something.
(그가 도착할 때, 내가 그에게 무언가를 말할 것이다.)

→ _____

_____

(2) We will go to the zoo unless it isn't cold.
(춥지 않으면 우리는 동물원에 갈 것이다.)

→ _____

_____

고난도

09 우리말과 일치하도록 **조건** 에 맞게 문장을 완성하시오.

조건 1. 접속사 if를 사용할 것
2. come to the party를 활용할 것

(1) 나는 그가 파티에 올지 모르겠다.
→ I don't know _____ .

(2) 그가 파티에 오면 나는 행복할 것이다.
→ I'll be happy _____ .

신유형

10 자연스러운 문장이 되도록 각 상자에서 알맞은 말을 하나씩 골라 문장을 완성하시오.

since	you come
or	I was born
until	you will get fat

(1) I've lived in Seoul _____ .

(2) I will wait here _____ .

(3) Don't eat too much fast food, _____

_____ .

함정이 있는 문제

01 우리말과 일치하도록 주어진 말을 활용하여 문장을 완성하시오.

네가 서두르지 않으면, 너는 학교에 늦을 것이다.
(hurry up, be late for school)
→ Unless _____

_____ .

✔ unless는 not과 함께 쓰지 않는다!
unless는 if ~ not의 의미로 부정의 의미를 포함하고 있으므로, unless를 사용하는 경우 동사를 부정형으로 쓰지 않는다.

02 어법상 **틀린** 부분을 찾아 바르게 고쳐 쓰시오.

We didn't go out because the rain.
(비 때문에 우리는 외출하지 않았다.)

_____ → _____

✔ because 뒤에는 「주어+동사」가 온다!
because는 접속사이므로 뒤에 「주어+동사」가 오고, because of 뒤에는 명사(구)가 온다.

03 우리말과 일치하도록 주어진 말을 배열하여 문장을 완성하시오. (필요한 경우, 형태를 바꿀 것)

너와 그 둘 중 한 명은 그들을 도와줘야 한다.
(have to, he, help, either, you, or, them)

→ _____

✔ 상관접속사가 주어로 쓰이면 동사의 수에 주의하자!
either A or B가 주어일 때 문장의 동사는 B에 일치시킨다.
he는 3인칭 단수이므로, have to를 has to로 쓴다.

시험에 강해지는

실전 TEST

시험일	월	일
시간		/ 40분
문항 수	객관식 10 / 서술형 10	
점수		/ 100점

01 빈칸에 공통으로 들어갈 말은? (3점)

> • _____ Jessica was cooking, she sang happily.
> • _____ it was so cold, I wore a scarf and gloves.

① As   ② Though   ③ If
④ Until   ⑤ While

02 주어진 두 문장의 의미가 같을 때 빈칸에 알맞은 것은?
(3점)

> Don't go out if it is not necessary.
> = Don't go out _____ it is necessary.

① if   ② while   ③ though
④ unless   ⑤ because

03 우리말을 영어로 옮길 때, 빈칸에 알맞은 것을 모두 고르면? (4점)

> 아빠는 나에게 내가 여자친구가 있는지 물어보셨다.
> → Dad asked me _____ I had a girlfriend.

① that   ② who   ③ if
④ whether   ⑤ what

04 밑줄 친 If (if)의 쓰임이 나머지와 다른 것은? (4점)

① You can sit here <u>if</u> you want to.
② Take a rest <u>if</u> you are tired.
③ <u>If</u> I have time, I'll visit him.
④ <u>If</u> it is nice tomorrow, we'll go hiking.
⑤ I'm not sure <u>if</u> I will have another chance.

05 빈칸에 알맞은 말이 순서대로 짝지어진 것은? (4점)

> • _____ they did their best, they couldn't finish the work.
> • It has been 11 years _____ the accident happened.

① Because – if   ② If – because
③ Since – though   ④ Though – since
⑤ When – until

06 |보기|의 밑줄 친 that과 쓰임이 다른 것은? (4점)

> |보기| We believe <u>that</u> she can help us.

① It is true <u>that</u> he is a genius.
② How did you get <u>that</u> dress?
③ He said <u>that</u> it was not a good idea.
④ She hopes <u>that</u> she will get the job.
⑤ Do you know <u>that</u> they are twins?

07 빈칸에 들어갈 말이 나머지와 다른 것은? (4점)

① Work hard, _____ you will succeed.
② Take a taxi, _____ you won't be late.
③ Be careful, _____ you won't get hurt.
④ Speak louder, _____ nobody can hear you.
⑤ Get enough sleep, _____ you won't feel tired.

08 밑줄 친 부분이 어법상 **틀린** 것을 **모두** 고르면? (4점)

① Either Lisa or Brad <u>is</u> lying.
② Not only I but also my sister <u>is</u> tall.
③ Both Jina and Minho <u>likes</u> hip-hop music.
④ Your friend, as well as you, <u>are</u> welcome to join our club.
⑤ Neither John nor his classmates <u>were</u> in the classroom.

09 짝지어진 문장의 의미가 **다른** 것은? (5점)

① Please help me if you are not busy.
= Please help me unless you are busy.
② The cake was so delicious that I ate it all.
= Because the cake was so delicious, I ate it all.
③ She is not only intelligent but also kind.
= She is kind as well as intelligent.
④ Eric doesn't know the answer. Jacob doesn't know the answer, either.
= Either Eric or Jacob knows the answer.
⑤ I studied hard, but I didn't get good grades.
= Although I studied hard, I didn't get good grades.

신유형 **고난도**
10 밑줄 친 ⓐ~ⓔ를 잘못 고친 것은? (5점)

- I'm not sure if they ⓐ <u>come</u> tomorrow.
- Can you tell me where ⓑ <u>are you</u> staying?
- Unless you ⓒ <u>don't leave</u> early, you'll be late.
- The festival was canceled ⓓ <u>because</u> the storm.
- If it ⓔ <u>will rain</u> tomorrow, nobody will go there.

① ⓐ → will come
② ⓑ → you are
③ ⓒ → will leave
④ ⓓ → because of
⑤ ⓔ → rains

[서술형1] 그림을 보고, 문장을 완성하시오. (4점)

Why is the sky blue?

→ He wonders _____.

[서술형2] 대화를 읽고, 의미상 어색한 단어를 하나 찾아 바르게 고쳐 쓰시오. (4점)

A You look sad. What's wrong?
B I fought with my best friend. Because I said sorry to her, she's still angry with me.

_____ → _____

[서술형3] 우리말과 일치하도록 주어진 말을 활용하여 문장을 완성하시오. (6점, 각 3점)

(1) 나는 그들이 잠들 때까지 기다렸다. (fall asleep)
→ I waited _____.

(2) 바람이 너무 세서 나는 창문을 닫았다.
(strong, close the windows)
→ The wind was _____
_____.

[서술형4] 어법상 **틀린** 부분을 찾아 바르게 고쳐 문장을 다시 쓰시오. (6점, 각 3점)

(1) When the musical will be over, the actors will come onto the stage.
→ _____
_____

(2) I was late for the concert because the traffic jam.
→ _____
_____

[서술형5] 대화를 읽고, 대화의 내용과 일치하는 문장을 완성하시오. (5점)

> Mark Will Sarah come to the party?
> Amy Yes, she will.
> Mark What about Oliver?
> Amy I'm not sure. I'll ask him.

→ Amy is not sure _____ _____ _____
   _____ to the party.

[서술형6] 주어진 문장과 의미가 같도록 문장을 바꿔 쓰시오.
(8점, 각 4점)

(1) Unless you have a passport, you can't travel abroad.
   → If _____
   _____.

(2) If you don't put the ice cream in the refrigerator now, it will melt.
   → Unless _____
   _____.

[서술형7] 다음은 의사의 충고를 메모한 것이다. 메모를 보고, 조건에 맞게 문장을 완성하시오. (8점, 각 4점)

> 자기 전에 스마트폰을 쓰지 말 것
> (1) 그러면 푹 잘 수 있음 (get a good sleep)
> (2) 그렇지 않으면 다음날 더 피곤할 것임
>   (feel tired the next day)

조건 메모에 주어진 말을 모두 활용할 것

(1) Don't use your smartphone before bed, _____
   _____.

(2) Don't use your smartphone before bed, _____
   _____.

[서술형8] 주어진 말을 활용하여 대화의 밑줄 친 우리말을 영어로 쓰시오. (8점, 각 4점)

> A (1) 너는 누가 창문을 깼는지 아니?
>   (know, broke the window)
> B (2) 저는 Paul이나 Chris 둘 중 하나가 그랬다고 생각해요.
>   (think, either, did it)
>   They were playing baseball.

(1) _____

(2) _____

[서술형9~10] 다음 글을 읽고, 물음에 답하시오.

> Yesterday, I went to the amusement park with my friends, Suji and Mina. We didn't ride the roller coaster because (A) not only Suji but also Mina were afraid of it. Instead, we went to the ghost house. I didn't think that it would be so scary. However, (B) 유령들이 나타나자마자 나는 비명을 질렀다.

[서술형9] 윗글의 밑줄 친 (A)에서 어법상 틀린 부분을 찾아 바르게 고쳐 쓰시오. (5점)

_____ → _____

[서술형10] 윗글의 밑줄 친 (B)를 조건에 맞게 쓰시오. (6점)

조건 1. ghosts, appear, scream을 활용할 것
   2. 시제에 유의하여 총 7단어로 쓸 것

→ _____

CHAPTER

11

관계사 I

Unit 1 관계대명사의 개념

Unit 2 주격·목적격·소유격 관계대명사

관계대명사는 형용사처럼 명사를 꾸며주는 역할을 하며, 꾸며줄 명사 뒤에 쓰인다.

| who | a woman **who loves her dog** | 그녀의 개를 사랑하는 여자 |
| which | the dog **which she loves** | 그녀가 사랑하는 개 |

관계대명사의 개념

| 관계대명사란? |

1 관계대명사는 형용사처럼 명사를 꾸며줄 때 사용하며, 꾸며주는 명사의 뒤에 쓴다.

He is a **smart** boy.	그는 **똑똑한** 남자아이이다.	형용사 + 명사
He is the boy **who** is good at math. 관계대명사절	그는 **수학을 잘하는** 남자아이이다.	명사 + 관계대명사절

tips 관계대명사절이 명사의 뒤에 오는 이유: 영어에서는 명사를 꾸며주는 말이 구나 절 단위로 길어지면 명사 뒤에 쓴다.

| 관계대명사의 역할 |

2 관계대명사는 두 문장에 공통되는 말을 대신하고, 문장과 문장을 연결하는 역할을 한다.

I have a friend. She lives in Australia.　　　　　　　나는 친구가 있다. 그녀는 호주에 산다.
　　*a friend = She (공통되는 말)

→ I have a friend **who** lives in Australia.　　　　　나는 **호주에 사는** 친구가 있다.

*관계대명사 who가 대명사 She를 대신하고, 문장과 문장을 연결함

| 관계대명사와 선행사 |

3 관계대명사의 꾸밈을 받는 명사를 '선행사'라고 하며, 선행사의 종류에 따라 관계대명사를 구분하여 쓴다.

선행사	관계대명사	
사람	who(m), that	Lucy is the girl **who(that)** likes dancing. 선행사 Lucy는 **춤추기를 좋아하는** 여자아이이다.
사물/동물	which, that	The book **which(that)** is on the desk is mine. 선행사 **책상 위에 있는** 책은 내 것이다.

tips 관계대명사 that은 선행사의 종류에 상관없이 쓸 수 있다.

주의 관계대명사 who vs. 의문사 who

He is the man **who** helped me. 그는 나를 도와준 남자이다. (앞에 선행사가 있고, 따로 해석하지 않음)
　　　선행사　관계대명사

I don't know **who** he is. 나는 그가 누구인지 모른다. ('누구, 누가'로 해석됨)
　　　　　　의문사

✔ 바로 개념 확인하기

A 관계대명사에 동그라미 하고, 선행사에 밑줄 긋기

| 예시 | I know a <u>boy</u> (who) sings very well.

1 The movie that I saw yesterday was boring.

2 Ms. White is the teacher whom I respect most.

3 My brother broke the vase which I made.

4 The boy who is wearing a blue shirt is Mason.

B 알맞은 의미 고르기

1 the boy who is playing the violin
- ☐ 바이올린을 연주하고 있는 남자아이
- ☐ 그 남자아이는 바이올린을 연주하고 있다

2 the dress which she bought
- ☐ 그녀는 원피스를 샀다
- ☐ 그녀가 산 원피스

3 my uncle who lives in LA
- ☐ 나의 삼촌은 LA에 산다
- ☐ LA에 사는 나의 삼촌

C 빈칸에 알맞은 말 고르기

1 We went to the store _____ opened yesterday.
- ☐ who
- ☐ which

2 I talked to a man _____ is 90 years old.
- ☐ who
- ☐ which

3 The girl _____ I met in Paris sent me a card.
- ☐ who
- ☐ which

| 배열 영작 |

[1~5] 우리말과 일치하도록 주어진 말을 배열하여 문장을 완성하시오.

1 나는 저 집에 사는 남자아이를 안다.
(who, the boy, lives, in that house)

→ I know _____.

2 나는 그가 입고 있는 티셔츠가 마음에 든다.
(the T-shirt, he, wearing, is, that)

→ I like _____.

3 우리는 캐나다에서 온 학생들 몇 명을 만났다.
(who, some students, from, were)

→ We met _____
Canada.

4 나는 불행한 결말이 있는 이야기를 좋아하지 않는다.
(unhappy, which, endings, have, stories)

→ I don't like _____

_____.

5 냉장고에 있던 치즈는 어디에 있니?
(that, the cheese, in, the refrigerator, was)

→ Where is _____

_____?

오류 수정

[6~8] 어법상 **틀린** 부분을 찾아 바르게 고쳐 쓰시오.

6 A car designer is someone which designs cars.
(자동차 디자이너는 자동차를 디자인하는 사람이다.)

_____ → _____

7 Kate works for a company who publishes fashion magazines.
(Kate는 패션 잡지를 출판하는 회사에서 일한다.)

_____ → _____

8 People which come from Brazil love soccer.
(브라질에서 온 사람들은 축구를 아주 좋아한다.)

_____ → _____

문장 완성

[9~12] 우리말과 일치하도록 주어진 말과 관계대명사 who 또는 which를 사용하여 문장을 완성하시오.

9 Jane은 개를 두 마리 키우는 남자를 안다.
(a man, has)

→ Jane knows _____ two dogs.

10 나는 옆집에 이사 온 여자를 만났다.
(the woman, moved)

→ I met _____ in next door.

11 그들은 침실이 세 개 있는 집을 원한다.
(a house, has)

→ They want _____ three bedrooms.

12 경찰이 내 자전거를 훔친 남자아이를 잡았다.
(the boy, stole)

→ The police caught _____ my bike.

문장 전환

[13~14] |예시|와 같이 주어진 두 문장을 관계대명사 who 또는 which를 사용하여 한 문장으로 바꿔 쓰시오.

| |예시| Olivia knows a man. He repairs cars.
→ Olivia knows a man who repairs cars. |

13 This is the woman. She saved her children from a fire.

→ This is the woman _____

_____.

14 We're looking for a restaurant. It has a great view.

→ We're looking for a restaurant _____

_____.

Unit 2

주격 · 목적격 · 소유격 관계대명사

| 주격 관계대명사 |

1 주격 관계대명사는 관계대명사절에서 주어 역할을 하며, 선행사에 따라 who, which, that을 쓴다.

I know a boy. He speaks English well.
　　　　　　　주어

나는 한 남자아이를 안다. 그는 영어를 잘 말한다.

→ I know a boy **who** speaks English well.
　　　　선행사　주격 관계대명사

나는 **영어를 잘 말하는** 한 남자아이를 안다.

암기 노트 주격 관계대명사

선행사	주격
사람	who
사물, 동물	which
모두 가능	that

 서술형 빈출 관계대명사절의 동사는 선행사의 인칭과 수에 일치시킨다.

I know some people **who** are good at dancing. 나는 춤을 잘 추는 몇 사람들을 안다.
　　　선행사(복수 명사)　　　복수 동사

| 목적격 관계대명사 |

2 목적격 관계대명사는 관계대명사절에서 목적어 역할을 하며, 선행사에 따라 who/whom, which, that을 쓴다.

This is the letter. Andy wrote it.
　　　　　　　　　　목적어

이것은 그 편지이다. Andy가 그것을 썼다.

→ This is the letter **which** Andy wrote.
　　　　선행사　　목적격 관계대명사

이것은 **Andy가 쓴** 편지이다.

암기 노트 목적격 관계대명사

선행사	목적격
사람	who/whom
사물, 동물	which
모두 가능	that

tips 목적격 관계대명사는 생략할 수 있다.

She is the girl (**whom**) I met yesterday. 그녀는 어제 내가 만난 소녀이다.

주의 목적격 관계대명사는 문장의 목적어를 대신하므로, 관계대명사절 안에 목적어를 쓰지 않도록 주의한다.

She is the singer. I like **her**. 그녀는 가수이다. 나는 그녀를 좋아한다.

→ She is the singer **whom** I like ~~her~~. 그녀는 내가 좋아하는 가수이다.

| 소유격 관계대명사 |

3 소유격 관계대명사는 관계대명사절에서 소유격 역할을 하며, 선행사의 종류에 상관없이 whose를 쓴다.

I know a girl. Her parents are doctors.
　　　　　　　소유격

나는 한 여자아이를 안다. 그녀의 부모님은 의사이다.

→ I know a girl **whose** parents are doctors.
　　　　선행사　소유격 관계대명사

나는 **부모님이 의사인** 한 여자아이를 안다.

tips 주격 vs. 목적격 vs. 소유격 관계대명사

He is the man **who** is kind to everyone. 그는 **모두에게 친절한** 남자이다. (주격 관계대명사 바로 뒤 → 동사)

He is the man **whom** I admire most. 그는 **내가 가장 존경하는** 남자이다. (목적격 관계대명사 바로 뒤 → 주어+동사)

He is the man **whose** sister lives in LA. 그는 **여동생이 LA에 사는** 남자이다. (소유격 관계대명사+명사)

바로 개념 확인하기

A |보기|에서 알맞은 관계대명사를 골라 쓰기 (중복 사용 가능)

|보기|	who	which	whose

1 They bought a house _____ has a garden.

2 An elephant is an animal _____ nose is very long.

3 The man _____ lives next door is a pianist.

4 This is the phone case _____ she gave me.

B 빈칸에 알맞은 말 고르기

1 The fruits which I bought _____ fresh.
☐ was   ☐ were

2 Henry is a friend who _____ me laugh.
☐ makes   ☐ make

3 Emily has a dog whose ears _____ big.
☐ is   ☐ are

4 I know a farmer who _____ corn.
☐ grows   ☐ grow

C 알맞은 표현 고르기

1 경연 대회에서 우승한 남자아이
☐ a boy won the contest
☐ a boy who won the contest

2 내가 잃어버린 가방
☐ the bag that I lost
☐ the bag that I lost it

3 지붕이 파란 집
☐ the house that roof is blue
☐ the house whose roof is blue

서술형 기본 유형 익히기

| 배열 영작 |

[1~5] 우리말과 일치하도록 주어진 말을 배열하여 문장을 완성하시오.

1 나는 가수인 남자를 만났다.
(a singer, a man, is, who)

→ I met _____.

2 나는 여동생이 가수인 남자를 만났다.
(whose, is, a man, sister, a singer)

→ I met _____.

3 춤추고 있는 남자아이는 내 친구이다.
(who, the boy, dancing, is)

→ _____ is
my friend.

4 내가 파티에 초대한 몇 사람들은 오지 않았다.
(whom, invited, I, some of the people, to the party)

→ _____
_____ didn't come.

5 그는 나에게 그가 그린 그림들을 보여 주었다.
(drew, the pictures, he)

→ He showed me _____.

| 오류 수정 |

[6~10] 어법상 **틀린** 부분을 찾아 바르게 고쳐 쓰시오.

6 I know some girls whom are good at math.
(나는 수학을 잘하는 몇몇 여자아이들을 안다.)

_____ → _____

7 The book that I read yesterday were interesting.
(내가 어제 읽은 책은 흥미로웠다.)

_____ → _____

8 This is the soup that I made it.
(이것이 내가 만든 수프이다.)

_____ → _____

9 The girl who sit next to me at school is Anna.
(학교에서 내 옆에 앉는 여자아이는 Anna이다.)

_____ → _____

10 We have a friend who father is a teacher.
(우리는 아버지가 선생님이신 친구가 있다.)

_____ → _____

| 문장 전환 |

[11~15] 주어진 두 문장을 알맞은 관계대명사를 사용하여 한 문장으로 바꿔 쓰시오. (단, 관계대명사 that은 제외)

11 I know a man. He speaks three languages.

→ I know a man _____.

12 I lost the umbrella. Tony lent it to me.

→ I lost the umbrella _____.

13 The students are very smart. She teaches them.

→ The students _____ are very smart.

14 William hasn't read the message. I sent it yesterday.

→ William hasn't read the message _____ _____.

15 That's the boy. His brother is a soccer player.

→ That's the boy _____ _____.

01 빈칸에 공통으로 들어갈 관계대명사를 쓰시오.

- I lost the bike _____ I bought last year.
- The people _____ work in the shop are friendly.

02 |보기|에서 알맞은 관계대명사를 골라 빈칸에 쓰시오.

|보기|	which	whose	who

(1) The person _____ invented Hangeul is King Sejong.

(2) I have a friend _____ nickname is Walking Dictionary.

(3) Did you finish reading the book _____ I recommended?

03 그림을 보고, 관계대명사를 사용하여 문장을 완성하시오.

My son is an actor.

Mrs. White

→ Mrs. White is the woman _____ _____ _____ an actor.

04 어법상 틀린 부분을 찾아 바르게 고쳐 쓰시오.

(1) The girl which has long hair is my sister.

_____ → _____

(2) He works for a company that make dolls.

_____ → _____

05 우리말과 일치하도록 주어진 말을 배열하여 쓰시오.

(1) 공항으로 가는 버스는 30분마다 온다.
(go, that, come, the buses, to, the airport)

→ _____
_____ every 30 minutes.

(2) 그녀가 만든 피자는 매우 맛있었다.
(she, was, the pizza, delicious, very, made)

→ _____

················· 심화 ·················

신유형
06 |보기|에서 필요한 단어만 골라 써서 문장을 완성하시오.

|보기|	a cat	a friend	is	has
	who	whose	which	name

(1) 나에게는 쌍둥이 여동생이 있는 친구가 있다.
→ I have _____
a twin sister.

(2) 나에게는 이름이 Toby인 고양이가 있다.
→ I have _____
Toby.

07 조건에 맞게 주어진 두 문장을 한 문장으로 바꿔 쓰시오.

조건 관계대명사를 사용할 것 (단, that은 제외)

(1) The man was polite. Julie invited him.

→ _____
_____ was polite.

(2) She dropped the plate. She made it herself.

→ She dropped _____
_____ .

08 조건 에 맞게 우리말을 영어로 쓰시오.

> 조건 1. someone을 선행사로 쓸 것
>   2. 주어진 말을 활용할 것

(1) 기자는 뉴스 기사를 쓰는 사람이다.
   (write news articles)
   → A reporter is _____

   _____ .

(2) 바리스타는 커피숍에서 커피를 만드는 사람이다.
   (make coffee)
   → A barista is _____

   _____ at a coffee shop.

고난도
09 우리말을 영어로 옮긴 문장에서 어법상 **틀린** 부분 두 곳을 찾아 바르게 고쳐 문장을 다시 쓰시오.

> 앞줄에 앉아 있는 학생들은 중국 출신이다.
> → The students are sitting in the front row is from China.

→ _____

_____

---

10 어법상 **틀린** 문장 두 개를 찾아 기호를 쓰고, 틀린 부분을 바르게 고쳐 쓰시오.

> ⓐ Alex is the boy who came from Australia.
> ⓑ This is the book which I bought it yesterday.
> ⓒ She is the girl that mother is a police officer.
> ⓓ James is the person whom I admire most.

(   ) _____ → _____

(   ) _____ → _____

함정이 있는 문제

01 주어진 두 문장을 관계대명사를 사용하여 한 문장으로 바꿔 쓰시오.

> This is the toy. I made it.
> → This is _____ .

✔ 목적격 관계대명사절 안에 목적어를 쓰지 않는다!
the toy를 선행사로 하는 목적격 관계대명사 which 또는 that을 사용하는 문제이다. 이때 목적격 관계대명사가 목적어 it을 대신하므로, 관계대명사절 안에 목적어 it을 쓰지 않아야 한다.

---

02 어법상 **틀린** 부분을 찾아 바르게 고쳐 쓰시오.

> The boys who are eating ice cream is my cousins.

_____ → _____

✔ 선행사가 문장의 주어일 때, 동사의 수에 주의하자!
주격 관계대명사절 who are eating ice cream이 문장의 주어인 The boys를 수식하고 있다. 따라서 문장의 동사는 주어인 The boys와 일치시켜야 한다. 동사 바로 앞의 명사(ice cream)를 주어로 착각하지 않도록 주의하자.

---

03 빈칸에 알맞은 관계대명사를 쓰시오.

> The woman _____ purse was stolen is Ms. Green.

✔ 선행사만 보고 관계대명사를 성급히 판단하지 말자!
선행사가 사람인 것을 보고 관계대명사 who나 that을 쓰면 안 된다. '그 여자의' 지갑이 도난당했다는 의미이므로 빈칸에는 the woman's의 역할을 하는 소유격 관계대명사 whose가 알맞다.

시험에 강해지는

실전 TEST

01 빈칸에 알맞은 것은? (3점)

> Look at the people _____ are singing on the street.

① who   ② what   ③ when
④ which   ⑤ whose

02 빈칸에 들어갈 수 <u>없는</u> 것은? (3점)

> Is this the _____ which you talked about?

① dog   ② movie   ③ book
④ place   ⑤ writer

03 빈칸에 공통으로 들어갈 말은? (3점)

> • I met the boy _____ won the race.
> • The story _____ she told me yesterday was amazing.

① who   ② whom   ③ which
④ whose   ⑤ that

04 주어진 두 문장을 한 문장으로 바르게 바꿔 쓴 것을 <u>모두</u> 고르면? (4점)

> I saw a movie. It was released yesterday.

① I saw a movie was released yesterday.
② I saw a movie who was released yesterday.
③ I saw a movie which was released yesterday.
④ I saw a movie whose was released yesterday.
⑤ I saw a movie that was released yesterday.

05 |보기|의 밑줄 친 <u>who</u>와 쓰임이 같은 것은? (4점)

> |보기| The woman <u>who</u> is wearing sunglasses is a famous actress.

① <u>Who</u> is that pretty girl?
② I don't know <u>who</u> he is.
③ I will tell you <u>who</u> wrote the poem.
④ He is the boy <u>who</u> likes rap music.
⑤ Can you guess <u>who</u> will be the next president?

06 밑줄 친 부분이 어법상 <u>틀린</u> 것은? (4점)

① The soup <u>that</u> he made was salty.
② She has a son <u>who</u> is studying abroad.
③ I read a novel <u>which</u> ending was surprising.
④ This is the restaurant <u>whose</u> owner is a singer.
⑤ The shoes <u>which</u> he bought yesterday looked nice.

신유형
07 우리말과 일치하도록 주어진 말을 배열할 때, ★에 들어갈 단어는? (4점)

> 이 사진을 찍은 남자는 여기에 있다.
> (who, is, this, picture, took)
> → The man _____ _____
> _____ _____ ★ _____ here.

① is   ② who   ③ took
④ this   ⑤ picture

08 빈칸에 알맞은 말이 순서대로 짝지어진 것은? (5점)

> • Some students whom I met at the English camp _____ from India.
> • I have never seen the person who _____ next door.

① was – live　　② was – lives

③ was – lived　　④ were – live

⑤ were – lives

신유형

09 밑줄 친 부분 중 생략할 수 있는 것의 개수는? (5점)

> ⓐ This is the house <u>which</u> my father built.
> ⓑ She is the person <u>whom</u> I respect most.
> ⓒ Do you know the boy <u>whose</u> name is Brad?
> ⓓ Anyone <u>who</u> likes reading can join the club.
> ⓔ The watch <u>that</u> he gave me is not working.

① 1개　　　② 2개　　　③ 3개

④ 4개　　　⑤ 5개

고난도

10 |보기|에서 알맞은 단어를 골라 빈칸을 완성할 때, 빈칸에 들어갈 말이 같은 것끼리 짝지어진 것은? (5점)

> |보기|　　who　　which　　whose

> ⓐ Look at the poor bird _____ leg is hurt.
> ⓑ A spider is an animal _____ has eight legs.
> ⓒ Thomas Edison is the person _____ invented a light bulb.
> ⓓ Anna is the girl _____ dream is to be a model.

① ⓐ, ⓑ　　　② ⓐ, ⓓ　　　③ ⓑ, ⓒ

④ ⓑ, ⓓ　　　⑤ ⓒ, ⓓ

서술형

[서술형1] 빈칸에 공통으로 들어갈 관계대명사를 쓰시오. (3점)

> • I love the chocolate ice cream _____ they sell at that shop.
> • The people _____ we met last night were very nice.

[서술형2] 주어진 말을 배열하여 대화를 완성하시오. (4점)

> A　Do you know that boy _____ _____? (playing, who, is, the drums)
> B　That's Harry.

[서술형3] 우리말과 일치하도록 주어진 말을 활용하여 문장을 완성하시오. (6점, 각 3점)

(1) 그가 추천했던 뮤지컬 제목이 무엇이니? (recommend)

　→ What is the title of the musical _____ _____ _____ ?

(2) Noah가 이야기하고 있는 여자아이는 Mia이다. (talk to)

　→ The girl _____ _____ _____ _____ _____ is Mia.

[서술형4] 어법상 틀린 부분을 찾아 바르게 고쳐 쓰시오.

(6점, 각 3점)

(1)　Math is the subject which I hate it.
　　(수학은 내가 싫어하는 과목이다.)

　_____ → _____

(2)　I have a friend who hobby is cooking.
　　(나는 취미가 요리하기인 친구가 있다.)

　_____ → _____

[서술형5] 주어진 두 문장을 관계대명사를 사용하여 한 문장으로 바꿔 쓰시오. (4점)

> The book is about the Korean War. I'm reading the book.

→ The book _____
about the Korean War.

고등유형

[서술형6] 대화를 읽고, 주어진 말과 관계대명사를 사용하여 대화의 내용을 한 문장으로 나타내시오. (5점)

> **Cindy** What did you get for your birthday?
> **Jake** I got a new smartphone from my parents.

→ The gift _____
_____ is a new smartphone.
(got from his parents)

[서술형7] 그림을 보고, 조건 에 맞게 문장을 완성하시오.
(8점, 각 4점)

> 조건 1. 관계대명사를 사용할 것 (단, that은 제외)
> 2. 주어진 말을 활용하여 현재진행형으로 쓸 것

(1) The girl _____
has long hair. (sit on the bench)

(2) The kite _____
looks nice. (the boy, fly)

[서술형8] 각 상자에서 알맞은 말을 하나씩 골라 써서 문장을 완성하시오. (중복 사용 가능) (12점, 각 4점)

| the man
an animal | who
which
whose | ears are long
works at the zoo
has a long neck |

(1) A giraffe is _____.

(2) A rabbit is _____.

(3) Mr. Harris is _____.

[서술형9~10] 다음 글을 읽고, 물음에 답하시오.

> Do you know Yuna Kim? She is my role model. (A)She was a figure skater. She won the gold medal at the Vancouver Olympics. When she retired, many people felt sad. (B)나도 그녀처럼 많은 사람들이 존경하는 피겨 스케이팅 선수가 되고 싶다. *retire 은퇴하다

[서술형9] 윗글의 밑줄 친 (A)를 조건 에 맞게 한 문장으로 바꿔 쓰시오. (6점)

> 조건 1. a figure skater를 선행사로 쓸 것
> 2. 관계대명사를 사용할 것 (단, that은 제외)

→ She was _____
_____ at the Vancouver Olympics.

고난도

[서술형10] 윗글의 밑줄 친 (B)를 주어진 말을 활용하여 영어로 쓰시오. (6점)

→ I _____
_____ _____
_____ like her.
(want, a figure skater, many people, admire)

CHAPTER

12

관계사 Ⅱ

Unit 1 관계대명사 what, that

Unit 2 관계부사

관계대명사 **what**은 선행사를 포함하는 관계대명사로, '~한 것'이라는 의미이다.

| what | This is **what** I wanted.
이것은 내가 원했던 **것**이다. |

관계부사는 문장과 문장을 이어주는 접속사의 역할과 부사의 역할을 한다.

| when | Today is the day **when** Josh and Emma first met.
오늘은 Josh와 Emma가 처음 만난 날이다. |

| where | Emma visited the place **where** she first met Josh.
Emma는 그녀가 Josh를 처음 만났던 곳에 방문했다. |

| why | Emma doesn't know the reason **why** Josh left her.
Emma는 Josh가 그녀를 떠난 이유를 모른다. |

| how | Emma wants to know **how** she can meet Josh again.
Emma는 Josh를 다시 만날 방법을 알고 싶어 한다. |

관계대명사 what, that

Unit 1

| 관계대명사 what |

1 관계대명사 what은 '~한 것'의 의미로, 선행사를 포함한다.

	선행사	관계대명사		
This is	the food	that	I ordered.	이것은 내가 주문한 음식이다.
This is	×	**what**	I ordered.	이것은 내가 주문한 **것**이다.

서술형 빈출 선행사의 유무를 통해 관계대명사 what과 that을 구분하는 문제가 자주 출제된다.
what은 선행사를 포함하고 있으므로 선행사 뒤에 올 수 없다.
This is the food what I ordered. (×)

tips 관계대명사 what은 the thing(s) which(that)의 의미이다.
Is this **what** you made? 이것이 네가 만든 **것**이니?
= Is this the **thing that**(which) you made?

| 관계대명사 what의 역할 |

2 관계대명사 what이 이끄는 명사절은 문장에서 주어, 목적어, 보어로 쓰인다.

| 주어 역할
(~한 것은) | **What she said** is true.
그녀가 말한 것은 사실이다. → what절이 주어로 쓰일 경우, 동사는 주로 단수 취급한다. |
|---|---|
| 목적어 역할
(~한 것을) | I couldn't believe **what I saw**.
나는 **내가 본 것**을 믿을 수 없었다. |
| 보어 역할
(~한 것이다) | This is exactly **what I wanted**.
이것은 정확히 **내가 원했던 것**이다. |

tips 관계대명사 what vs. 의문사 what
This is **what** I was looking for. 이것은 내가 찾고 있던 **것**이다. ('~한 것'으로 해석됨)
　　　　　관계대명사
I don't know **what** he is looking for. 나는 그가 **무엇**을 찾고 있는지 모르겠다. ('무엇'으로 해석됨)
　　　　　　　　의문사

| 관계대명사 that을 주로 쓰는 경우 |

3 선행사에 서수, 최상급, all, every(thing), no(thing), only 등이 쓰인 경우, 주로 관계대명사 that을 쓴다.

I'm the first student **that** solved the quiz.	나는 그 퀴즈를 푼 첫 번째 학생이다.
It's the best movie **that** I have ever seen.	이것은 지금껏 내가 본 최고의 영화이다.
Is this all **that** you need?	이것이 네가 필요한 전부이니?

tips 선행사가 「사람＋동물」이거나 「사람＋사물」인 경우에도 관계대명사 that을 쓴다.
I saw a boy and his dog **that** were playing at the park. 나는 공원에서 놀고 있는 한 남자아이와 그의 개를 보았다.

바로 개념 확인하기

A 관계대명사 what과 that 구분하기

1 Did you like the cake _____ I made for you?
☐ what   ☐ that

2 Did you like _____ I made for you?
☐ what   ☐ that

3 He showed me the bag _____ he bought.
☐ what   ☐ that

4 He showed me _____ he bought.
☐ what   ☐ that

B 밑줄 친 부분의 역할 고르기

1 I lost <u>what Peter gave me</u>.
☐ 주어   ☐ 목적어   ☐ 보어

2 <u>What she needs</u> is a cup of coffee.
☐ 주어   ☐ 목적어   ☐ 보어

3 This is not <u>what I ordered</u>.
☐ 주어   ☐ 목적어   ☐ 보어

C 알맞은 표현 고르기

1 그가 쓴 첫 번째 소설
☐ the first novel that he wrote
☐ the first novel what he wrote

2 지금껏 내가 본 가장 웃긴 영화
☐ the funniest movie that I've ever watched
☐ the funniest movie what I've ever watched

3 자고 있던 아이와 고양이
☐ a kid and a cat which were sleeping
☐ a kid and a cat that were sleeping

| 배열 영작 |

[1~5] 우리말과 일치하도록 주어진 말을 배열하여 문장을 완성하시오.

1 내가 신문에서 읽은 것을 너에게 말해 줄게.
(read, I, what)

→ Let me tell you _____
in the newspaper.

2 그가 원하는 것은 우리들의 지지이다.
(he, what, is, wants)

→ _____ our support.

3 이것이 내가 제주도에서 하고 싶은 것이다.
(I, want, what, to, do)

→ This is _____
in Jeju-do.

4 그는 내가 원하는 것은 무엇이든 내게 주었다.
(that, wanted, anything, I)

→ He gave me _____.

5 지금껏 내가 가 본 가장 큰 도시는 런던이다.
(the biggest city, ever, that, I've, visited)

→ _____
is London.

| 오류 수정 |

[6~8] 어법상 **틀린** 부분을 찾아 바르게 고쳐 쓰시오.

6 I didn't like that he said.
(나는 그가 말한 것이 마음에 들지 않았다.)

_____ → _____

7 He told me everything what he knew.
(그는 그가 아는 모든 것을 내게 말해 주었다.)

_____ → _____

8 A mirror is that Emily always carries in her bag.
(거울은 Emily가 항상 그녀의 가방 속에 가지고 다니는 것이다.)

_____ → _____

| 문장 완성 |

[9~15] 우리말과 일치하도록 주어진 말을 활용하여 문장을 완성하시오. (9~11번은 관계대명사 what을 사용할 것)

9 우리는 그가 먹고 싶어 하는 것을 주문했다.
(want to eat)   *시제 주의

→ We ordered _____ .

10 그 대답은 내가 기대했던 것이 아니었다.
(not, expect)   *시제 주의

→ The answer _____ .

11 내가 필요한 것은 너의 사랑이다.
(need, love)

→ _____

12 내가 읽은 모든 이야기들은 흥미로웠다.
(all the stories, read)   *동사의 수 주의, 시제 주의

→ _____
interesting.

13 내가 기억하는 유일한 것은 그녀의 이름이다.
(the only thing, remember)

→ _____
her name.

14 공을 가지고 놀고 있는 남자아이와 개를 봐.
(the boy and the dog, play with a ball) *시제 주의

→ Look at _____
_____ .

15 그것은 지금껏 내가 들은 가장 끔찍한 이야기이다.
(the most horrible story, have ever heard)

→ It is _____
_____ .

| 관계부사란? |

1 관계부사는 두 문장을 연결하는 접속사의 역할과 부사(구)의 역할을 동시에 한다.

I visited the city. I was born in the city.
　　　　　　　　　　　　　　부사구

나는 그 도시를 방문했다. 나는 그 도시에서 태어났다.

→ I visited the city **where** I was born.
　　　　　선행사　　관계부사

나는 **내가 태어난** 도시를 방문했다.

(tips) 관계대명사 vs. 관계부사

This is the city **that** I love. 이곳은 내가 아주 좋아하는 도시이다. (→ I love the city.)
　　　　　관계대명사

This is the city **where** I lived. 이곳은 내가 살았던 도시이다. (→ I lived in the city.)
　　　　　관계부사

| 관계부사의 종류 |

2 선행사의 종류에 따라 관계부사 when, where, why, how를 쓴다.

선행사	관계부사	
시간 (the time, the day, the year ...)	when	I remember the day **when** I bought my first computer. 나는 나의 **첫 번째 컴퓨터를 산** 날을 기억한다. That was the year **when** I graduated from elementary school. 그 해는 **내가 초등학교를 졸업한** 해였다.
장소 (the place, the house, the city ...)	where	I will never forget the place **where** I first met you. 나는 **내가 너를 처음 만났던** 장소를 절대 잊지 않을 것이다. The hotel **where** I stayed was very nice. **내가 머물렀던** 호텔은 아주 근사했다.
이유 (the reason)	why	Tell me the reason **why** you were absent. **네가 결석한** 이유를 내게 말해 줘. He told me the reason **why** he was late. 그는 나에게 **그가 늦은** 이유를 말해 주었다.
방법 (the way)	how	Tell me **how** you solved the problem. = Tell me the way you solved the problem. 네가 **그 문제를 푼** 방법을 나에게 말해 줘.

주의 관계부사 how와 선행사 the way는 동시에 쓸 수 없고, 둘 중 하나만 쓴다.
Tell me <u>the way how</u> you solved the problem. (×)

서술형 기본 유형 익히기

✔ 바로 개념 확인하기

A 관계부사에 동그라미 하고, 선행사에 밑줄 긋기

1 I don't know the reason why she left early.

2 April 10 is the day when I was born.

3 The restaurant where we had dinner wasn't very clean.

B 빈칸에 알맞은 말 고르기

1 This is the park _____ I usually ride my bike.
  ☐ when   ☐ where

2 That was the day _____ Harry received a strange letter.
  ☐ when   ☐ where

3 I don't know the reason _____ Amy was angry.
  ☐ why   ☐ the way

4 Can you tell me _____ you changed his mind?
  ☐ the way how   ☐ how

C |보기|에서 알맞은 말을 골라 빈칸에 쓰기

|보기|	the way	the reason
	the year	the place

1 Do you remember _____ when we traveled to Paris?

2 Tell me _____ why you didn't come.

3 This is _____ where I left my bag.

4 You should change _____ you think.

| 배열 영작 |

[1~5] 우리말과 일치하도록 주어진 말을 배열하여 문장을 완성하시오.

1 오늘은 방학이 시작되는 날이다.
(starts, the day, the vacation, when)

→ Today is _____.

2 내가 휴가 동안 머문 곳은 훌륭했다.
(where, stayed, I, the place)

→ _____ during the vacation was excellent.

3 Josh는 우리에게 그가 그곳에 간 이유를 말했다.
(went, why, he, the reason, there)

→ Josh told us _____.

4 그 해는 그녀가 그 일을 시작한 해였다.
(when, the year, started, she, that job)

→ That was _____.

5 그는 우리에게 기계가 작동하는 방법을 보여 줄 것이다.
(the machine, how, works)

→ He will show us _____.

| 문장 완성 |

[6~10] 우리말과 일치하도록 주어진 말과 관계부사를 사용하여 문장을 완성하시오. (필요한 경우, 형태를 바꿀 것)

6 이곳은 모차르트가 살았던 집이다.
(the house, Mozart, live)   *시제 주의

→ This is _____ .

7 나는 우리가 괌으로 여행 갔던 지난여름이 그립다.
(last summer, travel to)   *시제 주의

→ I miss _____
_____ Guam.

8 Amy는 나에게 그녀가 오디션에 합격한 방법을 말해 주었다. (pass the audition)   *시제 주의

→ Amy told me _____
_____ .

9 아무도 그가 그 나라를 떠난 이유를 모른다.
(the reason, leave the country)   *시제 주의

→ Nobody knows _____
_____ .

10 너는 우리가 그의 콘서트에 간 날을 기억하니?
(the day, go to his concert)   *시제 주의

→ Do you remember _____
_____ ?

| 문장 전환 |

[11~14] |예시|와 같이 주어진 두 문장을 관계부사를 사용하여 한 문장으로 바꿔 쓰시오.

> |예시| Yesterday was the day. My cousin visited me on the day.
> → Yesterday was the day when my cousin visited me.

11 This is the time. We should help each other at the time.

→ This is _____
_____ .

12 That is the market. You can buy fresh fruits at the market.

→ That is _____
_____ .

13 That is the place. I can fly a drone in the place.

→ That is _____
_____ .

14 I want to know the reason. He called me for the reason.   *for the reason 그 이유로

→ I want to know _____
_____ .

난이도별 서술형 문제

·················· **기 본** ··················

01 |보기|에서 알맞은 말을 골라 빈칸에 쓰시오.

|보기|	that	what	where

(1) 내가 점심으로 요리한 것은 파스타였다.

→ _____ I cooked for lunch was pasta.

(2) 이것은 그녀가 그린 첫 번째 그림이다.

→ This is the first painting _____ she drew.

(3) 나는 엄마가 일하는 가게에 갔다.

→ I went to the store _____ my mom works.

02 주어진 문장과 의미가 같도록 밑줄 친 부분을 한 단어로 바꿔 문장을 다시 쓰시오.

Do you remember <u>the thing that</u> I told you?

→ _____

03 그림을 보고, 주어진 말과 관계부사를 사용하여 문장을 완성하시오.

→ Chris doesn't know the reason _____

_____ _____ _____. (upset)

04 대화를 읽고, 어법상 틀린 부분을 찾아 바르게 고쳐 쓰시오.

A Look at the baby and the dog which are running after a butterfly.
B They're cute.

_____ → _____

05 우리말과 일치하도록 주어진 말을 배열하여 쓰시오.

(1) 네가 오늘 배운 것을 잊지 마라.

(you, what, don't, today, learned, forget)

→ _____

(2) 내가 꿈꾸었던 모든 것들이 이루어졌다.

(everything, I, that, came true, dreamed of)

→ _____

·················· **심 화** ··················

06 우리말과 일치하도록 조건에 맞게 문장을 쓰시오.

조건 1. 주어진 말을 모두 활용할 것
2. (1)은 7단어로, (2)는 8단어로 쓸 것
3. 관계대명사 what 또는 that을 사용할 것

(1) 네가 어젯밤에 본 것을 나에게 말해 줘.

(tell, see, last night)

→ _____

(2) 이것이 내가 가진 마지막 기회이다.

(this, the last chance, have)

→ _____

07 주어진 두 문장을 관계부사를 사용하여 한 문장으로 바꿔 쓰시오.

(1) Orlando is the city. I want to live in the city.

→ Orlando is _____

_____.

(2) Spring is the season. Many people go on a picnic in the season.

→ Spring is _____

_____.

신유형

08 우리말과 일치하도록 |보기|에서 필요한 단어를 골라 문장을 완성하시오. (중복 사용 가능)

| |보기| | he | what | that | the gift | gave |

(1) 나는 그가 나에게 준 선물이 마음에 든다.

→ I like _____ me.

(2) 나는 그가 나에게 준 것이 마음에 든다.

→ I like _____ me.

신유형 **고난도**

09 |조건|에 맞게 주어진 문장을 바꿔 쓰시오.

|조건| 1. 괄호 안에 주어진 말을 선행사로 쓸 것
2. 알맞은 관계부사를 사용할 것

(1) A lot of Koreans spend their vacations in Jeju-do. (the island)

→ Jeju-do is _____

_____ .

(2) A lot of Koreans spend their vacations in Jeju-do in summer. (the season)

→ Summer is _____

_____ .

10 어법상 틀린 문장을 두 개 골라 기호를 쓰고, 틀린 부분을 바르게 고쳐 쓰시오.

ⓐ What I told you is a secret.
ⓑ Making videos is that I'm interested in.
ⓒ I miss the town where I used to live.
ⓓ Do you want to know the way how I made this spaghetti?

( ) _____ → _____

( ) _____ → _____

함정이 있는 문제

01 어법상 틀린 부분을 찾아 바르게 고쳐 쓰시오.

The pizza what we ordered was delicious.
(우리가 주문한 피자는 맛있었다.)

_____ → _____

✔ 관계대명사 what은 선행사 뒤에 올 수 없다!

관계대명사 what은 선행사를 포함하고 있으므로 선행사와 함께 쓰일 수 없다.

02 우리말과 일치하도록 주어진 말을 활용하여 문장을 완성하시오.

나는 시험에 필요한 모든 것을 준비했다.
(everything, need)

→ I prepared _____

for the test.

✔ 우리말 때문에 관계대명사 what으로 착각하지 말자!

위 문장은 선행사(everything)가 있는 문장이므로 관계대명사 what을 쓸 수 없다. '~ 것'이라는 우리말 때문에 관계대명사 what으로 잘못 쓰는 경우가 많으니 주의하자.

03 관계부사를 사용하여 바꿔 쓴 문장에서 어법상 틀린 부분을 찾아 바르게 고쳐 쓰시오.

I visited the city. I grew up in the city.
→ I visited the city where I grew up in.

_____ → _____

✔ 관계부사를 사용하여 한 문장으로 바꿔 쓸 때, 부사구의 전치사를 남겨두면 안 된다!

관계부사는 접속사와 부사구의 역할을 한다. 즉, 관계부사 where는 and와 in the city를 대신하여 쓰인 것이므로, 문장 끝에 in을 남겨두면 안 된다.

시험에 강해지는

실전 TEST

시험일		월	일
시간			/ 40분
문항 수	객관식 10	/	서술형 10
점수			/ 100점

01 빈칸에 알맞은 것을 <u>모두</u> 고르면? (3점)

> _____ I was waiting for was his letter.
> (내가 기다리고 있던 것은 그의 편지이다.)

① Which   ② That
③ What   ④ The thing what
⑤ The thing which

02 빈칸에 공통으로 들어갈 말은? (3점)

> • He is the cutest baby _____ I've ever seen.
> • What was the first movie _____ you saw in the theater?

① whom   ② which   ③ what
④ that   ⑤ how

03 밑줄 친 <u>What(what)</u>의 쓰임이 나머지와 다른 것은?

(4점)

① <u>What</u> she did was wrong.
② Nobody believed <u>what</u> I said.
③ <u>What</u> do you want for your birthday?
④ Listening to music is <u>what</u> makes me happy.
⑤ <u>What</u> he offered sounded interesting.

<u>신유형</u>
04 주어진 두 문장을 관계부사를 사용하여 한 문장으로 바꿔 쓸 때, 다섯 번째로 오는 단어는? (4점)

> Monday is the day. Most people are busy on the day.

① day   ② when   ③ most
④ people   ⑤ busy

05 빈칸에 관계대명사 that을 쓸 수 <u>없는</u> 것은? (4점)

① I can't focus on _____ I'm reading.
② I will do anything _____ I can do for you.
③ He ate the last cookie _____ was in the cookie jar.
④ This is the most important thing _____ you need to do.
⑤ I saw a couple and their dog _____ were jogging at the park.

06 빈칸에 들어갈 말이 순서대로 짝지어진 것은? (4점)

> A Do you know what this machine is for?
> B That's the machine _____ you can use to order food. Let me show _____ you can use it.

① that – the way   ② that – the way how
③ what – the way   ④ what – the way how
⑤ where – how

07 우리말을 영어로 잘못 옮긴 것은? (4점)

① 이것은 내가 저녁으로 먹고 싶은 것이다.
→ This is what I want to have for dinner.
② 4월 5일은 우리가 나무를 심는 날이다.
→ April 5 is the day when we plant trees.
③ 그는 그가 받은 모든 이메일을 확인했다.
→ He checked every email he received.
④ 야구하는 것은 우리가 보통 주말에 하는 것이다.
→ Playing baseball is that we usually do on weekends.
⑤ 너는 여기에 이 사람들이 모인 이유를 알고 있니?
→ Do you know the reason why these people gathered here?

08 밑줄 친 부분이 어법상 틀린 것은? (4점)

① Reading is the thing which I like to do most.
② That's the reason why I love you.
③ She remembers the day when she entered middle school.
④ He taught his mother the way how she could buy clothes online.
⑤ A library is a place where you can borrow books.

09 빈칸에 알맞은 말이 순서대로 짝지어진 것은? (5점)

- Tomorrow is the day ____(A)____ we have a field trip.
- I can't remember everything ____(B)____ you tell me.
- We went to the beach ____(C)____ we spent our vacation last summer.

	(A)		(B)		(C)
①	when	......	that	......	where
②	when	......	that	......	which
③	when	......	what	......	where
④	where	......	what	......	which
⑤	where	......	what	......	when

고난도
10 어법상 올바른 문장의 개수는? (5점)

ⓐ I like the way she speaks.
ⓑ October is the month when the school festival is held.
ⓒ I want to visit the museum where the *Mona Lisa* is displayed.
ⓓ I didn't understand that the teacher was saying.

① 0개   ② 1개   ③ 2개
④ 3개   ⑤ 4개

서 술 형

[서술형1] 주어진 말을 활용하여 대화의 빈칸에 알맞은 말을 쓰시오. (3점)

A What do you want for Christmas?
B _____ _____ _____ for Christmas is a new pair of winter boots. (want)

[서술형2] 어법상 틀린 부분을 찾아 바르게 고쳐 쓰시오.
(6점, 각 3점)

(1) He took a picture of a dog and a man who were crossing the street.

_____ → _____

(2) Do you know the way how ancient people made the pyramids?

_____ → _____

[서술형3] 우리말과 일치하도록 주어진 말을 배열하여 문장을 완성하시오. (6점, 각 3점)

(1) 그는 그가 아는 모든 것을 경찰에게 말했다.
(he, everything, knew)
→ He told the police _____.

(2) 그 결과는 내가 기대했던 것이 아니었다.
(I, what, expected, not, was)
→ The result _____.

[서술형4] 주어진 두 문장을 관계부사를 사용하여 한 문장으로 바꿔 쓰시오. (6점)

I don't know the time. The movie starts at the time.

→ I don't know _____ _____ _____

_____ _____ _____.

[서술형5] 우리말과 일치하도록 |보기|에서 필요한 말을 골라 문장을 완성하시오. (중복 사용 가능) (8점, 각 4점)

| |보기| | I | the sport | that | what | want | to do |

(1) 뉴질랜드에서 내가 하고 싶은 스포츠는 스카이다이빙이다.

→ _____

   in New Zealand is skydiving.

(2) 뉴질랜드에서 내가 하고 싶은 것은 스카이다이빙이다.

→ _____

   in New Zealand is skydiving.

[서술형6~8] 다음 글을 읽고, 물음에 답하시오.

> Summer is the season (A) that / what I like most. When summer vacation starts, I visit my hometown. ⓐI love my hometown because that's the place. I feel at home in the place. My grandparents live in the same house (B) where / when I grew up. I spend most of my vacation staying there. ⓑ그것이 내가 여름을 좋아하는 이유이다.
>
> *feel at home 마음이 편안하다

[서술형6] 윗글의 (A), (B)에서 어법상 알맞은 말을 골라 쓰시오. (4점, 각 2점)

(A) _____ (B) _____

[서술형7] 윗글의 밑줄 친 ⓐ를 관계부사를 사용하여 한 문장으로 바꿔 쓰시오. (6점)

→ I love my hometown because that's _____

_____.

[서술형8] 윗글의 밑줄 친 ⓑ를 주어진 말을 활용하여 쓰시오. (7점)

→ That's _____ _____ _____ _____

_____ summer. (like)

[서술형9] Daniel이 적은 메모를 보고, 조건 에 맞게 문장을 완성하시오. (8점, 각 4점)

> *Meet Alice*
>
> (1) *on August 30*
>
> (2) *at Star Theater*

> 조건 1. 메모의 밑줄 친 부분을 주어로 쓸 것
>   2. 괄호 안에 주어진 말을 선행사로 쓸 것
>   3. 알맞은 관계부사를 사용할 것

(1) _____

Daniel will meet Alice. (the day)

(2) _____

Daniel will meet Alice. (the place)

[서술형10] 대화를 읽고, 대화의 내용을 조건 에 맞게 한 문장으로 나타내시오. (6점, 각 3점)

> Kate Here are some cookies for you. I baked them.
> John Thanks. These are the best cookies that I've ever tasted. How did you make them?
> Kate It's easy. Do you want me to teach you?
> John Sure.

> 조건 1. 알맞은 관계대명사와 관계부사를 사용할 것
>   2. John tasted, Kate made를 한 번씩 쓸 것

→ The cookies (1) _____ _____ _____

were very delicious, so he wants to know

(2) _____ _____ _____ them.

01 밑줄 친 부분을 <u>잘못</u> 고친 것은?

① The chocolate tastes <u>sweetly</u>.
→ sweet

② My mother made a doll <u>to</u> me.
→ for

③ I heard someone <u>called</u> my name.
→ call

④ They don't let me <u>to go</u> there alone.
→ going

⑤ He doesn't allow me <u>buy</u> a new phone.
→ to buy

02 빈칸에 알맞은 말이 순서대로 짝지어진 것은?

- You'll be late _____ you hurry.
(서두르지 않으면 너는 늦을 것이다.)
- _____ she was tired, she worked late.
(비록 그녀는 피곤했지만 늦게까지 일했다.)

① if – Although   ② unless – Although
③ if – Unless   ④ unless – Until
⑤ until – Although

03 빈칸에 공통으로 들어갈 말은?

- Do you understand _____ I'm saying?
- _____ you heard in the news is not true.

① who(Who)   ② whom(Whom)
③ which(Which)   ④ what(What)
⑤ that(That)

04 어법상 <u>틀린</u> 것은?

① If you're not busy now, call your mom.
② We stayed at home because of the storm.
③ I, as well as my sister, was born in Canada.
④ I will talk to him when he will come here.
⑤ Neither he nor his parents can speak English.

05 우리말과 일치하도록 주어진 말을 배열할 때, 다섯 번째로 오는 단어는?

너는 그녀가 춤추고 있는 것을 보았니?
(see, you, dancing, did, her)

① see   ② you   ③ dancing
④ her   ⑤ did

06 밑줄 친 that의 쓰임이 나머지와 <u>다른</u> 것은?

① It's the most expensive dress <u>that</u> I have.
② What's the thing <u>that</u> makes you laugh?
③ I hope <u>that</u> everyone is staying safe.
④ It was the best pizza <u>that</u> I've ever tasted.
⑤ What do you think of the movie <u>that</u> we saw?

07 밑줄 친 ⓐ~ⓔ에 대한 설명이 <u>틀린</u> 것을 모두 고르면?

- I can't believe ⓐ <u>what</u> I saw.
- He lost the bag ⓑ <u>that</u> he bought yesterday.
- We know a girl ⓒ <u>whose</u> name is Ella.
- She thanked the people ⓓ <u>who</u> helped her.
- I like people ⓔ <u>that</u> smile a lot.

① ⓐ 선행사를 포함하고 있다.
② ⓑ 생략할 수 있다.
③ ⓒ who로 바꿔 쓸 수 있다.
④ ⓓ that으로 바꿔 쓸 수 있다.
⑤ ⓔ whom으로 바꿔 쓸 수 있다.

08 빈칸에 들어갈 관계부사가 같은 것끼리 짝지어진 것은?

ⓐ She recommended a shop _____ I can buy a phone case.
ⓑ Tom doesn't know the reason _____ Ashley is crying.
ⓒ Incheon is the city _____ there is an international airport.
ⓓ Friday night is the time _____ most people have fun.

① ⓐ, ⓑ   ② ⓐ, ⓒ   ③ ⓑ, ⓒ
④ ⓑ, ⓓ   ⑤ ⓒ, ⓓ

서술형

09 우리말과 일치하도록 주어진 말을 배열하여 쓰시오.

(1) 차를 좀 마셔라, 그러면 너는 기분이 나아질 것이다.
(you, will, some tea, better, drink, and, feel)

→ _____

_____

(2) 그것이 내가 그와 말하지 않는 이유이다.
(to, why, that's, I, talk, him, don't, the reason)

→ _____

_____

10 주어진 문장과 의미가 같도록 바꿔 쓰시오.

(1) Eat less, or you will gain weight.

→ Unless _____

_____ .

(2) Rachel was full, so she didn't eat anything.

→ Since _____

_____ .

(3) Jacob studied hard, but he failed the test.

→ Even though _____

_____ .

11 조건 에 맞게 주어진 두 문장을 한 문장으로 바꿔 쓰시오.

> 조건 관계대명사를 사용할 것 (단, that은 제외)

(1) I received the letter. Lily sent it from Bali.

→ I received _____

_____ .

(2) Jack is the boy. He sent you the flowers.

→ Jack is _____

_____ .

12 조건 에 맞게 주어진 문장을 바꿔 쓰시오.

> 조건 3형식으로 바꿔 쓸 것

My grandfather taught me Korean history.

→ _____

13 어법상 틀린 문장을 두 개 골라 기호를 쓰고, 틀린 부분을 바르게 고쳐 쓰시오.

> ⓐ Mom had me take out the trash.
> ⓑ He stayed at home until the rain stopped.
> ⓒ Do you know when is her birthday?
> ⓓ The boy whom sits next to me at school is Charlie.

(　　) _____ → _____
(　　) _____ → _____

[14~15] 다음 글을 읽고, 물음에 답하시오.

> My favorite hip-hop musician is Jay. He is a musician (A) who / which writes songs about peace. I will never forget the day. I first went to his concert on the day. I felt my heart (B) beating / beaten fast during the concert. His performance made me (C) love / to love hip-hop more. *beat (심장이) 고동치다

고등유형

14 윗글의 (A)~(C)에서 어법상 알맞은 말을 골라 쓰시오.

(A) _____ (B) _____ (C) _____

고난도

15 윗글의 밑줄 친 두 문장을 관계부사를 사용하여 한 문장으로 쓰시오.

→ _____

_____

동사의
불규칙
변화형

● A-B-B 형

동사원형		과거형	과거분사형(p.p.)
bring	가져오다	brought	brought
build	짓다	built	built
buy	사다	bought	bought
catch	잡다	caught	caught
feel	느끼다	felt	felt
find	찾다	found	found
hang	걸다	hung	hung
have	가지다	had	had
hear	듣다	heard	heard
hold	잡다, 쥐다	held	held
keep	유지하다	kept	kept
leave	떠나다	left	left
lend	빌려주다	lent	lent
lose	잃어버리다	lost	lost
make	만들다	made	made
meet	만나다	met	met
say	말하다	said	said
sell	팔다	sold	sold
send	보내다	sent	sent
sit	앉다	sat	sat
sleep	자다	slept	slept
spend	소비하다	spent	spent
teach	가르치다	taught	taught
tell	말하다	told	told
think	생각하다	thought	thought
understand	이해하다	understood	understood
win	이기다	won	won

● A-B-A 형

동사원형		과거형	과거분사형(p.p.)
become	~이 되다	became	become
come	오다	came	come
run	달리다	ran	run

● A-B-C 형

동사원형		과거형	과거분사형(p.p.)
be (am / are / is)	~이다, 있다	was / were	been
begin	시작하다	began	begun
bite	물다	bit	bitten
blow	불다	blew	blown
break	부수다	broke	broken
choose	선택하다	chose	chosen
do	하다	did	done
draw	그리다	drew	drawn
drink	마시다	drank	drunk
drive	운전하다	drove	driven
eat	먹다	ate	eaten
fall	떨어지다	fell	fallen
fly	날다	flew	flown
forget	잊다	forgot	forgotten
forgive	용서하다	forgave	forgiven
freeze	얼다	froze	frozen
get	얻다	got	gotten/got
give	주다	gave	given
go	가다	went	gone
grow	자라다	grew	grown
hide	숨다	hid	hidden
know	알다	knew	known
lie	눕다, 놓여 있다	lay	lain
ride	타다	rode	ridden
see	보다	saw	seen
shake	흔들다	shook	shaken
sing	노래하다	sang	sung
speak	말하다	spoke	spoken
steal	훔치다	stole	stolen
swim	수영하다	swam	swum
take	가져가다	took	taken
throw	던지다	threw	thrown
wake	깨다	woke	woken
wear	입다	wore	worn
write	쓰다	wrote	written

● A-A-A 형

동사원형		과거형	과거분사형(p.p.)
cut	자르다	cut	cut
hit	치다	hit	hit
hurt	다치게 하다	hurt	hurt
let	(~하게) 놓아두다	let	let
put	놓다, 두다	put	put
read	읽다	read [red]	read [red]
set	놓다	set	set
quit	그만두다	quit	quit

비교급 최상급

● 규칙 변화 (-er, -est)

원급		비교급	최상급
big	큰	bigger	biggest
busy	바쁜	busier	busiest
cheap	싼	cheaper	cheapest
close	가까운	closer	closest
easy	쉬운	easier	easiest
early	일찍	earlier	earliest
fast	빠른, 빠르게	faster	fastest
fat	뚱뚱한	fatter	fattest
funny	웃긴	funnier	funniest
great	위대한	greater	greatest
happy	행복한	happier	happiest
heavy	무거운	heavier	heaviest
hot	뜨거운	hotter	hottest
large	큰	larger	largest
long	긴	longer	longest
new	새로운	newer	newest
sad	슬픈	sadder	saddest
short	짧은	shorter	shortest
small	작은	smaller	smallest
smart	똑똑한	smarter	smartest
tall	키가 큰	taller	tallest

● 규칙 변화 (more, most)

원급		비교급	최상급
beautiful	아름다운	more beautiful	most beautiful
boring	지루하게 하는	more boring	most boring
curious	궁금한	more curious	most curious
difficult	어려운	more difficult	most difficult
diligent	부지런한	more diligent	most diligent
exciting	신나는	more exciting	most exciting
expensive	비싼	more expensive	most expensive
famous	유명한	more famous	most famous
helpful	도움이 되는	more helpful	most helpful
important	중요한	more important	most important
intelligent	똑똑한	more intelligent	most intelligent
interesting	흥미로운	more interesting	most interesting
nervous	초조한	more nervous	most nervous
often	자주	more often	most often
popular	인기 있는	more popular	most popular
serious	심각한	more serious	most serious
slowly	느리게	more slowly	most slowly
tired	피곤한	more tired	most tired
quickly	빠르게	more quickly	most quickly
useful	유용한	more useful	most useful

● 불규칙 변화

원급		비교급	최상급
good	좋은	better	best
well	잘	better	best
bad	나쁜	worse	worst
ill	아픈	worse	worst
many	(수가) 많은	more	most
much	(양이) 많은	more	most
little	적은	less	least

서술형에 더 강해지는 중학 영문법

Answers

LEVEL 2

동아출판

서술형에
더 강해지는
중학 영문법

Answers LEVEL 2

CHAPTER 01 현재완료

Unit 1 현재완료의 개념과 형태

✔ 바로 개념 확인하기   p.13

A   1 have learned   2 has known
    3 has not had   4 Have you cleaned

B   1 have sent   2 has bought
    3 has not found   4 Have, read

C   1 visited   2 went   3 for ten years

서술형 기본 유형 익히기   pp.13~14

1 I have lost   2 Have you called
3 He has not checked   4 She has studied, for
5 He has been, for
6 They have not(haven't) heard the news.
7 Have they heard the news?
8 He has not(hasn't) set the table.
9 Has he set the table?   10 He has taught English
11 Have you seen a dog   12 has not(hasn't) ended
13 have traveled → has traveled
14 have read → read
15 Does he have lived → Has he lived

Unit 2 현재완료의 의미

✔ 바로 개념 확인하기   p.16

A   1 ⓑ   2 ⓒ   3 ⓓ   4 ⓐ

B   1 since   2 for   3 before

C   1 I have been to Paris twice.
    2 Liam has gone to his hometown.
    3 Have you ever seen an opera?

서술형 기본 유형 익히기   pp.16~17

1 has been in the library since
2 Have you ever read this book
3 has just finished the project
4 have cleaned the house for
5 have not bought a new sofa yet
6 are → have been   7 gone → been
8 have → has
9 have known each other since
10 have stayed in Boston for
11 has just arrived   12 I have never seen
13 has worked, for   14 has taught, for

기출에서 뽑은 난이도별 서술형 문제   pp.18~19

01 (1) have visited (2) visited
02 (1) have been (2) moved
03 (1) has gone → went (2) since → for
04 I have known him for several years.
05 (1) I have met the woman many times.
    (2) He has never taken a vacation since last
       summer.
06 has gone to
07 (1) has cooked, for (2) has taken, since
08 (1) I have used this phone for two years.
    (2) Tom has stayed in Korea since last Friday.
09 ⓑ → watched, ⓓ → have been
10 (1) has learned yoga   (2) has visited Thailand
    (3) have never eaten rice noodles

함정이 있는 문제

01 have not seen
02 I have been to China once.
03 have had a cold

01 '지금까지 한 번 방문했다'는 현재완료로, '한 달 전에 방문
    했다'는 과거시제로 쓴다.
    해석 (1) 나는 지금까지 한 번 시드니를 방문했다.
    (2) 나는 한 달 전에 시드니를 방문했다.

02 (1) '가 본 적이 있다'는 현재완료 have been으로 쓴다.
    (2) '삼촌이 작년에 부산으로 이사했다'는 의미가 되어야 하

므로 move의 과거형이 알맞다.

해석 나는 부산에 두 번 가 본 적이 있다. 나의 삼촌은 그곳에 사신다. 그는 작년에 부산으로 이사했다.

03 (1) yesterday는 과거의 특정 시점을 나타내므로 현재완료와 쓸 수 없다.

(2) three years는 기간을 나타내므로 앞에 for를 써야 한다.

04 '몇 년 동안 알고 지냈다'는 말은 과거부터 계속되는 일을 나타내므로 현재완료로 쓴다. 기간을 나타내는 말인 several years 앞에는 for를 쓴다.

해석 A 너는 전에 Jerry를 만난 적이 있니?
B 응. 나는 그를 몇 년 동안 알고 지냈어.

05 (1) 「have+p.p. ~」의 순으로 배열한다.
(2) 「has+never+p.p. ~」의 순으로 배열한다.

06 '~에 가 버려서 지금 여기 없다'는 have/has gone to로 나타내며 주어가 3인칭 단수이므로 has를 쓴다.

07 과거에 시작한 일이 현재까지 계속되고 있으므로 현재완료 문장으로 바꿔 쓸 수 있다.
(1) an hour는 기간을 나타내므로 앞에 for를 쓴다.
(2) 2017(연도)은 시점을 나타내므로 앞에 since를 쓴다.

해석 (1) Emily는 한 시간 전에 저녁 식사를 요리하기 시작했다. 그녀는 지금 여전히 저녁 식사를 요리한다.
→ Emily는 한 시간 동안 저녁 식사를 요리해 왔다.
(2) Jacob은 2017년 이후로 미술 수업을 듣기 시작했다. 그는 지금 여전히 그 수업을 듣는다.
→ Jacob은 2017년 이후로 미술 수업을 들어 왔다.

08 과거부터 현재까지 계속되는 일을 나타내므로 현재완료로 써야 한다.
(1) two years는 기간을 나타내므로 앞에 for를 쓴다.
(2) last Friday는 시점을 나타내므로 앞에 since를 쓴다.

09 ⓑ last weekend는 과거의 특정 시점을 나타내므로 현재완료와 함께 쓸 수 없다.
ⓓ since then은 과거부터 현재까지 계속되는 일을 나타내므로 현재완료로 써야 한다.

해석 당신은 재즈 음악을 들어 본 적이 있는가? 지난 주말, 나는 TV에서 재즈 콘서트를 봤다. 나는 그것이 정말 좋았다. 그때 이후로, 나는 재즈의 열혈 팬이 되어 왔다.

10 (1), (2) 주어가 3인칭 단수이므로 「has+p.p.」의 형태로 쓴다.
(3) never를 사용한 현재완료의 부정문은 「have+never+p.p.」의 형태로 쓴다.

해석 (1) Lily는 전에 요가를 배운 적이 있다.
(2) Tim은 전에 태국을 방문한 적이 있다.
(3) Lily와 Tim은 쌀국수를 먹어 본 적이 없다.

함정이 있는 문제

01 **해석** 나는 지난 일요일 이후로 그를 보지 못했다.

시험에 강해지는 **실전 TEST**　　　pp. 20~22

01 ④　02 ⑤　03 ②　04 ③　05 ③
06 ③　07 ③　08 ②　09 ②　10 ③

서술형 1 (1) He has stayed at the hotel
(2) They have traveled to many countries
서술형 2 (1) have met (2) has worked (3) finished
서술형 3 (1) Have you ever lived in another country?
(2) I have never skied before.
서술형 4 (A) for (B) left
서술형 5 for → since
서술형 6 I have not(haven't) told the truth yet.
서술형 7 have lived in the same house for 20 years.
서술형 8 (1) has stayed (2) has eaten
(3) has not(hasn't) tried on
서술형 9 He has played the cello for two years.
서술형 10 has moved → moved

01 since last year는 작년부터 현재까지 계속되는 일을 나타내므로 현재완료를 사용하며 주어가 3인칭 단수이므로 has studied가 알맞다.

해석 유나는 작년 이후로 스페인어를 공부해 왔다.

02 의미상 '해 본 적이 없다'는 말이 들어가야 하므로 현재완료가 알맞다. 현재완료의 부정문은 「have+not(never)+p.p.」의 형태로 쓴다.

해석 우리는 이 보드게임을 어떻게 하는지 모른다. 우리는 전에 이것을 해 본 적이 없다.

03 |보기와 ②의 밑줄 친 부분은 경험을 나타내는 현재완료이다. ①은 결과, ③과 ④는 계속, ⑤는 완료의 의미로 쓰였다.

해석 |보기 나는 이렇게 아름다운 장면은 본 적이 없다.
① Elena는 그녀의 고향으로 떠나 버렸다.
② Tom은 비행기를 두 번 탄 적이 있다.
③ 나는 3년 동안 Brian을 알고 지냈다.
④ 지훈이는 2000년 이후로 제주도에서 살아 왔다.
⑤ 그들은 방금 파티를 시작했다.

04 주어진 말을 배열하면 He has gone to Africa.이므로 세 번째로 오는 단어는 gone이다.

05 두 문장 모두 계속을 나타내는 현재완료가 사용된 것으로, 첫 번째 문장은 빈칸 뒤에 기간이 왔으므로 '~ 동안'의 의미인 for가 알맞다. 두 번째 문장은 빈칸 뒤에 시점이 왔으므로 '~부터, ~이후로'의 의미인 since가 알맞다.

해석 ・그들은 두 달 동안 Katherine에게서 어떤 소식도 듣지 못했다.
・Johnson 씨 부부는 2009년 이후로 이 식당을 운영해 왔다.

06 첫 번째 문장은 yesterday로 보아 과거시제가 알맞다.
두 번째 문장은 since yesterday로 보아 아픈 상태가 어제
부터 계속된 것이므로 현재완료가 알맞다. 주어가 3인칭 단
수이므로 has been으로 쓴다.

> 해석 • 나는 어제 내 우산을 찾았다.
> • 그녀는 어제 이후로 아파 왔다.

07 ③ ten years ago는 과거의 특정 시점을 나타내므로 현재
완료와 함께 쓸 수 없다.

> 해석 ① 우리는 아직 주제를 정하지 못했다.
> ② Chloe는 버스에 그녀의 지갑을 두고 내렸다.
> ④ 그들은 이미 새 프로젝트를 끝냈다.
> ⑤ David와 Jane은 오랫동안 서로를 알고 지냈다.

08 ② 그녀가 어디로 가 버렸는지 묻는 말에 '그녀는 전에 이탈
리아에 가 본 적이 있다'고 답하는 것은 어색하다.

> 해석 ① **A** 너는 네 방을 청소했니?
> **B** 아직 안 했어.
> ② **A** 그녀는 어디로 가 버렸니?
> **B** 그녀는 전에 이탈리아에 가 본 적이 있어.
> ③ **A** 피자를 좀 드실래요?
> **B** 아니요, 괜찮아요. 저는 방금 점심을 먹었어요.
> ④ **A** 너는 얼마나 오랫동안 테니스를 해 왔니?
> **B** 나는 10년 동안 그것을 해 왔어.
> ⑤ **A** 너는 제주도에 가 본 적이 있니?
> **B** 응. 나는 그곳에 한 번 가 본 적이 있어.

09 주어진 문장은 결과를 나타내는 현재완료가 사용된 것으로,
과거에 스마트폰을 잃어버려서 현재 스마트폰을 가지고 있
지 않다는 의미를 나타낸다.

> 해석 Jack은 그의 스마트폰을 잃어 버렸다.
> ① Jack은 그의 스마트폰을 잃어 버렸다.
> ② Jack은 그의 스마트폰을 찾았다.
> ③ Jack은 한때 스마트폰을 가지고 있었다.
> ④ Jack은 그의 스마트폰을 찾을 수 없었다.
> ⑤ Jack은 지금 스마트폰을 가지고 있지 않다.

10 ⓒ when으로 시작하는 의문문은 특정 시점을 묻는 말이므
로 현재완료와 함께 쓸 수 없다. ⓔ four years ago는 과거
의 특정 시점을 나타내므로 현재완료와 함께 쓸 수 없다.

> 해석 ⓐ Tina는 몇 시간 동안 아무것도 먹지 않았다.
> ⓑ 그들은 함께 춤을 연습해 왔다.
> ⓓ 그 버스는 아직 오지 않았다.

서술형 1 「주어+have/has+p.p. ~.」의 순으로 배열한다.

서술형 2 (1) three times so far는 '지금까지 세 번'이라는 의
미이므로 현재완료로 쓴다.
(2) since last Monday는 지난 월요일부터 현재까지 계속
된 일을 나타내므로 현재완료로 써야 하며, 주어가 3인칭 단
수이므로 「has+p.p.」로 쓴다.

(3) a few minutes ago는 과거의 특정 시점을 나타내므로
과거시제로 쓴다.

> 해석 (1) 나는 지금까지 세 번 그녀를 만났다.
> (2) 그는 지난 월요일 이후로 여기에서 일해 왔다.
> (3) 그녀는 몇 분 전에 설거지하는 것을 끝냈다.

서술형 3 (1) 「Have+주어+ever+p.p. ~?」의 형태로 쓴다.
(2) 「주어+have+never+p.p. ~.」의 형태로 쓴다.

서술형 4 (A) a long time은 기간을 나타내므로 앞에 for를 쓴다.
(B) six months ago는 과거의 특정 시점을 나타내므로 현
재완료와 쓸 수 없다.

> 해석 **A** 나는 오랫동안 지나를 보지 못했어.
> **B** 오, 그녀는 6개월 전에 서울을 떠났어.

서술형 5 last night은 시점을 나타내므로 앞에 since를 써야
한다. for는 기간을 나타내는 말과 함께 쓴다.

서술형 6 현재완료의 부정문은 「have+not+p.p.」의 형태로
쓰고, yet은 주로 문장 끝에 쓴다.

서술형 7 20년 전에 살던 집과 현재 살고 있는 집이 같으므로,
현재완료를 사용하여 과거부터 현재까지 지속된 일을 나타
낸다.

> 해석 나의 부모님은 20년 동안 같은 집에서 살아 오셨다.

서술형 8 (1), (2) 한옥에서 머무는 것과 비빔밥을 먹는 것을 경
험했으므로 현재완료의 긍정문 「has+p.p. ~」의 형태로 쓴다.
(3) 한복을 입어 보는 것은 경험하지 못했으므로 현재완료의
부정문 「has+not+p.p. ~」의 형태로 쓴다.

> 해석 Ella는 2주 동안 전주 한옥 마을에 있어 왔다. 그녀는
> 새로운 것들을 경험했다. 그녀는 한옥에서 머물렀다. 그녀는
> 비빔밥을 먹어 봤다. 하지만 그녀는 한복을 입어 보지 못했다.

서술형 9 2년 전에 첼로를 연주하기 시작했고 지금도 연주한다
고 했으므로, 현재완료 문장으로 바꿔 쓸 수 있다. 주어가 3
인칭 단수이므로 「has+p.p. ~」로 쓰고, two years는 기간
을 나타내므로 앞에 for를 쓴다.

서술형 10 last year는 과거의 특정 시점을 나타내므로 현재완
료와 쓸 수 없다.

> 해석 Andy는 나의 가장 친한 친구이다. 나는 10년 동안
> 그를 알고 지냈다. 우리는 서로 옆집에 살아서 방과 후에 종
> 종 함께 놀았다. 그러나 작년에 그는 다른 도시로 이사 갔다.
> 나는 그가 매우 그립다.

CHAPTER 02 조동사

Unit 1 can, may, will

✔ 바로 개념 확인하기　　　　　　　　p. 25

A　**1** 능력　　**2** 요청　　**3** 추측　　**4** 미래

B　**1** may　　　　**2** Will　　　　**3** will be able to

C　**1** is able to　　**2** can　　　　**3** am going to

서술형 기본 유형 익히기　　　　　　pp. 25~26

1 You may use　　　　**2** Can we visit you
3 Will they go with us　　**4** She may not like
5 They will be able to help us
6 can able to → can(are able to)
7 doesn't may → may not
8 will to start → will start
9 Can(May), borrow the book
10 may not pick up the phone
11 You can(may) leave your bag
12 will be able to talk
13 Could you take a picture of us?
14 He is going to ride a bike in the park.
15 My dad is able to fly a plane.

Unit 2 must, should, had better, used to

✔ 바로 개념 확인하기　　　　　　　　p. 28

A　**1** must　　**2** must not　　**3** don't have to

B　**1** had to get up early
　　2 had better not leave
　　3 used to be afraid of dogs

C　**1** have to　　**2** must　　**3** used to

서술형 기본 유형 익히기　　　　　　pp. 28~29

1 He must be happy.
2 Friends should help each other.
3 You must come to class
4 We had better not make
5 She used to play the piano
6 must wear a swimsuit
7 must not use a phone
8 You should not(shouldn't) drive too fast.
9 They used to be close friends.
10 We will have to leave early
11 They had to stay at home
12 had not better → had better not
13 is used to → used to
14 must not → don't have to

기출에서 뽑은 난이도별 서술형 문제　　pp. 30~31

01 (1) will (2) must (3) may
02 must not take pictures
03 I have to finish my report
04 (1) going → go (2) must not → don't have to
05 You had better not play
06 (1) must be (2) used to go (3) had better see
07 (1) are not(aren't) able to fly (2) are able to run
　　　(3) are not(aren't) able to jump
08 I will be able to finish it by ten.
09 (1) May I swim (2) He must be
　　　(3) You should take
10 ⓒ → had to wait

함정이 있는 문제

01 may easy → may be easy
02 ⓑ → I will be able to arrive on time.
03 She had better not go there.

01 (1) will: ～할 것이다 (2) must: ～해야 한다 (3) may: ～
　　일지도 모른다
02 조동사 must를 사용하여 금지를 나타낼 때 「must not＋
　　동사원형」의 형태로 쓴다.
　　해석 너는 여기에서 사진을 찍으면 안 된다.

03 「주어+have to+동사원형」의 순으로 배열한다.

[해석] A 너는 지금 컴퓨터를 사용해야 하니?

B 응. 나는 오늘 내 보고서를 끝내야 해.

04 (1) ~하곤 했다: 「used to+동사원형」

(2) ~할 필요가 없다: 「don't/doesn't have to+동사원형」

(must not: ~ 하면 안 된다)

05 had better not+동사원형: ~하지 않는 게 좋겠다

[해석] A 나는 어떤 것에도 집중할 수 없어. 나는 너무 졸려.

B 또 컴퓨터 게임을 했니?

A 응. 새벽 1시까지.

B 너는 컴퓨터 게임을 너무 많이 하지 않는 게 좋겠다.

06 (1) ~가 틀림없다: 「must+동사원형」

(2) ~하곤 했다: 「used to+동사원형」

(3) ~하는 것이 좋겠다: 「had better+동사원형」

[해석] (1) 그는 경연 대회에서 우승했다. 그는 행복한 것이 틀림없다.

(2) 나는 주말마다 하이킹하러 가곤 했지만, 현재 나는 수영하는 것을 즐긴다.

(3) 감기에 걸렸니? 너는 지금 당장 병원에 가는 게 좋겠다.

07 할 수 있는 것은 「be동사+able to+동사원형」, 할 수 없는 것은 「be동사+not able to+동사원형」의 형태로 문장을 완성한다.

08 조동사 두 개는 함께 쓸 수 없으므로 '~할 수 있을 것이다'는 「will be able to+동사원형」으로 쓴다.

[해석] A 너는 언제 네 숙제를 끝낼 수 있니?

B 나는 그것을 10시까지 끝낼 수 있을 거야.

09 (1) '제가 ~해도 되나요?'는 「May I+동사원형 ~?」으로 나타낸다.

(2) 뒤에 이어지는 문장으로 보아 도서관에 있는 것을 확신하는 의미가 되어야 한다. (must: ~가 틀림없다)

(3) 비가 오고 있으니 우산을 가져가라고 충고하는 문장이 되어야 한다. (should: ~하는 것이 좋겠다)

[해석] (1) A 여기에서 수영해도 되나요?

B 아니요, 안 돼요. 위험해요.

(2) A 지호는 어디에 있어?

B 그는 도서관에 있는 것이 틀림없어. 나는 몇 분 전에 거기에서 그를 보았어.

(3) A 날씨가 어때?

B 비가 오고 있어. 너는 우산을 가져가야 해.

10 ⓒ '~ 해야 했다'는 「had to+동사원형」으로 쓴다.

[해석] 나는 대도시에서 살곤 했지만, 지금은 작은 마을에 산다. 학교는 나의 집에서 멀어서, 나는 학교에 가기 위해 버스를 탄다. 나는 버스를 타기 위해 아침에 일찍 일어나야 한다. 어제 나는 버스를 놓쳐서 30분 동안 다음 버스를 기다려야 했다.

시험에 강해지는 실전 TEST				pp.32~34
01 ②	02 ②	03 ④	04 ③	05 ③
06 ④	07 ④	08 ③	09 ④	10 ⑤

서술형 **1** (1) cannot(can't) (2) must

서술형 **2** (1) may (2) have to (3) cannot

서술형 **3** (1) took → take (2) must → have to

서술형 **4** We should not waste time.

서술형 **5** used to have

서술형 **6** (1) You have to get up

(2) I don't have to go to school

서술형 **7** (1) She may be busy.

(2) She must be busy.

(3) She can't be busy.

서술형 **8** (1) Brian can play the violin.

(2) Brian cannot(can't) make a cake.

서술형 **9** had not better → had better not

서술형 **10** (1) should have a talk with him

(2) should exercise regularly

(3) should not(shouldn't) touch it

01 '매우 부유한 것이 틀림없다'로 추측하는 말이 되는 것이 자연스럽다.

[해석] 그는 비싼 자동차를 샀다. 그는 매우 부유한 것이 틀림없다.

02 I보기와 ②의 can은 '~해도 된다'는 뜻의 허가를 나타낸다. 나머지는 '~할 수 있다'는 뜻의 능력을 나타낸다.

[해석] I보기 너는 언제든지 이 컴퓨터를 사용해도 된다.

① 그녀는 중국어를 말할 수 있다.

② 저는 나가서 놀아도 되나요?

③ 내 여동생은 자전거를 탈 수 있다.

④ 너는 바이올린을 연주할 수 있니?

⑤ 그 남자아이는 나무에 아주 잘 오를 수 있다.

03 ④ '~해 주실래?'라는 의미의 요청을 나타내는 Can(Will, Could, Would)이 알맞다.

[해석] ① 내가 하루 동안 그것을 빌려도 되니?

② Emma는 그의 전화번호를 알지도 모른다.

③ 그 소식은 사실이 아닐지도 모른다.

④ 저에게 조언 좀 해 주실래요?

⑤ 손님들은 수영장을 사용해도 된다.

04 ③ careful은 형용사이므로 앞에 be동사를 넣어 She should be more careful.로 써야 한다.

[해석] ① 나의 남동생은 스키를 못 탄다.

② 나는 내일 집에 없을 것이다.

④ 제가 에어컨을 켜도 되나요?

⑤ 나의 아버지는 담배를 피우시곤 했다.

05 주어진 말을 배열하면 You had better not use bad language.이므로 네 번째로 오는 단어는 not이다.

06 첫 번째 빈칸은 '우산을 가져올 필요가 없다'는 의미가 되어야 하므로 불필요를 나타내는 don't have to가 알맞다. 두 번째 빈칸은 '병원에 가는 게 좋겠다'는 의미가 되어야 하므로 가벼운 충고를 나타내는 should가 알맞다.

07 ④ 「used to+동사원형」은 '~하곤 했다'라는 의미로 과거의 습관이나 상태를 나타내고, 「had better+동사원형」은 '~하는 게 좋겠다'라는 의미로 강한 충고를 나타낸다.

  해석 ① 너는 밖에서 놀아도 된다.
  ② 그들은 초콜릿 케이크를 살 것이다.
  ③ 그녀는 기차를 타기 위해 서둘러야 한다.
  ④ 그는 규칙적으로 운동하곤 했다.
    ≠ 그는 규칙적으로 운동하는 게 좋겠다.
  ⑤ 나는 다섯 살이었을 때 내 이름을 쓸 수 있었다.

08 '영화 포스터를 모으곤 했다'는 의미가 되어야 하므로 과거의 습관을 나타내는 「used to+동사원형」이 알맞다. ⑤의 「be used to+-ing」는 '~에 익숙하다'라는 뜻이다.

  해석 내가 어렸을 때, 나는 영화 포스터를 모았다. 하지만 더 이상 그것들을 모으지 않는다.
  = 나는 영화 포스터를 모으곤 했다.

09 ⓐ 그녀는 피곤한 것이 틀림없다.
  ⓔ 우리는 교실에 있을 필요가 없다.

10 (A)와 (B)는 어법상 올바른 문장이고, (C)는 어법상 틀린 문장이다. ⑤ had better는 그 자체가 기본 표현이므로 주어에 상관없이 그대로 쓴다.

  해석 (A) 그들은 지금 집에 있을지도 모른다.
  (B) 그는 규칙들을 지켜야 한다.

서술형 1 (1) be able to는 can으로 바꿔 쓸 수 있으며, can의 부정형은 cannot(can't)이다.
  (2) have to는 must로 바꿔 쓸 수 있다.
  해석 (1) 우리는 그 일을 끝낼 수 없다.
  (2) 너는 안전벨트를 매야 한다.

서술형 2 (1) may: ~일지도 모른다 (불확실한 추측)
  (2) have to: ~해야 한다 (의무)
  (3) cannot: ~하면 안 된다 (불허)
  해석 (1) 흐린 날씨이다. 오늘 오후에 비가 올지도 모른다.
  (2) 어두워지고 있다. 나는 지금 집에 가야 한다.
  (3) 너는 수영모 없이 수영장에 들어가면 안 된다.

서술형 3 (1) '~하곤 했다'는 의미의 과거의 습관은 「used to+동사원형」으로 나타낸다.
  (2) 조동사 두 개는 연달아 쓸 수 없으므로 must를 have to로 고쳐야 한다.

서술형 4 「주어+should not+동사원형」의 순으로 배열한다.

서술형 5 '짧은 머리를 가졌었다'의 의미가 되도록 「used to+

동사원형」의 형태로 문장을 완성한다.
  해석 Sophia는 짧은 머리를 가졌었지만, 지금은 긴 머리를 가지고 있다.

서술형 6 (1) ~해야 한다: 「have to+동사원형」
  (2) ~할 필요가 없다: 「don't have to+동사원형」
  해석 A Jane, 8시야. 너는 지금 일어나야 해.
  B 저는 오늘 학교에 갈 필요가 없어요. 토요일이에요!

서술형 7 (1) ~일지도 모른다: 「may+동사원형」
  (2) ~가 틀림없다: 「must+동사원형」
  (3) ~일 리가 없다: 「can't+동사원형」

서술형 8 할 수 있는 것은 「can+동사원형」, 할 수 없는 것은 「cannot(can't)+동사원형」의 형태로 쓴다.

서술형 9 '~하지 않는 게 좋겠다'는 의미의 강한 충고는 「had better not+동사원형」의 형태로 쓴다.
  해석 A 엄마, 저 지금 지나와 영화 보러 가도 돼요?
  B 아니, 안 돼. 벌써 9시야. 너는 밤에 나가지 않는 게 좋겠어.

서술형 10 (1), (2) 친구와 대화해 보기, 규칙적으로 운동하기를 조언하는 것이 적절하므로 should를 사용한다.
  (3) 여드름을 만지지 말라고 조언하는 것이 적절하므로 should not을 사용한다.
  해석 Jenny Tom이 나에게 화가 났어. 왜 그런지 모르겠어.
  하나 나는 살이 많이 쪘어.
  Mark 나는 코에 큰 여드름이 났어.
  (1) Jenny, 너는 그와 이야기해야 해.
  (2) 하나야, 너는 규칙적으로 운동해야 해.
  (3) Mark, 너는 그것을 만지면 안 돼.

CHAPTER 03 to부정사

Unit 1 to부정사의 명사적 용법

✔ 바로 개념 확인하기   p.37

A 1 주어   2 보어   3 주어   4 목적어

B 1 It, to get   2 It, to watch   3 It, to wear

C 1 what to eat   2 where to buy
   3 how to play   4 when to start

1 To keep the rules is　　　2 His goal is to open
3 wants to be a nurse　　　4 decided not to eat
5 how to use her smartphone
6 It is dangerous to swim　　7 We hope to meet you
8 don't know what to say
9 That → It　　　　　　10 are → is
11 to start when → when to start
12 to be not → not to be
13 is exciting to meet new people
14 is necessary to save energy
15 when to call her

Unit 2　**to부정사의 형용사적·부사적 용법**

✔ 바로 개념 확인하기　　　　　　p.40

A　1 time　　　2 something　　　3 some books

B　1 to talk to　　　　2 to write with
　　3 to sit on　　　　4 to stay in

C　1 한국을 방문해서　　　2 변호사가 되기 위해
　　3 노인을 돕는 걸 보니

---

1 a lot of homework to finish
2 a bench to sit on　　　3 something to wear
4 something sweet to eat
5 was disappointed to hear
6 to help us　　　　7 built a house to live in
8 to become a writer
9 important something → something important
10 to stay → to stay in　　11 to saw → to see
12 to write → to write with　13 to see Lily there
14 to borrow some books　15 grew up to become(be)

Unit 3　**to부정사 구문**

✔ 바로 개념 확인하기　　　　　　p.43

A　1 내가 일찍 일어나는 것은　　2 네가 그를 믿은 것은
　　3 Daniel이 옳은 결정을 내리는 것은

B　1 of　　　2 for　　　3 of　　　4 for

C　1 too cold　　　　2 big enough
　　3 too　　　　　　4 enough

---

1 wise of them to leave　　2 hard for us to believe
3 too upset to say
4 old enough to understand
5 too tired to walk
6 for → of　　　　　7 so → too
8 enough fast → fast enough
9 too salty to eat
10 impossible for me to finish
11 warm enough to play outside
12 too boring to watch
13 too tired to clean the house
14 too sick to eat　　　15 wise enough to give

기출에서 뽑은 난이도별 서술형 문제　　　pp.46~47

01 (1) I want to join the school band.
　　(2) His dream is to be a scientist.
02 (1) where to go　(2) what to eat
03 (1) for → of
　　(2) warm something → something warm
04 I decided not to leave.
05 It is dangerous to swim
06 (1) kind enough to help　(2) too late to have
07 to live → to live in
08 (1) I was too nervous to sleep.
　　(2) He is smart enough to speak five languages.
09 ⓒ walking → to walk, ⓓ to stay → to stay in
10 a meeting to attend

함정이 있는 문제

01 to be kind
02 a piece of paper to write on
03 very → too

01 (1) want의 목적어로 to부정사가 오도록 배열한다.
　　(2) be동사 뒤 보어 자리에 to부정사가 오도록 배열한다.

02 (1) '어디로 가야 할지'라는 말이 들어가야 하므로 「의문사(where)+to부정사」의 형태로 쓴다.

　　(2) '무엇을 먹어야 할지'라는 말이 들어가야 하므로 「의문사(what)+to부정사」의 형태로 쓴다.

03 (1) 사람의 성격을 나타내는 형용사 뒤에는 의미상의 주어를 「of+목적격」으로 쓴다.

　　(2) -thing으로 끝나는 대명사를 형용사와 to부정사가 동시에 수식할 때는 「-thing+형용사+to부정사」의 순으로 쓴다.

　　[해석] (1) Rachel이 내 생일을 기억한 것은 친절했다.

　　(2) 나에게 입을 따뜻한 무언가를 가져다줄래?

04 과거시제 문장이므로 문장의 동사는 decided이고, 목적어로 to부정사를 쓴다. '~하지 않기'는 to부정사 앞에 not을 써서 나타낸다.

05 '이 강에서 수영하는 것은 위험하다.'는 문장이 되어야 한다. 주어 역할을 하는 to부정사구를 문장의 뒤로 보내고 그 자리에 가주어 It을 써서 문장을 완성한다.

06 (1) '나를 도와줄 만큼 충분히 친절했다'는 의미로 바꿔 쓸 수 있으므로 「형용사(kind)+enough+to부정사」의 형태로 쓴다.

　　(2) '너무 늦게 일어나서 아침을 못 먹었다'는 의미이므로 「too+부사(late)+to부정사」의 형태로 쓴다.

07 '살 집'을 표현하려면 a house를 to부정사가 뒤에서 수식해야 하는데, 집 안에 사는 것이므로 to live in으로 써야 한다.

08 (1) 「too+형용사(nervous)+to부정사」의 형태로 쓴다.

　　(2) 「형용사(smart)+enough+to부정사」의 형태로 쓴다.

09 ⓒ '너무 ~해서 …할 수 없는'은 「too+ 형용사 / 부사+to부정사」로 나타낸다.

　　ⓓ '머물 호텔'은 호텔 안에 머무는 것이므로 a hotel to stay in으로 써야 한다.

　　[해석] ⓐ 네가 그를 믿은 것은 어리석었다.

　　ⓑ 새로운 것들을 배우는 것은 쉽지 않다.

10 to부정사의 형용사적 용법을 사용하여 a meeting to attend (참석할 회의)로 나타낸다. He should attend it.에서 it은 앞에 언급한 a meeting을 의미하므로, to attend 뒤에 목적어 it을 그대로 옮겨 쓰지 않도록 주의한다.

　　[해석] 예시 나는 숙제가 있다. 나는 그것을 끝내야 한다.

　　→ 나는 끝낼 숙제가 있다.

시험에 강해지는 **실전 TEST**　　　　pp.48~50

01 ④	02 ③	03 ④	04 ⑤	05 ⑤
06 ①	07 ⑤	08 ③	09 ③	10 ④

서술형 1 (1) I'm pleased to win the game.
　　　　　(2) I don't know what to do.

서술형 2 (1) for → of　(2) enough tall → tall enough

서술형 3 a puppy to take care of

서술형 4 She decided not to go out

서술형 5 (1) too full to eat any more

　　　　　(2) healthy enough to run a marathon

서술형 6 It is hard for her to make new friends

서술형 7 (1) likes to go to famous restaurants

　　　　　(2) goal is to lose five kilograms

　　　　　(3) wants to be(become) a music teacher

서술형 8 (1) a book to read

　　　　　(2) some sandwiches to eat

　　　　　(3) a pair of sandals to wear

서술형 9 go → to go

서술형 10 to see the Eiffel Tower

01 need는 to부정사를 목적어로 쓰는 동사이므로 「to+동사원형」의 형태인 to eat이 알맞다.

　　[해석] A 건강해지기 위해 나는 무엇을 해야 하니?

　　B 너는 건강에 좋은 음식을 먹을 필요가 있어.

02 why는 「의문사+to부정사」의 형태로 쓰지 않는다.

03 '앉을 의자'는 의자 위에 앉는 것이므로 a chair to sit on으로, '쓸 종이'는 종이 위에 쓰는 것이므로 some paper to write on으로 나타낸다. 따라서 빈칸에 공통으로 들어갈 말은 on이다.

04 주어진 말을 배열하면 I bought two magazines to read. 이므로 다섯 번째로 오는 단어는 to이다.

05 보기와 ⑤의 to부정사는 형용사적 용법이다. ①과 ③은 목적어 역할을 하는 to부정사의 명사적 용법, ②와 ④는 각각 목적과 감정의 원인을 나타내는 to부정사의 부사적 용법이다.

　　[해석] 보기 나는 우리를 도와줄 누군가를 찾고 있다.

　　① 나는 판타지 소설을 읽는 것을 좋아한다.

　　② 나는 음악을 공부하기 위해 오스트리아에 왔다.

　　③ 그들은 스페인에 가는 것을 계획했다.

　　④ 그녀는 그 소식을 듣고 놀랐다.

　　⑤ Harry는 할 숙제가 많다.

06 ①의 It은 '그것'을 의미하는 지시대명사이고, 나머지는 모두 to부정사구 주어를 대신한 가주어이다.

　　[해석] ① 그것은 3층에 있다.

　　② 다른 사람들의 감정을 상하게 하는 것은 나쁘다.

　　③ 탄산음료를 너무 많이 마시는 것은 좋지 않다.

　　④ 밤에 혼자 밖에 나가는 것은 위험하다.

　　⑤ 손을 자주 씻는 것은 중요하다.

07 ⑤ -thing으로 끝나는 대명사를 형용사와 to부정사가 동시에 수식할 때는 「-thing+형용사+to부정사」의 순으로 쓴다. (→ something hot to drink)

해석 ① 김치를 만드는 것은 쉽지 않다.

② 나는 쓸 펜을 가지고 있지 않다.

③ 그녀는 그녀의 남동생과 싸우지 않기로 결심했다.

④ 그는 나를 도와줄 만큼 충분히 친절했다.

08 ③ 사람의 성격을 나타내는 형용사 뒤에는 의미상의 주어를 「of+목적격」으로 쓰므로 빈칸에 of가 들어간다. 나머지 빈칸에는 모두 for가 들어간다.

해석 ① 내가 스키를 타는 것은 신난다.

② 우리가 돈을 절약하는 것은 중요하다.

③ 네가 그를 돌보는 것은 친절하다.

④ 내가 과학을 공부하는 것은 흥미롭다.

⑤ Laura가 한국어를 배우는 것은 쉽지 않다.

09 '너무 ~해서 …할 수 없는'은 「too+형용사/부사+to부정사」의 형태로 쓴다.

10 to부정사의 부사적 용법 중 ⓑ, ⓓ, ⓔ는 목적을, ⓐ, ⓒ는 감정의 원인을 나타낸다.

해석 ⓐ 나는 새 학급 친구들을 만나서 신난다.

ⓑ 그는 신선한 공기를 좀 얻기 위해 창문을 열었다.

ⓒ 그녀는 그녀의 반지를 잃어버려서 슬펐다.

ⓓ Amanda는 의사가 되기 위해 열심히 공부했다.

ⓔ 그는 채소를 좀 사기 위해 슈퍼마켓에 갔다.

서술형 1 (1) 「be동사+감정형용사+to부정사」의 형태로 감정의 원인을 나타낼 수 있다.

(2) don't know의 목적어로 '무엇을 ~할지'를 나타내는 「의문사(what)+to부정사」를 쓴다.

서술형 2 (1) wise는 사람의 성격을 나타내는 형용사이므로 의미상의 주어로 「of+목적격」을 쓴다.

(2) enough는 형용사의 뒤에 쓴다.

해석 (1) 그렇게 말하다니 너는 현명했다.

(2) 그는 농구선수가 될 만큼 충분히 키가 크다.

서술형 3 to take care of가 a puppy를 뒤에서 수식하도록 쓴다. 이때 to take care of 뒤에 it을 쓰지 않도록 주의한다.

해석 Tina는 강아지가 있다. 그녀는 그것을 돌봐야 한다.

→ Tina는 돌볼 강아지가 있다.

서술형 4 문장의 동사 decided 뒤에 목적어로 to부정사를 쓴다. '~하지 않기'는 to부정사 앞에 not을 써서 나타낸다.

서술형 5 (1) '그는 너무 배불러서 더 이상 먹을 수 없다'는 의미이므로 「too+형용사(full)+to부정사」의 형태로 쓴다.

(2) '그녀는 마라톤을 뛸 수 있을 만큼 충분히 건강하다'는 의미로 바꿔 쓸 수 있으므로 「형용사(healthy)+enough+to부정사」의 형태로 쓴다.

서술형 6 주어인 To make new friends를 문장의 뒤로 보내고 주어 자리에 가주어 It을 쓴 후, 의미상의 주어 for her는 to부정사 앞에 쓴다.

서술형 7 (1), (3) 각각 likes와 wants의 목적어로 to부정사를

써서 문장을 완성한다.

(2) be동사 뒤 보어 자리에 to부정사를 써서 문장을 완성한다.

해석 (1) Emma는 맛집에 가는 것을 좋아한다.

(2) 그녀의 목표는 5 킬로그램을 감량하는 것이다.

(3) 그녀는 음악 선생님이 되는 것을 원한다.

서술형 8 to부정사의 형용사적 용법을 사용하여 to부정사가 앞의 명사를 수식하도록 문장을 완성한다.

해석 지호는 이번 여름에 해운대 해수욕장에 갈 것이다. 그는 기차에서 읽을 책과 먹을 샌드위치를 좀 가져갈 것이다. 그는 또한 해변에서 신을 샌들 한 켤레를 가져갈 것이다.

[서술형 9~10] 해석 Amy 너는 방학에 무슨 계획 있니?

Josh 응. 나는 파리에 가는 것을 계획하고 있어.

Amy 오, 정말?

Josh 응, 나는 정말 에펠탑을 보고 싶어.

서술형 9 plan은 목적어로 to부정사를 쓰는 동사이다.

서술형 10 빈칸에 '에펠탑을 보기 위해'라는 말이 들어가야 하므로, 목적을 나타내는 to부정사의 부사적 용법을 사용하여 문장을 완성한다.

CHAPTER **04** 동명사

Unit 1 동명사의 쓰임

✔ 바로 개념 확인하기   p.53

A 1 보어   2 주어   3 목적어

B 1 is   2 makes   3 joining

C 1 worth reading   2 feel like eating
   3 can't help smiling

서술형 기본 유형 익히기   pp.53~54

1 is playing soccer   2 She enjoys reading

3 I can't help thinking   4 Thank you for helping me.

5 I'm not good at singing.   6 He had trouble fixing

7 I don't feel like cooking

8 She spent all the money buying

9　He is interested in taking pictures

10　I was busy cleaning

11　I'm looking forward to watching

12　is worth visiting　　13　are → is

14　go → going　　　　15　to do → doing

Unit 2　동명사와 to부정사

✔ 바로 개념 확인하기　　　　　　　　　p.56

A　1　playing　　2　to cry, crying　　3　opening

　　4　to quit　　5　arriving　　6　to shop, shopping

B　1　시험 삼아 한번 문제를 풀어 보았다

　　2　전등을 꺼야 할 것을 잊었다

　　3　고모를 방문했던 것을 기억한다

　　4　문자 메시지를 보내기 위해 멈췄다

서술형 기본 유형 익히기　　　　　　　pp.56~57

1　We finished painting　　　2　They need to leave early

3　I forgot to call　　　　　4　remember to see a doctor

5　I tried calling him　　　　6　going → to go

7　to speak → speaking　　　8　calling → to call

9　I will try to lose　　　　10　The girls kept walking

11　They started running(to run)

12　I love inviting(to invite)

13　He promised to take me

14　to return　　　　　　　15　watching

기출에서 뽑은 난이도별 서술형 문제　　pp.58~59

01　(1) speaking　(2) to be honest　(3) drawing

02　help crying

03　(1) Do you like swimming(to swim)?

　　(2) Are you good at swimming?

04　(1) to take → taking　(2) see → seeing

05　spends, watching, stop watching

06　(1) is having trouble making friends

　　(2) remember to return the book

07　ⓓ → to go

08　(1) to take　(2) meeting　(3) to save

09　reading the book

10　(1) I finished writing　(2) He stopped to talk

　　(3) We stopped playing

함정이 있는 문제

01　are → is

02　look forward to meeting you

03　to lock

01　(1) practice는 동명사를 목적어로 쓰는 동사이다.

　　(2) promise는 to부정사를 목적어로 쓰는 동사이다.

　　(3) 전치사의 목적어는 동명사의 형태로 쓴다.

02　can't help+동명사: ~하지 않을 수 없다

　　해석 그 영화는 너무 슬펐다. 나는 울지 않을 수 없었다.

03　(1) like의 목적어는 동명사 또는 to부정사 형태로 쓴다.

　　(2) 전치사(at)의 목적어는 동명사 형태로 쓴다.

04　(1) be busy+동명사: ~하느라 바쁘다

　　(2) look forward to+동명사: ~하는 것이 기대되다

　　해석 (1) 그녀는 그녀의 아이들을 돌보느라 바쁘다.

　　(2) 나는 그 뮤지컬을 보는 것을 기대하고 있다.

05　spend+시간+동명사: ~하는 데 시간을 보내다 / stop+

　　동명사: ~하는 것을 그만두다

06　(1) have trouble+동명사: ~하는 데 어려움을 겪다

　　(2) remember+to부정사: ~할 것을 기억하다

07　ⓓ plan은 목적어로 to부정사를 쓰는 동사이다.

　　해석 비행기를 타는 것은 제주도에 가는 가장 빠른 방법이

　　다. 하지만 나는 비행기를 타는 것을 두려워하기 때문에 절

　　대로 비행기를 타지 않는다. 그래서 나는 이번 여름에 배를

　　타고 제주도에 가는 것을 계획하고 있다. 나는 피곤하겠지

　　만, 여행하는 것을 즐길 것이다.

08　(1) forget+to부정사: ~할 것을 잊다

　　(2) remember+동명사: ~했던 것을 기억하다

　　(3) try+to부정사: ~하려고 노력하다

　　해석 (1) 비가 오고 있다. 우산을 가져갈 것을 잊지 마라.

　　(2) 나는 그 남자아이의 이름을 모르지만, 파티에서 그를 만

　　났던 것을 기억한다.

　　(3) 나는 새 컴퓨터를 사고 싶어서 많은 돈을 절약하려고 노

　　력하고 있다.

09　'책 읽는 것을 포기했다'는 의미가 되도록 gave up 뒤에 동

　　명사를 써서 문장을 완성한다.

　　해석 보미 너는 그 책을 다 읽었니?

　　Andy 아니. 그것은 너무 어려워서 나는 그것을 읽는 것을

　　　　　그만뒀어.

10 (1) finish 뒤에 목적어로 동명사를 쓴다.

　　(2) stop+to부정사: ~하기 위해 멈추다

　　(3) stop+동명사: ~하는 것을 그만두다

함정이 있는 문제

03 해석 문이 열려 있다. 나는 어젯밤에 문을 잠가야 할 것을 잊었다.

시험에 강해지는 **실전 TEST**　　pp.60~62

| 01 ③ | 02 ④ | 03 ② | 04 ③ | 05 ⑤ |
| 06 ③ | 07 ⑤ | 08 ② | 09 ① | 10 ④ |

서술형 **1** I have trouble falling asleep

서술형 **2** feels like eating out

서술형 **3** ⓒ travel → traveling

서술형 **4** (1) to check　(2) crying

서술형 **5** forgot to call her, was busy studying

서술형 **6** (1) ⓐ　(2) 단수, are, is

서술형 **7** (1) to bring an umbrella

　　　　(2) having a great time

서술형 **8** (1) spent an hour waiting for a table

　　　　(2) was worth waiting

서술형 **9** ⓓ → practice speaking

서술형 **10** try to keep a diary

---

01 빈칸 뒤에 동명사가 있으므로 빈칸에는 동명사를 목적어로 쓰는 동사가 들어갈 수 있다. expect는 목적어로 to부정사를 쓰는 동사이다.

해석 나는 그것에 관해 이야기하는 것을 ＿＿＿＿＿＿.

① 좋아했다　② 포기했다　③ 기대했다　④ 싫어했다

⑤ 피했다

02 내용상 '치즈를 사야 할 것을 잊었다'는 의미가 되어야 하므로 forgot 뒤에 to부정사 형태가 알맞다.

해석 나는 치즈를 사야 할 것을 잊었기 때문에 다시 슈퍼마켓에 가고 있다.

03 l보기와 ②의 밑줄 친 부분은 '~하는 것'이라는 뜻의 동명사이다. 나머지는 모두 be동사와 함께 쓰여 '~하고 있(었)다'의 뜻을 나타내는 진행형이다.

해석 l보기 그는 가족을 위해 요리하는 것을 아주 좋아한다.

① 그들은 만화책을 읽고 있다.

② 그녀의 취미는 그림을 그리는 것이다.

③ 그는 그의 어머니를 위해 쿠키를 굽고 있다.

④ 너는 네 방에서 무엇을 하고 있었니?

⑤ Jack은 어젯밤에 TV를 보고 있었다.

04 ③ decide는 목적어로 to부정사를 쓰는 동사이다. (moving → to move)

해석 ① 윤호는 여름에 수영하는 것을 즐긴다.

② 그녀는 나에게 중국어로 이야기하기 시작했다.

④ 그는 음식에 대해 계속 불평했다.

⑤ 당신의 가방을 열어 주시겠습니까?

05 (A) feel like+동명사: ~하고 싶다

　(B) be busy+동명사: ~하느라 바쁘다

　(C) look forward to+동명사: ~하는 것을 기대하다

해석 · 나는 주스를 좀 마시고 싶다.

　· 그는 집을 청소하느라 바쁘다.

　· 나는 그 경기를 보는 것을 기대하고 있다.

06 동명사로 문장의 주어를 나타낼 수 있으며, 동명사 주어는 단수 취급한다.

07 ⑤ can't help+동명사: ~하지 않을 수 없다

08 ② '몇 년 전에 그 마을을 방문했던 것을 기억한다.'라는 의미가 되어야 하므로 remember의 목적어로 동명사 visiting을 써야 한다.

해석 ① 그는 새로운 사람들을 만나는 것을 피한다.

③ 그의 음악을 듣는 것은 나를 행복하게 만든다.

④ 그녀는 온라인 수학 강의를 듣는 것을 계획했다.

⑤ 나는 아침에 일어나는 것에 어려움을 겪는다.

09 spend+시간+동명사: ~하는 데 시간을 보내다

해석 그는 아침 내내 식물들을 돌봤다.

= 그는 식물들을 돌보는 데 아침 내내 시간을 보냈다.

10 ⓑ agree는 to부정사를 목적어로 쓰는 동사이므로 빈칸에 to meet이 들어간다. 나머지 빈칸에는 모두 동명사 형태가 들어간다.

해석 ⓐ 나는 가끔 혼자서 먹고 싶다.

ⓑ 우리는 토요일에 만나기로 합의했다.

ⓒ 그 책은 읽을 만한 가치가 있었다.

ⓓ 그녀는 그 고양이를 사랑하지 않을 수 없었다.

ⓔ 늦어서 정말 미안해.

서술형 **1** have trouble+동명사: ~하는 데 어려움을 겪다

서술형 **2** feel like 뒤에 동명사를 써서 문장을 완성한다. 주어가 3인칭 단수이므로 동사를 feels로 쓴다.

해석 Sam은 오늘밤 외식하고 싶다.

서술형 **3** ⓐ keep+동명사: 계속 ~하다

ⓑ remember+동명사: ~했던 것을 기억하다

ⓒ look forward to+동명사: ~하는 것을 기대하다

해석 ⓐ 그 남자아이는 계속 질문했다.

ⓑ 나는 공원에서 그들을 봤던 것을 기억한다.

서술형 **4** (1) remember+to부정사: ~할 것을 기억하다

(2) stop+동명사: ~하는 것을 그만두다

서술형 5 '전화해야 할 것을 잊었다'는 「forget+to부정사」의 형태로, '공부하느라 바빴다'는 「be busy+동명사」의 형태로 나타낸다.

서술형 6 해석 ⓑ 운동을 하는 것은 너의 건강에 좋다.

서술형 7 (1) '우산을 가져올 것을 잊었다'는 의미가 되도록 forgot 뒤에 to부정사를 써서 문장을 완성한다.
(2) '파티에서 좋은 시간을 보냈던 것을 기억한다'는 의미가 되도록 remember 뒤에 동명사를 써서 문장을 완성한다.
해석 (1) 나는 우산을 가져오지 않았다. 나는 그 일을 잊었다.
(2) 나는 파티에서 즐거운 시간을 보냈다. 나는 그 일을 기억한다.

서술형 8 (1) spend+시간+동명사: ~하는 데 시간을 보내다
(2) be worth+동명사: ~할 만한 가치가 있다
해석 A 너는 어제 새로운 식당에 갔니?
B 응. 나는 자리를 기다리는 데 한 시간을 보냈어.
A 너무 오래 걸렸다.
B 그래도 기다릴 만한 가치가 있었어. 그 집 스파게티는 정말 좋았어.

[서술형 9~10] 해석 나는 내가 10살이었을 때 영어를 배우기 시작했다. 영어를 배우는 것은 나에게 쉽지 않지만, 나는 그것을 즐기고 있다. 나는 다른 나라 친구들을 사귀고 싶어서 매일 영어 말하기를 연습한다. 나는 또한 영어로 일기를 쓰려고 노력한다.

서술형 9 practice는 목적어로 동명사를 쓰는 동사이다.

서술형 10 try+to부정사: ~하려고 노력하다

제**1**회 **누적 TEST** pp.63~64

01 ② 02 ② 03 ③ 04 ③ 05 ⑤
06 ④ 07 ③ 08 ②, ⑤
09 (1) I have not had lunch yet.
　　(2) He has just finished doing the dishes.
10 is too young to go
11 (1) may not believe (2) must be sad
　　(3) don't have to go
12 to turn off
13 Have you ever been to Egypt?
14 ⓒ → traveling
15 (1) falling asleep (2) to wake up
　　(3) taking a nap

01 expect는 to부정사를 목적어로 쓰고, give up은 목적어로 동명사를 쓴다.
해석 · 나는 파티에서 Megan을 보는 것을 기대했다.

· 그는 그 버스를 기다리는 것을 포기했다.

02 |보기와 ②는 현재완료의 경험을 나타낸다. ①은 결과, ③과 ⑤는 계속, ④는 완료를 나타낸다.
해석 |보기 나는 인도에 가 본 적이 있다.
① Jack은 그의 사물함 열쇠를 잃어버렸다.
② 그는 그 영화를 두 번 본 적이 있다.
③ 나는 2015년 이후로 그를 알고 지냈다.
④ 그녀는 방금 몇 가지 안 좋은 소식을 들었다.
⑤ 우리는 오랫동안 서로를 만나지 못했다.

03 주어진 말을 배열하면 He is tall enough to pick the apple.이므로 네 번째로 오는 단어는 enough이다.

04 ③ 진실을 말해야 한다고 답한 후, '진실을 말할 필요가 없다'고 말하는 것은 어색하다.
해석 A 나는 부모님께 내 성적에 대해 거짓말을 했어. 나는 진실을 말해야 할까?
B 응, 그래야 해. _____
① 거짓말을 하는 것은 옳지 않아.
② 거짓말을 하는 것은 좋지 않아.
③ 너는 진실을 말할 필요가 없어.
④ 너는 부모님께 거짓말을 하면 안 돼.
⑤ 너는 곧 그분들께 진실을 말하는 게 좋겠어.

05 ⑤ 전치사의 목적어는 동명사 형태로 써야 하며 to부정사로 쓸 수 없다.
해석 ① 갑자기 비가 오기 시작했다.
② 그녀의 직업은 신발을 디자인하는 것이다.
③ 여기에서 수영하는 것은 위험하다.
④ 그는 저녁 식사 후에 독서를 계속했다.
⑤ 나는 새로운 언어를 배우는 것에 관심이 있다.

06 ④ had better는 그 자체가 기본 표현이므로 주어에 상관없이 그대로 쓰며, 부정형은 had better not이다.
해석 ① 너는 더 조심해야 한다.
② 그는 외국에서 공부했었다.
③ 나는 그 문제를 풀 수 있을 것이다.
⑤ 그 소식은 사실이 아닐지도 모른다.

07 ⓑ yesterday는 과거의 특정 시점을 나타내므로 현재완료와 함께 쓸 수 없다.
ⓒ never는 p.p. 앞에 쓴다.
ⓔ on Monday는 특정 시점이므로 현재완료와 함께 쓸 수 없다.
해석 ⓐ 그는 3년 동안 제주도에서 살아 왔다.
ⓓ 그녀는 전에 일본에 가 본 적이 있다.

08 '너무 ~해서 …할 수 없는'은 「too+형용사(busy)+to부정사」 또는 「so+형용사(busy)+that+주어+can't」로 나타낸다. 과거시제이므로 be동사는 was, that절의 동사는 couldn't로 쓴다.

09 (1) 「주어+have+not+p.p.」의 순으로 배열한다. yet은 주로 문장 끝에 쓴다.

(2) 「주어+has+p.p.」의 순으로 배열한다. just는 주로 have/has와 p.p.의 사이에 쓴다.

10 '그는 너무 어려서 유령의 집에 들어갈 수 없다'라는 의미가 되도록 「too+형용사(young)+to부정사」의 형태로 문장을 완성한다.

11 (1) may not+동사원형: ~가 아닐지도 모른다

(2) must+동사원형: ~가 틀림없다

(3) don't have to+동사원형: ~할 필요가 없다

해석 (1) 너는 그것을 믿지 않을지도 모르지만, 그것은 사실이다.

(2) 그녀는 그 소식을 듣고 슬픈 것이 틀림없다.

(3) 일요일이다. 우리는 학교에 갈 필요가 없다.

12 '컴퓨터를 끌 것을 잊지 마라'라는 의미가 되어야 하므로 forget의 목적어로 to부정사를 써야 한다.

해석 네가 숙제를 끝낼 때, 반드시 컴퓨터를 꺼라.

= 네가 숙제를 끝낼 때 컴퓨터를 끌 것을 잊지 마라.

[13~14] 해석 **A** 너는 이집트에 가 본 적이 있니?

B 아니, 없어. 하지만 언젠가는 그곳에 가고 싶어. 너는?

A 나는 그곳에 두 번 가 봤어.

B 좋겠다.

A 나는 여행하는 것을 즐겨. 나는 이번 여름에 브라질에 가는 것을 계획하고 있어.

13 '~에 가 본 적이 있다'는 의미의 have been to를 의문문으로 써야 하므로 「Have+주어+ever+been to ~?」로 나타낸다.

14 enjoy는 동명사를 목적어로 쓰는 동사이다.

15 (1) have trouble+동명사: ~하는 데 어려움을 겪다

(2) need는 to부정사를 목적어로 쓰는 동사이다.

(3) avoid는 동명사를 목적어로 쓰는 동사이다.

해석 **Q** 저는 밤에 잠드는 데 어려움을 겪어요. 제가 어떻게 해야 할까요?

댓글 └ 당신은 매일 같은 시간에 일어날 필요가 있어요.

└ 오후나 저녁에 낮잠 자는 것을 피하세요.

CHAPTER 05 분사와 분사구문

Unit 1 현재분사와 과거분사

✔ 바로 개념 확인하기   p.67

A 1 구워진 빵   2 자라고 있는 아이   3 닫힌 문

B 1 a running boy

2 a stolen bike

3 the letter written in English

4 the children playing in the yard

C 1 bored   2 amazing   3 exciting

서술형 기본 유형 익히기   pp.67~68

1 ate two boiled eggs   **2** was very touching

3 entered the burning house

4 The girl smiling at you   **5** Are you satisfied

6 The boy lying on the sofa is

7 frozen lake, falling snow

8 a lot of people riding bikes

9 was boring and disappointing

10 They were shocked

11 the door painted blue

12 The man sitting on the bench

13 frying → fried   **14** fallen → falling

15 exciting → excited

Unit 2 분사구문

✔ 바로 개념 확인하기   p.70

A 1 Drinking milk   2 Knowing the answer

3 Hearing the alarm

B 1 노래를 부르면서   2 바쁘기 때문에

3 길을 걷다가

C 1 arrived late, Arriving late

2 watched TV, Watching TV

1 Getting up late
2 Seeing me on the street
3 Not feeling tired
4 Listening to the radio
5 Before going out
6 Hearing the news
7 Making a mistake
8 Staying in Florida
9 Not wanting to be late
10 Not bringing my umbrella
11 Before going to bed
12 While playing the piano
13 Feeling not → Not feeling
14 Enjoyed → (While) Enjoying
15 She being → Being

기출에서 뽑은 난이도별 서술형 문제   pp. 72~73

01 (1) broken (2) playing
02 (1) interested → interesting
　　(2) disappointing → disappointed
03 dancing on the stage
04 the man riding a bike
05 (1) Opening the window
　　(2) Not knowing what to do
06 (1) bored (2) touching
07 (1) The smiling baby is my cousin.
　　(2) The boy smiling in the picture is Jake.
08 amazed → amazing, baking → baked
09 (1) I received an interesting letter.
　　(2) I received a letter written in English.
10 Feeling so hungry, I ate a whole pizza.

함정이 있는 문제

01 shocked
02 boring
03 Left → Leaving

01 (1) '고장 난'은 수동, 완료의 의미이므로 과거분사로 쓴다.
　　(2) '테니스를 치고 있는'은 능동, 진행의 의미이므로 현재분사로 쓴다.
02 (1) facts가 흥미로운 감정을 일으킨 것이므로 현재분사를 써야 한다.
　　(2) 주어 I가 실망스러운 감정을 느낀 것이므로 과거분사를 써야 한다.
03 '무대 위에서 춤을 추고 있는'은 능동, 진행의 의미이므로

현재분사를 써야 한다. dancing on the stage가 The woman을 수식하도록 문장을 완성한다.
04 능동, 진행을 나타내는 현재분사구 riding a bike가 the man을 수식하도록 단어를 배열한다.
　　해석 A 자전거를 타고 있는 남자는 누구니?
　　B 나의 삼촌이야.
05 부사절을 분사구문으로 만들 때, 접속사를 생략한 후, 부사절과 주절의 주어가 같으면 부사절의 주어를 생략하고, 부사절의 동사를 현재분사 형태로 쓴다. (2)는 부사절에 부정어 (not)가 있으므로 not을 현재분사 앞에 쓴다.
　　해석 (1) 그가 창문을 열었을 때, 그는 무지개를 보았다.
　　(2) 그녀는 무엇을 해야 할지 몰랐기 때문에 그의 조언을 구했다.
06 (1) 주어 Jenny가 지루한 감정을 느낀 것이므로 bore(지루하게 하다)의 과거분사형 bored가 알맞다. (2) 주어 The movie가 감동을 준 것이므로 touch(감동을 주다)의 현재분사형 touching이 알맞다.
　　해석 (1) Jenny는 집에 머무는 것이 지루하다. 그녀는 밖에 나가서 놀고 싶다.
　　(2) 그 영화는 나를 울게 만들었다. 그것은 감동적이었다.
07 (1) smiling처럼 분사가 단독으로 명사를 수식할 경우 분사는 주로 명사의 앞에 쓴다.
　　(2) smiling에 부사구 in the picture가 함께 쓰인 경우이므로 smiling in the picture를 the boy의 뒤에 쓴다.
08 주어 It(= The steak)이 놀라운 감정을 일으킨 것이므로 amazing으로 써야 한다. / '구운'은 수동, 완료의 의미이므로 과거분사 baked로 써야 한다.
　　해석 A 스테이크 어땠어?
　　B 아주 좋았어. 그것은 놀라웠어.
　　A 응, 그리고 구운 감자도 맛있었어.
09 (1) a letter가 흥미로운 감정을 일으킨 것이므로 명사 letter 앞에 현재분사 interesting을 쓴다. interesting이 모음으로 시작하므로 앞에 an을 써야 한다.
　　(2) '영어로 쓰인'은 수동, 완료의 의미이므로 과거분사 written을 사용하며, 뒤에 in English가 있으므로 written in English를 a letter의 뒤에 쓴다.
10 부사절과 주절의 주어(I)와 시제(과거시제)가 일치하므로, 분사구문의 접속사와 주어를 생략할 수 있다. 동사 feel을 현재분사 feeling으로 바꿔 분사구문을 만들고, 주절의 동사 eat은 과거시제로 쓴다.

함정이 있는 문제

02 해석 그는 지루하게 만드는 사람이다. 그의 농담은 전혀 재미있지 않다.
03 해석 그가 일찍 떠났기 때문에 그는 제시간에 도착했다.

01 ②   02 ③   03 ①, ③   04 ②   05 ④
06 ③   07 ③   08 ④   09 ③, ④   10 ③

서술형 1 (1) frozen (2) rising (3) fried
서술형 2 (1) washing (2) called
서술형 3 (1) making → made (2) looked → looking
서술형 4 The main language spoken in Mexico is
       Spanish.
서술형 5 (1) interested (2) interesting
서술형 6 (1) Seeing me (2) Feeling tired
서술형 7 (1) While she watched TV
       (2) After he parked his car
       (3) Because I was very busy
서술형 8 Not having breakfast, we felt so hungry.
서술형 9 satisfied → satisfying
서술형 10 Listening to music, she is reading a book.
       또는 Reading a book, she is listening to
       music.

01 주어 you가 실망감을 느끼는 것이므로 '실망한'이라는 의미
의 과거분사 disappointed가 알맞다.
   해석 A 너 슬퍼 보여. 왜 그래?
   B John이 바빠서 내 파티에 못 와.
   A 오, 너는 실망한 것이 틀림없네.

02 '내일 대회가 있기 때문에 그녀는 피아노를 연습하고 있다.'
는 의미이므로 이유를 나타내는 접속사 Because가 알맞다.

03 l보기, ①, ③은 '~하는'을 의미하는 현재분사이고, ②, ④
⑤는 '~하는 것'을 의미하는 동명사이다.
   해석 l보기 그녀는 떨어지고 있는 잎들을 보고 있다.
   ① 그 뮤지컬은 지루했다.
   ② 나의 아버지는 낚시하는 것을 즐기신다.
   ③ 그 자고 있는 아기는 누구니?
   ④ 규칙적으로 운동하는 것은 중요하다.
   ⑤ 나의 취미는 보드게임을 하는 것이다.

04 ② '카트를 밀면서'라는 의미가 되어야 하므로 Push the
cart를 부사절 While he pushed the cart 또는 분사구문
(While) Pushing the cart로 써야 한다.
   해석 ① 나는 그 소식에 충격을 받았다.
   ③ 나는 영어로 쓰인 엽서를 받았다.
   ④ 창문 옆에 서 있는 여자아이는 귀엽다.
   ⑤ 통화하면서 그녀는 버스에 탔다.

05 부정어가 있는 부사절을 분사구문으로 바꿀 때, 분사 앞에
not(never)을 쓴다.
   해석 나는 진실을 모르기 때문에 그것에 관해 말할 수 없다.

06 주어 It(= the roller coaster)이 신나는 감정을 일으키는
것이므로 첫 번째 빈칸에는 현재분사 exciting이 알맞다.
두 번째 빈칸에는 '줄을 기다리고 있는 사람들'이라는 능동,
진행의 의미가 되어야 하므로 현재분사 waiting이 알맞다.
   해석 A 우리 롤러코스터 타자. 그것은 신나!
   B 좋아, 그런데 줄을 기다리고 있는 사람들이 많이 있어.
   A 오, 우리는 나중에 시도해야겠다.

07 ⓐ Live alone을 부사절 Because(As, Since) she lives
alone 또는 분사구문 Living alone으로 써야 한다.
   ⓔ '나의 마을을 방문하는'은 능동, 진행의 의미이므로 현재
분사 visiting으로 써야 한다.
   해석 ⓑ 나는 그의 친절한 말에 감동했다.
   ⓒ 하늘에 날고 있는 새들을 봐.
   ⓓ 책을 읽는 동안, 나는 메모를 좀 했다.

08 ④ 주어 Mia가 흥미로운 감정을 느끼는 것이므로 과거분사
interested가 알맞다. 나머지는 모두 현재분사 interesting
이 알맞다.
   해석 ① 자전거를 타는 것은 흥미롭다.
   ② 그녀의 새로운 아이디어는 흥미로웠다.
   ③ 그는 흥미로운 게임을 하고 있다.
   ④ Mia는 소설을 쓰는 것에 관심이 있다.
   ⑤ 우리는 너를 위한 흥미로운 소식이 있다.

09 접속사를 생략한 후, 부사절과 주절의 주어가 같으므로 부
사절의 주어 he를 생략하고, 동사 finished가 주절의 시제
와 같으므로 동사원형에 -ing를 붙여 finishing으로 쓴다.
접속사 After는 생략할 수도 있고, 의미를 명확히 하기 위해
분사 앞에 남겨둘 수도 있다.
   해석 일을 끝낸 후, 그는 저녁 식사를 했다.

10 l보기, ⓑ, ⓓ의 밑줄 친 부분은 이유를 나타내는 분사구문
이므로 접속사 Because(As, Since)가 생략되었다고 볼 수
있다. ⓐ와 ⓔ에는 접속사 While이, ⓒ에는 접속사 When
이 생략되었다고 볼 수 있다.
   해석 l보기 아파서 나는 하루 종일 침대에 누워 있었다.
   ⓐ 밝게 웃으며 그가 나에게 다가왔다.
   ⓑ 배고프지 않아서 나는 저녁 식사를 하지 않았다.
   ⓒ 상자를 열었을 때, 그녀는 그 안에 반지를 발견했다.
   ⓓ 늦게 도착해서 그는 학교 버스를 놓쳤다.
   ⓔ 음량을 낮추면서 그녀는 전화를 받았다.

서술형 1 (1) '냉동 과일(냉동된 과일)'은 수동, 완료의 의미이므
로 과거분사 frozen이 알맞다.
   (2) '떠오르는 태양'은 능동, 진행의 의미이므로 현재분사
rising이 알맞다.
   (3) '볶음밥(볶아진 밥)'은 수동, 완료의 의미이므로 과거분사
fried가 알맞다.

서술형 2 (1) '세차를 하고 있는'은 능동, 진행의 의미이므로 현

재분사 washing이 알맞다.

(2) 'Lucy라고 불리는'은 수동, 완료의 의미이므로 과거분사 called가 알맞다.

해석 A 세차를 <u>하고 있는</u> 여자는 누구니?

B Lucy라고 <u>불리는</u> 내 이웃이야.

서술형 3 (1) '이탈리아에서 만들어진 가방'이라는 말이 되어야 하므로 수동, 완료의 의미인 과거분사 made로 고쳐야 한다.

(2) '창밖을 보고 있는 여자아이'라는 말이 되어야 하므로 능동, 진행의 의미인 현재분사 looking으로 고쳐야 한다.

서술형 4 분사가 다른 어구와 함께 쓰일 때는 명사의 뒤에 쓰므로, 문장의 주어 The main language 뒤에 spoken in Mexico가 오도록 배열한다.

서술형 5 주어 Somin이 과학에 흥미로운 감정을 느끼는 것이므로 첫 번째 빈칸에는 과거분사 interested가 알맞고, 아이디어가 흥미로운 감정을 일으키는 것이므로 두 번째 빈칸에는 현재분사 interesting이 알맞다.

서술형 6 접속사를 생략한 후, 부사절과 주절의 주어가 같으므로 부사절의 주어를 생략하고, 부사절의 시제가 주절의 시제와 같으므로 동사원형에 -ing를 붙인다.

해석 (1) 그가 나를 봤을 때, 그는 재빨리 도망쳤다.

(2) 나는 피곤했기 때문에 일찍 잠자리에 들었다.

서술형 7 (1) 'TV를 보면서'라는 의미이므로 접속사 while을 사용한다.

(2) '자동차를 주차하고 나서'라는 의미이므로 접속사 after를 사용한다.

(3) '매우 바빴기 때문에'라는 의미이므로 접속사 because를 사용한다.

해석 (1) 그녀는 TV를 보면서 많이 웃었다.

(2) 그는 자동차를 주차하고 나서 그 건물로 뛰어 들어갔다.

(3) 나는 매우 바빴기 때문에 문자 메시지를 확인할 수 없었다.

[서술형 8~9] **해석** 나는 지난주에 가족들과 여수로 여행을 갔다. 우리는 아침 일찍 떠났고, 그곳에 점심시간 후에 도착했다. 아침을 안 먹었기 때문에 우리는 너무 배고팠다. 우리는 유명한 식당에 가서 몇몇 요리를 주문했다. 모든 요리가 만족스러웠다.

서술형 8 분사구문의 부정은 분사 앞에 not을 써서 나타낸다. 문장의 시제가 과거이므로 주절의 동사 feel은 과거형으로 쓴다.

서술형 9 주어 All of the dishes가 만족스러운 감정을 일으킨 것이므로 현재분사 satisfying으로 써야 한다.

서술형 10 '음악을 들으면서 그녀는 책을 읽고 있다.' 또는 '책을 읽으면서 그녀는 음악을 듣고 있다.'의 의미가 되도록 분사구문을 사용하고, 주절의 동사는 현재진행형으로 쓴다.

CHAPTER 06 수동태

Unit 1 수동태의 의미와 형태

✔ 바로 개념 확인하기 p.79

A 1 is cleaned   2 is wasted
   3 are enjoyed   4 teaches

B 1 ③   2 ②   3 ①   4 ①

C 1 is used by   2 is read by

서술형 기본 유형 익히기 pp.79~80

1 is watched by many people
2 are loved by children
3 Are the chairs designed by
4 Milk is not delivered
5 Lots of videos are uploaded
6 The breakfast is cooked by
7 The breakfast is not cooked by
8 Is the breakfast cooked by
9 The idea is liked by   10 The idea is not liked by
11 Is the idea liked by   12 wear → worn
13 are used not → are not used
14 does → is
15 is spoken in many countries
16 Why is the director admired by

Unit 2 주의해야 할 수동태

✔ 바로 개념 확인하기 p.82

A 1 was baked   2 will be sent
   3 was repaired   4 will be released

B 1 in   2 with   3 with   4 about

C 1 was run over
   2 were taken care of
   3 is looked up to

1 The bridge was built
2 The songs will be sung
3 was taken care of by his uncle
4 The Olympics are held
5 is filled with smoke
6 The thief was caught by
7 The thief will be caught by
8 The pictures were displayed
9 The pictures will be displayed
10 will published → will be published
11 by → in
12 of her → of by her
13 will be satisfied with
14 He was pleased with
15 A dog was run over by

기출에서 뽑은 **난이도별 서술형 문제**   pp.84~85

01 (1) is taught (2) will be held (3) was written
02 (1) The room will be decorated by her.
　　(2) My face was scratched by the cat.
03 (1) The machine was not repaired by him.
　　(2) Were the boys rescued by the volunteers?
04 (1) in (2) with (3) at
05 (1) will be painted (2) will be watered
06 (1) I was disappointed with(at)
　　(2) They were satisfied with
07 (1) Were, taken (2) When was, taken
08 (1) Eric baked some cupcakes.
　　(2) Some cupcakes were baked by Eric.
09 (1) was made in China
　　(2) will be made in China
　　(3) will not(won't) be made in China
10 (1) Dr. Brown is looked up to by everyone.
　　(2) My puppy was run over by a bike.

함정이 있는 문제

01 is read by
02 Were the apple trees planted by your father?
03 were taken care of by

---

01 (1) 주어가 3인칭 단수인 현재시제 수동태는 「is+p.p.」의 형
　　태로 쓴다.
　　(2) 미래시제 수동태는 「will be+p.p.」의 형태로 쓴다.
　　(3) 주어가 3인칭 단수인 과거시제 수동태는 「was+p.p.」의
　　형태로 쓴다.
02 능동태의 목적어는 수동태의 주어로 쓰고, 동사는 「be동사
　　+p.p.」의 형태로 바꾼다. 능동태의 주어는 「by+목적격」의
　　형태로 문장 뒤로 보낸다.
　　해석 (1) 그녀는 그 방을 장식할 것이다.
　　→ 그 방은 그녀에 의해 장식될 것이다.
　　(2) 그 고양이가 내 얼굴을 할퀴었다.
　　→ 내 얼굴은 그 고양이에 의해 할퀴어졌다.
03 (1) 「be동사+not+p.p.」의 순으로 배열한다.
　　(2) 「Be동사+주어+p.p. ~?」의 순으로 배열한다.
04 (1) be interested in: ~에 관심이 있다
　　(2) be filled with: ~로 가득 차다
　　(3) be surprised at: ~에 놀라다
　　해석 (1) Linda는 미술에 관심이 있다.
　　(2) 그의 사무실은 많은 책들로 가득 차 있다.
　　(3) 나는 그녀의 결정에 놀랐다.
05 각각 '벽은 엄마에 의해 페인트칠 될 것이다', '식물들은 나
　　에 의해 물이 주어질 것이다'의 의미가 되도록 미래시제 수
　　동태로 문장을 완성한다.
06 (1) be disappointed with(at): ~에 실망하다
　　(2) be satisfied with: ~에 만족하다
07 「(의문사+)Be동사+주어+p.p. ~?」의 형태로 쓰며, be동사
　　는 주어의 수에 일치시킨다.
08 (1) 'Eric은 컵케이크 몇 개를 구웠다'라는 의미의 능동태 문
　　장을 쓴다.
　　(2) '컵케이크 몇 개가 Eric에 의해 구워졌다'라는 의미의
　　수동태 문장을 쓴다. 과거시제 수동태이므로 동사는 「were
　　+p.p.」의 형태로 쓴다.
09 (1) 주어가 3인칭 단수인 과거시제 수동태는 「was+p.p.」의
　　형태로 쓴다.
　　(2) 미래시제 수동태는 「will be+p.p.」의 형태로 쓴다.
　　(3) 미래시제 수동태의 부정문은 「will not(won't) be+
　　p.p.」로 쓴다.
10 (1) 동사구 look up to(존경하다)가 수동태로 쓰인 문장으
　　로, everyone 앞에 전치사 by를 써야 한다.
　　(2) run over(치다)와 같은 동사구는 수동태로 쓸 때 하나의
　　단어처럼 취급하므로 by 앞에 over를 빠뜨리면 안 된다.

함정이 있는 문제

02 해석 그 사과나무들은 네 아버지에 의해 심어졌니?

01 ⑤ 02 ⑤ 03 ④ 04 ④ 05 ④
06 ④ 07 ② 08 ② 09 ③ 10 ③

서술형 1 (1) The car is washed by my father
　　　 (2) The festival will be held
서술형 2 (1) designed (2) was designed by
서술형 3 When was the book published
서술형 4 (1) Smartphones are used every day.
　　　 (2) America was discovered by Columbus.
서술형 5 (1) was run over by
　　　 (2) were looked after by
　　　 (3) was looked up to by
서술형 6 (1) is closed (2) are cleaned (3) is served
서술형 7 규빈, [모범답안] '~에 관심이 있다'는 be
　　　 interested in으로 쓰므로 by를 in으로 고쳐야 합
　　　 니다.
서술형 8 (1) Hangeul was created by King Sejong.
　　　 (2) Mona Lisa was painted by Leonardo da
　　　　 Vinci.
서술형 9 ⓓ → visited
서술형 10 our Halloween bags were filled with
　　　 candy

01 주어 My brother가 '물린' 것이므로 수동태 문장이 되어야
　 한다. 수동태 문장의 동사는 「be동사+p.p.」의 형태로 쓰며,
　 a dog 앞에 by를 쓴다.

02 주어 The new president는 '선출되는' 것이므로 수동
　 태 문장이 되어야 한다. 미래의 일이므로 미래시제 수동태
　 「will be+p.p.」의 형태로 쓴다.

03 대화의 내용으로 보아 A의 말은 의문사가 있는 수동태의 의
　 문문, B의 말은 과거시제 수동태가 되어야 한다. 따라서 첫
　 번째 빈칸에는 make의 p.p.형인 made, 두 번째 빈칸에는
　 was made가 알맞다.
　 해석 A 이 자동차는 어디에서 만들어졌니?
　 B 그것은 독일에서 만들어졌어.

04 주어진 말을 배열하면 Rome was not built in a day.이므
　 로 네 번째로 오는 단어는 built이다.

05 주어 I가 파티에 '초대받지' 못한 것이므로 수동태 문장이 되
　 어야 한다. 수동태 부정문은 「be동사+not+p.p.」의 형태로
　 쓰며, 과거시제이므로 be동사는 was로 써야 한다.

06 ④ 수동태 문장의 동사는 「be동사+p.p.」의 형태로 쓴다.
　 (found → was found) ⑤는 People이 일반 사람들을 나
　 타내므로 문장 뒤에 by people을 생략한 경우이다.
　 해석 ① 그 시장은 편지를 쓸 것이다.

　 → 편지는 그 시장에 의해 쓰일 것이다.
② 경찰이 그 자동차를 세웠다.
　 → 그 자동차는 경찰에 의해 세워졌다.
③ 나의 어머니가 이 원피스를 디자인했다.
　 → 이 원피스는 나의 어머니에 의해 디자인되었다.
⑤ 사람들은 매일 너무 많은 물을 낭비한다.
　 → 매일 너무 많은 물이 낭비된다.

07 ② 동사구를 수동태로 만들 때 하나의 단어처럼 취급해야 한
　 다. (→ was made fun of)
　 해석 ① 여우가 트럭에 치였다.
③ 그는 그의 학생들에 의해 존경받는다.
④ 그녀는 그녀의 고모에 의해 돌봐질 것이다.
⑤ 그 개는 그들에 의해 돌봐질 것이다.

08 ② read의 p.p.형은 read이다. (→ are read by)
　 해석 ① 그 미술관은 1950년에 지어졌다.
③ Harry는 이상한 편지를 받았다.
④ Sally는 영화를 만드는 것에 관심이 있다.
⑤ 바퀴는 언제 발명되었니?

09 ⓐ be filled with: ~로 가득 차다
　 ⓑ be satisfied with: ~에 만족하다
　 ⓒ be surprised at: ~에 놀라다
　 ⓓ be worried about: ~을 걱정하다
　 ⓔ be pleased with: ~에 기뻐하다
　 해석 ⓐ 그 병은 물로 가득 차 있다.
ⓑ 그녀는 새로운 헤어스타일에 만족했다.
ⓒ 우리는 그의 공연에 놀랐다.
ⓓ 나는 내일 나의 면접이 걱정된다.
ⓔ 그들은 딸의 시험 결과에 기뻐했다.

10 (A) '꽃병이 깨져 있었다'는 의미의 수동태 문장이므로 과거
　 분사 broken이 알맞다.
　 (B) 그가 발자국을 발견한 것이므로 능동태가 알맞다.
　 (C) 고양이가 침대 밑에 숨어 있었던 것이므로 과거진행형인
　 능동태가 알맞다.
　 해석 Oliver가 집에 도착했을 때, 그는 놀랐다. 꽃병은 깨져
　 있고 카펫은 젖어 있었다. 그때, 그는 바닥에 몇몇 발자국을
　 발견했다. 그 발자국들은 그의 고양이의 것이었다. 그의 고
　 양이는 침대 아래에 숨어 있었다.

서술형 1 (1) 「주어+be동사+p.p.+by+목적격(행위자)」의 순
　 으로 배열한다.
　 (2) 「주어+will be+p.p.」의 순으로 배열한다.

서술형 2 (1) 주어 My uncle이 건물을 디자인한 주체이므로 과
　 거시제 능동태로 쓴다.
　 (2) 주어 It(= the building)은 디자인된 것이므로 과거시제
　 수동태로 쓴다. 행위자인 my uncle 앞에는 by를 쓴다.
　 해석 질문: 누가 이 건물을 디자인했니?

(1) 나의 삼촌이 그것을 디자인하셨어.

(2) 그것은 나의 삼촌에 의해 디자인되었어.

서술형 3 '그것은 2006년에 출판되었다'라고 답했으므로, 질문에는 책이 언제 출판되었는지 묻는 말이 와야 한다. 「의문사(When)+be동사(was)+주어+p.p. ~?」의 형태로 쓴다.

해석 A 그 책은 언제 출판되었니?

B 그것은 2006년에 출판되었어.

서술형 4 (1) smartphones를 수동태의 주어로 쓰고, 동사는 「be동사+p.p.」의 형태로 쓴다. People은 일반 사람들을 나타내므로 by people은 생략한다.

(2) America를 수동태의 주어로 쓰고, 과거시제이므로 동사는 「was+p.p.」의 형태로 쓴다. Columbus는 by와 함께 써서 문장 뒤로 보낸다.

해석 (1) 사람들은 매일 스마트폰을 사용한다.

→ 스마트폰은 매일 사용된다.

(2) Columbus는 미국을 발견했다.

→ 미국은 Columbus에 의해 발견되었다.

서술형 5 동사구는 수동태로 쓸 때 하나의 단어처럼 취급하므로 동사구의 전치사를 빠뜨리지 않아야 한다. 또한 a bicycle, their grandparents, many girls가 각각 동작의 주체(행위자)이므로 동사구의 수동태 뒤에 전치사 by를 써야 한다.

해석 (1) 한 어린 남자아이가 자전거에 치였다.

(2) 그 아이들은 그들의 조부모님에 의해 돌봐졌다.

(3) 그녀는 롤 모델로서 많은 여자아이들에 의해 존경받았다.

서술형 6 각각 '수영장은 폐쇄된다', '모든 객실은 청소된다', '아침 식사는 제공된다'는 의미의 수동태 문장이므로 「be동사+p.p.」 형태로 문장을 완성한다.

해석 공지 사항

· 수영장은 겨울 동안 폐쇄됩니다.

· 모든 객실은 매일 청소됩니다.

· 아침 식사는 오전 7시와 9시 사이에 제공됩니다.

서술형 8 한글은 세종대왕에 의해 창제된 것이고 모나리자는 레오나르도 다빈치에 의해 그려진 것이므로 각각 「주어+was+p.p.+by ~」 형태의 수동태 문장을 쓴다.

[서술형 9~10] 해석 작년 핼러윈에 나의 남동생과 나는 핼러윈 의상을 입고 밖에 나갔다. 많은 사람들이 핼러윈을 기념하고 있었다. 우리는 사탕을 얻기 위해 거의 모든 집을 방문했다. 하루가 끝날 무렵에 우리의 핼러윈 가방은 사탕으로 가득 차 있었다.

서술형 9 주어 We가 방문한 것이므로 능동태로 써야 한다.

서술형 10 '~로 가득 차 있다'는 be filled with로 쓴다. 주어가 복수 명사이고 문장의 시제가 과거이므로 be동사는 were로 쓴다.

CHAPTER **07** 대명사

Unit 1 one, another, the other

✔ 바로 개념 확인하기   p.91

A   1 one   2 it   3 ones

B   1 One is   2 Some are

C   1 the other   2 another   3 the others

서술형 기본 유형 익히기   pp.91~92

1 don't have a backpack, have one

2 bought a cap, bought one

3 reading the book, return it

4 Some are Korean, others are Chinese

5 and the other is 10 years old

6 One, the other   7 Some, the others

8 Some, others   9 ones → one

10 other → the other   11 another → the other

12 poor kittens, help them   13 a cake, bake one

Unit 2 each, every, both, all, 재귀대명사

✔ 바로 개념 확인하기   p.94

A   1 each cookie   2 every house here

    3 all the boys

B   1 Each   2 All   3 was   4 are

C   1 yourself   2 himself   3 herself

서술형 기본 유형 익히기   pp.94~95

1 Each of the boys plays

2 Every kid wants something

3 All the information is

4 Both girls are good at   5 I hurt myself

6 All (of) the stores are closed
7 Mr. Brown talked about himself
8 Every student in this school wears
9 enjoyed herself   10 talks to himself
11 Help yourself
12 students → student
    또는 Every students has → All students have
13 goes → go   14 wants → want

기출에서 뽑은 난이도별 서술형 문제   pp.96~97

01 (1) one (2) it (3) ones
02 (1) One, the other (2) One, another, the other
03 others → the others
04 (1) Each (2) All (3) Both
05 (1) He, himself (2) She, herself
06 ones
07 All the shirts in his closet are white.
08 (1) He introduced himself to his classmates.
    (2) We enjoyed ourselves at the festival.
09 (1) One is, the other is
    (2) Some bought, the others bought
10 ⓐ have → has

함정이 있는 문제

01 Some, others
02 (1) student has a pet
    (2) (of the) students have a pet
03 her → herself

01 (1) 앞에 언급한 a cap 같은 종류의 아무 모자를 가리키는 one이 알맞다.
    (2) 앞에 언급한 a bag을 가리키는 it이 알맞다.
    (3) 앞에 언급한 his gloves와 같은 종류의 아무 장갑을 가리키는 ones가 알맞다.
    해석 (1) 나는 모자가 없다. 나는 하나 사고 싶다.
    (2) 나의 여동생은 가방을 샀다. 그녀는 나에게 그것을 줬다.
    (3) 그는 그의 장갑을 잃어버렸다. 그는 새것을 사야 한다.
02 (1) 두 대상을 하나씩 언급할 때 one과 the other를 쓴다.
    (2) 세 개의 대상을 하나씩 언급할 때 one, another, the other의 순으로 쓴다.
    해석 (1) 나는 남동생이 두 명 있다. 한 명은 10살이고, 나머

지 한 명은 5살이다.
    (2) 아이스크림 세 가지 맛이 있다. 한 개는 바닐라 맛이고, 또 다른 한 개는 초콜릿 맛이고, 나머지 한 개는 딸기 맛이다.
03 일본어를 수강하는 학생들을 제외한 나머지 전부는 중국어를 수강하므로 the others로 써야 한다.
    해석 학급에 학생 20명이 있다. 몇 명은 일본어 수업을 듣고, 나머지 전부는 중국어 수업을 듣는다.
04 (1) each: 각각(의) (2) all: 모든 (3) both: 둘 다(의)
05 주어와 목적어가 같을 때 목적어로 재귀대명사를 쓴다.
06 빈칸에는 rain boots와 같은 종류의 아무 장화를 가리키는 말이 들어가야 한다. rain boots는 복수 명사이므로 ones로 쓴다.
    해석 A 나는 장화가 필요해. 너는 가지고 있니?
    B 응. 나는 빨간 거랑 파란 거 있어.
    A 내가 빨간 걸 빌려도 될까?
    B 물론이지.
07 '모든'은 every 또는 all로 쓸 수 있지만, the shirts가 복수 명사이므로 All로 문장을 시작한다. All 뒤에 복수 명사가 오면 복수 취급하므로, be동사는 are로 쓴다.
08 (1) introduce oneself: 자기소개를 하다
    (2) enjoy oneself: 즐거운 시간을 보내다
09 (1) 두 대상을 하나씩 언급할 때 one과 the other를 쓴다. 문장에 동사가 없으므로 be동사 is를 추가하여 쓴다.
    (2) 일부와 나머지 전부를 언급할 때는 some과 the others를 쓴다. 문장에 동사가 없으므로 '샀다'라는 의미의 bought를 추가하여 쓴다.
10 「each of+복수 명사」 뒤에는 단수 동사를 쓴다.

함정이 있는 문제

01 해석 어떤 사람들은 야구를 좋아하고, 어떤 사람들은 축구를 좋아한다.

시험에 강해지는 실전 TEST   pp.98~100

01 ③   02 ③   03 ①, ⑤   04 ③   05 ④
06 ③   07 ②, ③   08 ⑤   09 ③   10 ③
서술형 1 (1) one (2) it
서술형 2 (1) All shoes are on sale.
    (2) I cleaned the house by myself.
서술형 3 (1) Both students were
    (2) passenger has to fasten
서술형 4 student in my class likes playing soccer
서술형 5 (1) me → myself (2) one → ones

서술형 **6** One is math, another is science, the other is English

서술형 **7** is looking at herself in the mirror

서술형 **8** One was a shirt, the other was a skirt

서술형 **9** ⓑ → it

서술형 **10** (1) like reading(to read) books

(2) are good at swimming

---

01 더 짧은 바지가 있는지 묻는 말이므로, 앞에 언급한 복수 명사 pants를 대신하는 대명사 ones가 알맞다.

[해석] **A** 이 바지는 저에게 너무 길어요. 더 짧은 것 있나요?
B 물론입니다. 잠시만 기다려 주세요.

02 All 뒤에는 복수 명사와 셀 수 없는 명사가 모두 올 수 있다.

[해석] • 그들 모두는 각자의 방이 있다.
• 모든 음식은 Anna에 의해 요리되었다.

03 세 개의 대상을 하나씩 언급할 때 one, another, the other의 순으로 쓴다.

[해석] Jessica는 고양이가 세 마리 있다. 한 마리는 흰색이고, 또 다른 한 마리는 회색이고, 나머지 한 마리는 검은색이다.

04 ③ 주어와 목적어가 같은 대상일 때 목적어로 재귀대명사를 사용하는데, 목적어는 문장에 꼭 필요한 성분이므로 생략할 수 없다. ①, ②, ⑤는 주어를, ④는 목적어를 강조하는 재귀대명사이며 강조 용법으로 쓰인 재귀대명사는 생략할 수 있다.

[해석] ① 그가 직접 그의 정원을 만들었다.
② 그녀가 직접 집을 청소했다.
③ 나는 요리하는 동안 베였다.
④ 너는 그 시장을 만났니?
⑤ 그 아이들이 직접 이 쿠키들을 만들었다.

05 ④ 여기 요리들을 마음껏 드세요. (help oneself (to): (~을) 마음껏 먹다)

06 (A) 앞에 언급한 my phone을 가리키므로 it이 알맞다.
(B) A가 언급한 전화기(my phone)와 같은 종류의 불특정한 전화기를 가리키므로 one이 알맞다.
(C) 앞에 언급한 a phone in the classroom을 가리키므로 it이 알맞다.

[해석] **A** 넌 내 전화기를 봤니? 난 내 전화기를 찾을 수 없어.
B 나는 교실에서 전화기 하나를 봤는데, 그 전화기가 네 것인지 모르겠어.

07 each와 every는 뒤에 「단수 명사+단수 동사」가 온다. (② boys → boy, ③ are → is)

[해석] ① 두 남자아이 다 키가 크다.
② 모든 남자아이는 머리카락이 짧다.
③ 각 남자아이는 안경을 끼고 있다.
④ 그 남자아이들 모두가 학교에 가고 있다.
⑤ 내 나이의 모든 남자아이는 그 배우를 알고 있다.

08 ⓔ all 뒤에 복수 명사(the things)가 왔으므로 복수 동사를 써야 한다. (→ are)

[해석] 많은 학생들이 축제를 즐기고 있다. 어떤 학생들은 초록색 모자를 쓰고 있고, 어떤 학생들은 초록색 셔츠를 입고 있다. 모든 학생은 초록색 풍선을 들고 있다. 축제의 모든 것은 초록색이다!

09 ⓒ 장미를 제외한 나머지 전부가 튤립이므로 the others로 써야 한다. others를 쓸 경우, 장미와 튤립 외에 다른 종류의 꽃이 있어야 한다.

[해석] 꽃병에 꽃 몇 송이가 있다. 몇 송이는 장미이고, 나머지 전부는 튤립이다. 그것들 각각은 아름답다.

10 ⓐ 주어 The girls를 강조하는 재귀대명사이므로 themselves로 써야 한다.
ⓓ 목적어로 쓰인 재귀대명사가 주어와 같은 대상을 가리키므로 himself로 써야 한다.

[해석] ⓑ 그는 그 자신에게 편지를 썼다.
ⓒ 그녀는 춤 수업에서 다쳤다.

서술형 **1** (A) 앞에 언급한 a pen과 같은 종류의 아무 펜을 가리키므로 one이 알맞다.
(B) 앞에 언급한 my pen을 가리키므로 it이 알맞다.

[해석] • **A** 나에게 펜을 빌려줄 수 있니?
B 미안하지만, 나는 가지고 있지 않아.
• **A** 내 펜이 어디에 있는지 아니?
B 너는 탁자 위에 그것을 두었어.

서술형 **2** (1) 주어로 「all+복수 명사」를 쓴다.
(2) by oneself: 혼자서

서술형 **3** (1) '둘 다'는 both로 나타내며, both 뒤에는 복수 명사와 복수 동사가 온다. 문장의 시제가 과거이므로 동사는 were로 쓴다.
(2) every 뒤에는 단수 명사와 단수 동사가 오므로 have to를 has to로 써야 한다.

서술형 **4** Every 뒤에 「단수 명사(student)+단수 동사(likes) ~.」의 형태로 문장을 완성한다.

서술형 **5** (1) 주어와 목적어가 같은 대상일 때 목적어로 재귀대명사를 써야 한다.
(2) 복수 명사 shoes를 대신하는 대명사 ones가 알맞다.

[해석] (1) **A** 너는 영어 시험에서 A를 받았니?
B 응. 나는 내 자신이 자랑스러워.
(2) **A** 네 신발이 마음에 들어. 새것이니?
B 응. 나는 어제 이것들을 샀어.

서술형 **6** 세 개의 대상을 하나씩 언급할 때 one, another, the other의 순으로 쓴다.

서술형 **7** 주어와 목적어가 같을 때 목적어로 재귀대명사를 쓴다.

[해석] 그 여왕은 거울 속의 그녀 자신을 보고 있다.

[서술형 8~9] [해석] 나는 온라인으로 두 종류의 옷을 주문했다.

하나는 셔츠였고, 나머지 하나는 치마였다. 셔츠는 나에게 잘 맞았지만, 치마는 나에게 너무 작았다. 그래서 나는 내 여동생에게 치마를 주었는데, 그것은 그녀에게도 맞지 않았다. 그래서 나는 그것을 더 큰 것으로 교환해야 했다.

서술형 8 두 대상을 하나씩 언급할 때 one과 the other를 쓴다. 문장의 시제가 과거이므로 동사는 was로 쓴다.

서술형 9 자신이 산 치마를 가리키므로 it으로 써야 한다.

서술형 10 James와 Olivia의 공통점은 책 읽기를 좋아하는 것과 수영을 잘하는 것이다. Both of them 뒤에 각각 like와 are good at을 써서 문장을 완성한다.

해석 (1) 그들 둘 다 책 읽는 것을 좋아한다.
(2) 그들 둘 다 수영하는 것을 잘한다.

CHAPTER **08** 비교

Unit 1 원급, 비교급, 최상급

✔ 바로 개념 확인하기   p.103

A 1 hard   2 coldest
    3 more   4 not as big as

B 1 가장 키가 작은   2 Bolt만큼 빠르게
    3 Amy보다 더 부지런한

C 1 far   2 hers   3 in

서술형 기본 유형 익히기   pp.103~104

1 Singing is as exciting as   2 is stronger than Mike
3 is far better than
4 is the hottest month in Australia
5 is the highest mountain in the world
6 is the cheapest   7 is cheaper than
8 is more expensive than   9 are the most expensive
10 is the oldest   11 is older than
12 is the tallest   13 is as tall as
14 is not as friendly as
15 sings much more beautifully than

---

16 more interesting than   17 more better → better
18 very → much(still, even, far, a lot)

Unit 2 여러 가지 비교 표현

✔ 바로 개념 확인하기   p.106

A 1 as often as   2 as fast as   3 possible

B 1 harder, harder   2 better, better
    3 The warmer   4 the more beautiful

C 1 one of the fastest runners
    2 one of the most important things

서술형 기본 유형 익히기   pp.106~107

1 as high as he could   2 ran faster and faster
3 cry louder and louder
4 one of the most popular songs
5 The more you walk
6 come home as early as possible
7 is getting more and more exciting
8 one of the strongest students
9 The earlier, the sooner   10 The harder, the easier
11 is getting colder and colder
12 one of the most serious problems
13 he possible → possible(he could)
14 more famous and famous → more and more famous
15 player → players

기출에서 뽑은 난이도별 서술형 문제   pp.108~109

01 (1) tall (2) earlier (3) cheapest
02 (1) the biggest (2) as big as
03 very → much(still, even, far, a lot)
04 (1) the worst day of my life
    (2) far more interesting than
05 (1) better and better (2) as soon as possible
06 (1) heavier than (2) more often than

07 (1) was a lot more difficult than

(2) one of the most beautiful islands in Korea

08 (1) is as expensive as

(2) is not as popular as

09 (1) more and more difficult

(2) The more often, the more

10 The more you study, the more you will learn.

함정이 있는 문제

01 more harder → harder

02 the coldest

03 The more you smile, the happier you will become.

01 (1) as와 as 사이에는 원급이 들어간다.

(2) 뒤에 than이 있으므로 비교급이 들어가야 한다.

(3) 앞에 the가 있으므로 최상급이 들어가야 한다.

해석 (1) 나는 Tom만큼 키가 크다.

(2) 나는 평소보다 더 일찍 잠자리에 들었다.

(3) 이 호텔은 이 마을에서 가장 저렴하다.

02 (1) 멜론이 셋 중 가장 크므로 「the+최상급」으로 나타낸다.

(2) 복숭아와 사과의 크기가 동등하므로 「as+원급+as」로 나타낸다.

해석 (1) 멜론은 셋 중에서 가장 크다.

(2) 복숭아는 사과만큼 크다.

03 비교급을 강조할 때 much(still, even, far, a lot)를 사용하며 very는 사용할 수 없다.

04 (1) 「the+최상급(worst)+명사(day)+of+기간을 나타내는 말(my life)」의 순으로 배열한다.

(2) 「비교급 강조 표현(far)+비교급(more interesting)+than」의 순으로 배열한다.

05 (1) 점점 더 ~한/하게: 「비교급+and+비교급」

(2) 가능한 한 ~한/하게: 「as+원급+as possible」

06 (1) 이 상자가 저 상자보다 더 무거우므로 「비교급+than」으로 나타낸다.

(2) I가 Joe보다 체육관에 더 자주 가므로 「비교급+than」으로 나타낸다.

해석 (1) 이 상자는 10 킬로그램이다. 저 상자는 6 킬로그램이다.

→ 이 상자는 저것보다 더 무겁다.

(2) 나는 일주일에 5일 체육관에 간다. Joe는 일주일에 3일 체육관에 간다.

→ 나는 Joe보다 더 자주 체육관에 간다.

07 (1) 비교급 강조 표현(a lot)은 비교급 앞에 쓰며, 주어가 3

인칭 단수이고 과거시제이므로 동사는 was로 쓴다.

(2) '가장 ~한 … 중 하나'는 「one of the+최상급+복수명사」로 나타낸다.

08 (1) 두 상품의 가격이 같으므로 「as+원급+as」로 나타낸다.

(2) X-Phone이 Y-Phone만큼 인기 있지 않으므로 '~만큼 …하지 않은'의 의미인 「not as+원급+as」로 나타낸다.

09 (1) '점점 더 ~한/하게'는 「비교급+and+비교급」으로 나타내며, difficult의 비교급은 more difficult이므로 more and more difficult로 쓴다.

(2) '더 ~할수록 더 …하다'는 「The+비교급+주어+동사 ~, the+비교급+주어+동사 ...」로 나타낸다.

10 '더 ~할수록 더 …하다'는 「The+비교급+주어+동사 ~, the+비교급+주어+동사 ...」로 나타낸다. '많이(much)'의 비교급인 more 앞에 The(the)를 붙이고, 비교급 뒤에는 주어와 동사를 순서대로 쓴다.

시험에 강해지는 **실전 TEST**   pp.110~112

| 01 ① | 02 ④ | 03 ④ | 04 ③ | 05 ④ |
| 06 ④ | 07 ③ | 08 ③ | 09 ④ | 10 ④ |

서술형 1 (1) as heavy as (2) longer than

서술형 2 me → mine(my bag)

서술형 3 (1) Julie dances a lot better than Alice.

(2) Dad is the best cook in my family.

서술형 4 Earth is getting warmer and warmer.

서술형 5 (1) is warmer than London

(2) is cooler than Hong Kong

서술형 6 (1) not as crowded as

(2) solved the problem more quickly than

서술형 7 ⓐ holiday → holidays

서술형 8 (1) Venus is as big as

(2) Mercury is the smallest planet. 또는 The smallest planet is Mercury.

(3) Jupiter is much(still, even, far, a lot) bigger than

서술형 9 (A) the biggest pizza in town

(B) more and more popular

서술형 10 good → better

01 as와 as 사이에는 원급이 들어간다.

해석 내 방은 거실만큼 크다.

02 비교급을 강조할 때 much(still, even, far, a lot)를 사용하며, very는 비교급을 강조할 수 없다.

해석 스마트폰은 컴퓨터보다 훨씬 더 유용할 수 있다.

03 '가장 ~한 … 중 하나'는 「one of the+최상급+복수 명사」로 나타내며, great의 최상급은 greatest이다.

04 주어진 말을 배열하면 The longer he waited, the more bored he felt.이므로 일곱 번째로 오는 단어는 bored이다.

05 ④ Kate의 머리카락이 Juliet의 머리카락보다 더 길다. (shorter → longer)
[해석] ① Kate는 Tony만큼 나이가 많다.
② Tony는 Juliet보다 더 키가 크다.
③ 가장 어린 사람은 Juilet이다.
④ Kate의 머리카락은 Juliet의 것보다 더 짧다.
⑤ Daniel은 넷 중 가장 나이가 많다.

06 (A) 비교급을 강조할 때 much 등을 사용하며 very는 비교급을 강조할 수 없다.
(B) intelligent의 최상급은 most intelligent이며, 최상급 앞에는 the를 붙인다.
(C) 뒤에 than이 있으므로 비교급이 들어가야 한다. hot의 비교급은 hotter이다.
[해석] • 태양은 달보다 훨씬 더 크다.
• Clara는 반에서 가장 똑똑한 학생이다.
• 내일은 오늘보다 더 더울 것이다.

07 '점점 더 ~한/하게'는 「비교급+and+비교급」으로 나타낸다. nervous의 비교급은 more nervous이며, 「비교급+and+비교급」으로 나타낼 때 more and more nervous로 쓴다.

08 ③ bad의 비교급은 worse로, 앞에 more를 쓰지 않는다. (→ worse)
[해석] ① 세나는 지호보다 노래를 더 잘한다.
② 치타는 지구상에서 가장 빠른 동물 중 하나이다.
④ 이것은 그 도시에서 가장 높은 건물이다.
⑤ 가능한 한 빨리 이메일을 확인해 주세요.

09 ④ 셋 중에서 가장 낮은 영어 점수를 받은 사람은 미나이다.
[해석] ① 지호는 영어 시험에서 셋 중 가장 높은 점수를 받았다.
② 미나의 영어 점수는 소윤이의 것만큼 높지 않다.
③ 미나는 수학 시험에서 셋 중 가장 높은 점수를 받았다.
④ 소윤이는 영어 시험에서 셋 중 가장 낮은 점수를 받았다.
⑤ 소윤이의 수학 점수는 미나의 것보다 더 낮다.

10 ⓐ '점점 더 ~한/하게'는 「비교급+and+비교급」으로 나타낸다. (cold and cold → colder and colder)
ⓒ 비교하는 두 대상은 같은 성격의 것이어야 한다. (me → mine(my idea))
[해석] ⓑ 상황이 전보다 훨씬 더 나빠졌다.
ⓓ 그가 더 많이 달릴수록 그는 더 피곤해졌다.

서술형 1 (1) 사과와 오렌지의 무게가 같으므로 「as+원급(heavy)+as」로 나타낸다.
(2) 빨간색 연필이 초록색 연필보다 길이가 기므로 「비교급(longer)+than」으로 나타낸다.

서술형 2 비교하는 두 대상은 같은 성격의 것이어야 한다.

서술형 3 (1) 주어와 동사 뒤에 「비교급을 강조하는 말(a lot)+비교급(better)+than ~」의 순으로 배열한다.
(2) 주어와 동사 뒤에 「the+최상급(best)+명사(cook)+in+집단을 나타내는 말(my family)」의 순으로 배열한다.

서술형 4 '점점 더 ~한/하게'의 의미인 「비교급+and+비교급」으로 나타낸다. warm의 비교급은 warmer이다.

서술형 5 (1) 서울이 런던보다 더 따뜻하므로 서울과 런던을 비교하는 문장을 완성한다.
(2) 서울이 홍콩보다 더 시원하므로 서울과 홍콩을 비교하는 문장을 완성한다.

서술형 6 (1) 오늘 도서관은 어제만큼 붐비지 않으므로, '~만큼 …하지 않은'의 의미인 「not as+원급+as」 형태로 문장을 완성한다.
(2) Liam은 Emily보다 더 빨리 문제를 풀었으므로 「비교급+than」 형태로 문장을 완성한다. 부사 quickly의 비교급은 more quickly이다.
[해석] (1) 어제 도서관에는 150명의 사람들이 있었다. 오늘 도서관에는 80명의 사람들이 있다.
→ 도서관은 어제만큼 붐비지 않는다.
(2) Liam은 10분 만에 그 문제를 풀었다. Emily는 30분 만에 그 문제를 풀었다.
→ Liam은 Emily보다 더 빠르게 그 문제를 풀었다.

서술형 7 「one of the+최상급」 뒤에는 복수 명사를 쓴다.
[해석] ⓑ 불고기는 가장 인기 있는 한국 요리 중 하나이다.

서술형 8 (1) Venus(금성)를 주어로 쓰고, 동사 뒤에 「as+원급(big)+as」 형태로 쓴다.
(2) 주어나 보어를 「the+최상급(smallest)+명사(planet)」 형태로 쓴다.
(3) big을 「비교급+than」 형태로 쓰고, 비교급을 강조하는 말 much(still, even, far, a lot)는 비교급 앞에 쓴다.
[해석] (1) 금성은 지구만큼 크다.
(2) 수성은 가장 작은 행성이다. / 가장 작은 행성은 수성이다.
(3) 목성은 지구보다 훨씬 더 크다.

[서술형 9~10] [해석] 우리 집 근처에 Pizza Wing이라는 식당이 있다. 그들은 마을에서 가장 큰 피자를 판매한다. 그것은 그렇게 비싸지 않고, 다른 식당의 피자보다 훨씬 더 맛있다. 그래서 그 식당은 점점 더 인기가 많아지고 있다.

서술형 9 (A) 「the+최상급(biggest)+명사(pizza)+in town」으로 나타낸다.
(B) '점점 더 ~한/하게'는 「비교급+and+비교급」으로 나타낸다. popular의 비교급은 more popular이므로 more and more popular로 쓴다.

서술형 10 it tastes much good than pizzas ~에서 good

은 원급이므로 than 앞에 쓰일 수 없다. 「비교급+than」의 형태가 되도록 good의 비교급인 better로 고쳐야 한다. much는 비교급을 강조하는 말이다.

---

01 ⑤　　02 ③　　03 ②　　04 ⑤　　05 ④
06 ③　　07 ③　　08 ⑤

09 (1) have → has 또는 Every student → All students
　　(2) room → rooms
10 (1) My neighbor was run over by a car.
　　(2) The girl playing the piano is Sarah.
11 (1) the most famous cartoon characters
　　(2) was created by Walt Disney
12 (1) as expensive as　(2) the most expensive
13 Being sick, he didn't go to school.
14 your lost wallet
15 It was found by Sophia

01 |보기|, ⓒ, ⓓ의 밑줄 친 부분은 현재분사이고, ⓐ, ⓑ의 밑줄 친 부분은 동명사이다.
　|해석| |보기| 달리고 있는 남자아이는 내 남동생이다.
　ⓐ 나는 새로운 음식을 시도하는 것을 아주 좋아한다.
　ⓑ 요가를 하는 것은 네 건강에 좋다.
　ⓒ 저쪽에 서 있는 남자는 Smith 선생님이다.
　ⓓ 너는 Peter에게 이야기하고 있는 여자아이를 아니?

02 be interested in: ~에 관심이 있다 / be satisfied with: ~에 만족하다
　|해석| • 나는 그의 아이디어에 관심이 있다.
　• 그녀는 그녀의 새 아파트에 만족한다.

03 not as+원급+as: ~만큼 …하지 않은

04 ⓔ 형용사의 최상급 앞에는 the를 써야 한다.
　(→ the youngest)
　|해석| 나는 여자 형제 두 명이 있다. 한 명은 20살이고, 나머지 한 명은 18살이다. 그들 둘 다 노래하는 것을 좋아한다. 나는 우리 가족에서 가장 어리다.

05 ① you → yours(your hair)
　② important → more important
　③ more famous and famous → more and more famous
　⑤ artist → artists
　|해석| ④ 그가 더 나이 들수록 그는 더 현명해졌다.

06 부사절의 접속사를 생략한 후, 부사절과 주절의 주어가 같으므로 부사절의 주어 I를 생략하고, 동사 felt가 주절의 시제와 같으므로 동사원형에 -ing를 붙여 feeling으로 쓴다.

|해석| |보기| 나는 피곤했기 때문에, 일찍 잠자리에 들었다.

07 ⓐ 주어와 목적어가 같은 대상일 때 목적어로 재귀대명사를 쓴다. (me → myself)
　ⓑ all 뒤에는 「복수 명사+복수 동사」가 온다. (student → students)
　|해석| ⓒ 두 여자아이 다 중학생이다.
　ⓓ 각 아이는 그 규칙들을 이해해야 한다.

08 ⑤ '통화하고 있는 사람은 선글라스를 끼고 있다.'라는 문장은 그림과 일치하지 않는다.
　|해석| ① 가게가 닫혀 있다.
　② 가게 안에 신발 몇 켤레가 진열되어 있다.
　③ 남자는 여자보다 더 키가 크다.
　④ 여자의 가방은 남자의 것만큼 크지 않다.
　⑤ 통화하고 있는 사람은 선글라스를 끼고 있다.

09 (1) 「every+단수 명사+단수 동사」 또는 「all+복수 명사+복수 동사」의 형태로 고쳐 쓴다.
　(2) both 뒤에는 복수 명사가 온다.

10 (1) run over와 같은 동사구는 수동태로 쓸 때 하나의 단어처럼 취급하므로 「주어+be동사+run over+by+목적격」의 순으로 배열한다.
　(2) 문장의 주어인 The girl 뒤에 playing the piano가 수식하도록 배열한다.

11 (1) 「one of the+최상급+복수 명사」의 형태로 문장을 완성한다. famous의 최상급은 most famous이다.
　(2) 주어 It(= Mickey Mouse)이 Walt Disney에 의해 만들어진 것이므로 수동태로 써야 하며, in 1928로 보아 과거의 일이므로 과거시제 수동태로 써야 한다.
　|해석| (1) 미키 마우스는 세계에서 가장 인기 있는 만화 캐릭터 중 하나이다.
　(2) 그것은 1928년에 Walt Disney에 의해 만들어졌다.

12 (1) 티셔츠와 치마의 가격이 같으므로 「as+원급(expensive)+as」로 문장을 완성한다.
　(2) 청바지가 셋 중 가장 비싸므로 「the+최상급」으로 문장을 완성한다.
　|해석| (1) 티셔츠는 치마만큼 비쌌다.
　(2) 청바지는 셋 중에서 가장 비쌌다.

13 부사절의 접속사를 생략한 후, 부사절과 주절의 주어가 같으므로 부사절의 주어 he를 생략하고, 부사절의 동사 was가 주절의 시제와 같으므로 동사원형 be에 -ing를 붙여 being으로 쓴다.
　|해석| 그는 아팠기 때문에 학교에 가지 않았다.

[14~15] |해석| A 너는 너의 잃어버린 지갑을 찾았니?
　B 응. 사실은 Sophia가 그것을 찾았어.
　A 잘됐어! 지갑이 어디에 있었니?
　B 그것은 도서관에 있었어. Sophia가 그것을 도서관에서

찾았어.

14 분사가 단독으로 명사를 수식할 경우 분사는 주로 명사의 앞에 쓴다.

15 능동태의 목적어 it을 수동태의 주어로 쓰고, 능동태의 주어 Sophia는 by Sophia로 써서 문장 뒤로 보낸다. 문장의 시제가 과거이고 주어가 3인칭 단수이므로 동사는 「was+p.p.」의 형태로 쓴다.

해석 그것은 도서관에서 Sophia에 의해 발견되었다.

CHAPTER 09 문장의 구조

Unit 1 보어·목적어가 있는 문장

✔ 바로 개념 확인하기   p.117

A 1 delicious   2 interesting   3 sad

B 1 Can you lend me some money?
   2 She bought Dave a gift.
   3 Peter showed us his picture.

C 1 the salt to me
   2 breakfast for us
   3 a question of you

서술형 기본 유형 익히기   pp.117~118

1 The music sounded beautiful.
2 gave us a lot of homework
3 will write you an email   4 bring him some water
5 told the fact to us   6 greatly → great
7 a present us → us a present 또는 a present to us
8 to → for   9 He teaches math to us.
10 They asked some questions of him.
11 My grandfather will buy a bike for me.
12 She read a storybook to her children.
13 made us sandwiches 또는 made sandwiches for us
14 taste sour
15 showed us a beautiful smile
   또는 showed a beautiful smile to us

Unit 2 목적격보어가 있는 문장

✔ 바로 개념 확인하기   p.120

A 1 her house clean
   2 her a genius
   3 him to exercise
   4 me to go to bed early

B 1 그 남자아이가 노래하고 있는 것을 보았다
   2 남동생이 요리하는 것을 보았다
   3 내가 그를 방문하기를 원한다

C 1 wash   2 go
   3 shout, shouting   4 shake, shaking

서술형 기본 유형 익히기   pp.120~121

1 called the puppy Big   2 expect them to come
3 allowed me to play games
4 saw Ann entering your house
5 made him stop the car
6 to laugh → laugh(laughing)
7 to write → write
8 interestingly → interesting
9 Olivia their daughter → their daughter Olivia
10 danced → dance(dancing)
11 had my dog sit
12 felt somebody push(pushing) him
13 wants me to call her
14 heard a dog bark(barking)
15 lets me wear her clothes

기출에서 뽑은 난이도별 서술형 문제   pp.122~123

01 feels soft
02 He showed some pictures to me.
03 (1) to → for   (2) bake → to bake
04 (1) call him a great inventor
     (2) heard Jason sing loudly
05 (1) had Minho sweep the floor
     (2) had Junsu take out the trash
06 (1) Sam bought me a book.
     (2) Sam bought a book for me.
07 (1) told me to go   (2) made me go

08 differently → different

09 (1) the ground shake(shaking)

(2) people scream(screaming)

(3) some trees fall(falling) down

10 ⓑ → Could you lend me your umbrella? 또는 Could you lend your umbrella to me?

ⓓ → He doesn't let me go out at night.

함정이 있는 문제

01 bought, for

02 ⓑ happily → happy

03 to finish → finish

---

01 '~하게 느껴지다'는 감각동사 feel을 사용하며 보어로 형용사를 쓴다.

02 수여동사 show가 쓰인 4형식 문장을 3형식 문장으로 바꿔 쓰려면 간접목적어(me)와 직접목적어(some pictures)의 순서를 바꾸고, 간접목적어 앞에 전치사 to를 쓴다.

해석 그는 나에게 사진 몇 장을 보여 주었다.

03 (1) 수여동사 cook이 쓰인 문장에서 간접목적어가 뒤로 갈 경우 간접목적어 앞에 전치사 for를 써야 한다.

(2) '~가 …하기를 원하다'는 「want+목적어+목적격보어(to부정사)」의 형태로 나타낸다.

04 (1) 「call+목적어(~을)+목적격보어(…라고)」의 순으로 배열한다.

(2) 「지각동사(heard)+목적어(~이)+목적격보어(…하는 것을)」의 순으로 배열한다.

05 「사역동사(had)+목적어+목적격보어(동사원형)」의 형태로 문장을 완성한다.

해석 |예시| 그 선생님은 지나가 창문을 열게 했다.

(1) 그 선생님은 민호가 바닥을 쓸게 했다.

(2) 그 선생님은 준수가 쓰레기를 내다 버리게 했다.

06 수여동사 bought 뒤에 (1)은 「간접목적어+직접목적어」를 쓰고, (2)는 「직접목적어+for+간접목적어」를 쓴다.

07 (1) 「tell+목적어+목적격보어(to부정사)」의 형태로 문장을 완성한다.

(2) 「사역동사(make)+목적어+목적격보어(동사원형)」의 형태로 문장을 완성한다.

08 sound와 같은 감각동사는 보어로 형용사를 쓴다.

해석 A 네 목소리가 다르게 들려. 감기 걸렸니?

B 몸이 좋지 않아. 나는 병원에 가야 할 것 같아.

09 feel, hear, see와 같은 지각동사는 목적격보어로 동사원형이나 현재분사를 쓴다.

해석 (1) Smith 씨는 땅이 흔들리는 것을 느꼈다.

---

(2) Brown 씨는 사람들이 비명을 지르는 것을 들었다.

(3) Jackson 씨는 몇몇 나무들이 쓰러지는 것을 보았다.

10 ⓑ 수여동사 lend 뒤에는 「간접목적어+직접목적어」나 「직접목적어+to+간접목적어」가 올 수 있다.

ⓓ let과 같은 사역동사는 목적격보어로 동사원형을 쓴다.

해석 ⓐ 그 케이크는 너무 단맛이 난다.

ⓒ 나는 그가 파티에 올 거라고 기대하지 않았다.

함정이 있는 문제

02 해석 ⓐ 그 계획은 흥미롭게 들린다.

03 해석 아빠는 저녁 식사 전에 내가 숙제를 끝내게 시키셨다.

시험에 강해지는 실전 TEST				pp.124~126
01 ③	**02** ①, ②	**03** ④	**04** ⑤	**05** ④
06 ③	**07** ③	**08** ③	**09** ①	**10** ③

서술형 **1** (1) smell, good (2) tastes, salty

서술형 **2** My uncle bought new sneakers for me.

서술형 **3** (1) The milk smells bad.

(2) I heard him sing(singing) in the bathroom.

(3) She found the man honest.

서술형 **4** ⓑ → great

서술형 **5** she cooked French food for me

서술형 **6** (1) a man swim(swimming) in the sea

(2) two boys play(playing) with a ball

(3) a girl lie(lying) on the beach

서술형 **7** for → to, to use → use

서술형 **8** (1) sent a letter to (2) gave chocolate to

(3) bought a book for

서술형 **9** tells me to study

서술형 **10** to go → go

---

01 sound와 같은 감각동사는 보어로 형용사를 쓴다.

해석 그 아이디어는 _____ 들린다.

① 좋은 ② 대단한 ③ 이상하게 ④ 특이한 ⑤ 창의적인

02 목적격보어로 동사원형을 쓰는 동사는 지각동사와 사역동사이다. tell, want, allow는 목적격보어로 to부정사를 쓴다.

해석 그녀는 그녀의 아이들이 밖에서 노는 것을 _____.

① 보았다 ② 허락했다 ③ 말했다 ④ 원했다 ⑤ 허락했다

03 간접목적어와 직접목적어의 순서를 바꿀 때 ④는 for가 쓰이지만, 나머지는 to가 쓰인다.

해석 |보기| 나의 사촌은 나에게 카드를 보냈다.

① 김 선생님은 우리에게 과학을 가르쳐 주신다.

② 그는 나에게 놀라운 이야기를 말해 주었다.

③ Susan은 그녀의 남동생에게 그녀의 카메라를 빌려줬다.

④ 나의 고모는 나에게 새 신발 한 켤레를 사 주셨다.

⑤ 나는 나의 선생님께 감사의 카드를 써 드렸다.

04 ⑤ allow는 목적격보어로 to부정사를 쓴다. (wear → to wear)

[해석] ① 그는 내가 개를 키우는 것을 허락했다.

② 너는 내가 너를 도와주기를 원하니?

③ 나는 박 선생님이 관대하신 것을 알게 되었다.

④ 나는 내 고양이가 나비를 쫓아가는 것을 보았다.

05 ④ expect는 목적격보어로 to부정사를 쓴다. (pass → to pass)

06 주어진 말을 배열하면 Did you hear someone crying sadly?이므로 다섯 번째로 오는 단어는 crying이다.

07 |보기와 ③의 make는 '만들어 주다'라는 의미의 수여동사이고, 나머지는 모두 '시키다'라는 의미의 사역동사이다.

[해석] |보기 나는 너에게 샌드위치를 만들어 줄 수 있다.

① 그들은 항상 나를 웃게 만든다.

② 제가 그곳에 가지 않게 해 주세요.

③ 그녀는 그에게 장난감 자동차를 만들어 줄 것이다.

④ 이 그림들은 나를 행복하게 만든다.

⑤ 나의 부모님은 매일 아침 내가 일찍 일어나게 시키신다.

08 tell은 목적격보어로 to부정사를 쓰고, 사역동사 have는 목적격보어로 동사원형을 쓴다.

[해석] • 그 선생님은 우리에게 많은 책을 읽으라고 말씀하셨다.

• 그 선생님은 내가 책을 크게 읽게 했다.

09 (A), (B) 지각동사(hear, feel)는 목적격보어로 동사원형이나 현재분사를 쓴다.

(C) 사역동사(let)는 목적격보어로 동사원형을 쓴다.

[해석] 나는 어젯밤에 무서운 꿈을 꿨다. 나는 한 여자가 내 이름을 부르는 것을 들었다. 나는 뒤돌아서 보았지만, 거기에 아무도 없었다. 그러고 나서 나는 누군가가 내 어깨를 건드리는 것을 느꼈다. 나는 너무 무서워서 도망가려고 했다. 그런데 그때, 그 목소리가 "난 너를 가게 하지 않을 거야."라고 말했다.

10 ⓑ look과 같은 감각동사는 보어로 형용사를 쓴다. (happily → happy)

ⓓ advise는 목적격보어로 to부정사를 쓴다. (drink → to drink)

[해석] ⓐ 나는 네가 오는 것을 보지 못했다.

ⓒ 그는 우리에게 중국 음식을 요리해 주었다.

ⓔ 너는 내가 너와 함께 가기를 원하니?

서술형 **1** (1) '~한 냄새가 나다'는 「smell+형용사」로 쓴다.

(2) '~한 맛이 나다'는 「taste+형용사」로 쓴다.

[해석] (1) 아주 좋은 냄새가 난다.

(2) 너무 짜다.

서술형 **2** 수여동사 buy가 쓰인 문장은 3형식 문장으로 바꿀 때 간접목적어 앞에 전치사 for를 쓰므로 주어와 동사 뒤에 「직접목적어+for+간접목적어」 순으로 쓴다.

[해석] 나의 삼촌은 나에게 새 운동화를 사 주셨다.

서술형 **3** (1) smell과 같은 감각동사는 보어로 형용사를 쓴다.

(2) hear와 같은 지각동사는 목적격보어로 동사원형이나 현재분사를 쓴다.

(3) find는 '~가 …한 것을 알게 되다'는 의미로 쓰일 경우 목적격보어로 형용사를 쓴다.

[해석] (1) 그 우유는 상한 냄새가 난다.

(2) 나는 그가 욕실에서 노래하는 것을 들었다.

(3) 그녀는 그 남자가 정직한 것을 알게 되었다.

[서술형 **4~5**] [해석] 나의 할머니는 굉장한 요리사이시다. 할머니는 나에게 많은 종류의 음식을 만들어 주신다. 그것들은 모두 맛이 아주 좋다. 지난주에 할머니는 나에게 프랑스 음식을 요리해 주셨다. 그것은 환상적인 맛이었다.

서술형 **4** taste와 같은 감각동사는 보어로 형용사를 쓴다. greatly는 부사이므로 형용사인 great로 써야 한다.

서술형 **5** 수여동사 cook이 쓰인 문장을 3형식 문장으로 바꿔 쓰려면, 간접목적어(me)와 직접목적어(French food)의 순서를 바꾸고 간접목적어 앞에 전치사 for를 쓴다.

서술형 **6** see는 지각동사이므로 뒤에 「목적어+목적격보어(동사원형 또는 현재분사)」를 써서 문장을 완성한다.

[해석] (1) 나는 한 남자가 바다에서 수영하는 것을 보았다.

(2) 나는 두 남자아이가 공을 가지고 노는 것을 보았다.

(3) 나는 한 여자아이가 해변에 누워 있는 것을 보았다.

서술형 **7** 수여동사 teach가 쓰인 문장은 간접목적어가 뒤로 갈 경우 간접목적어 앞에 전치사 to를 써야 한다. / let과 같은 사역동사는 목적격보어로 동사원형을 쓴다.

[해석] 나는 나의 형을 좋아한다. 그는 수학을 잘한다. 그는 나에게 매주 수학을 가르쳐 준다. 또한, 그는 아주 착하다. 그는 언제나 내가 그의 컴퓨터를 사용하는 것을 허락한다. 나는 좋은 형이 있어서 행복하다.

서술형 **8** 수여동사 send와 give는 간접목적어 앞에 전치사 to를 쓰고, buy는 간접목적어 앞에 for를 쓴다.

[해석] (1) 하윤이는 Chris에게 편지를 보냈다.

(2) Chris는 Amy에게 초콜릿을 주었다.

(3) Amy는 하윤이에게 책을 사 주었다.

[서술형 **9~10**] [해석] A 나는 엄마랑 또 싸웠어.

B 무슨 일 있었니?

A 엄마는 언제나 나에게 더 공부하라고 말씀하셔. 나는 그게 지겨워.

B 대부분의 엄마들이 그러시지.

A 나도 알아, 하지만 엄마는 내가 매일 도서관에 가게 시키셔!

서술형 9 tell은 목적격보어로 to부정사를 쓴다.

서술형 10 사역동사 make는 목적격보어로 동사원형을 쓴다.

CHAPTER 10 접속사

Unit 1 시간·조건·이유의 접속사

✔ 바로 개념 확인하기   p.129

A   1 As   2 If   3 while   4 since

B   1 if it doesn't rain tomorrow
   2 until you come
   3 because of heavy snow

C   1 unless you leave now
   2 if you don't have the key

서술형 기본 유형 익히기   pp.129~130

1 while I was reading a book
2 until he finished his homework
3 As soon as he got to the airport
4 Unless I am too busy   5 As he has a test
6 While → As soon as   7 after → since
8 doesn't snow → snows 또는 Unless → If
9 will have → has   10 because → because of
11 Because(Since, As) he helped us
12 As soon as she sat, fell asleep
13 when you arrive   14 if you are busy
15 Unless you study hard, will get bad grades

Unit 2 양보·결과·상관접속사

✔ 바로 개념 확인하기   p.132

A   1 Although   2 so   3 swimming

B   1 Both Jim and Tom

   2 not only the piano but also the guitar
   3 Neither Amy nor Mia

C   1 Unless you put on your raincoat,
   2 If you are nice to others,
   3 smart as well as kind

서술형 기본 유형 익히기   pp.132~133

1 Although he was tired
2 Not only you but also he is
3 It was so cold that we stayed at home
4 Neither, nor, wants to go out
5 Sleep enough, and you will feel better
6 or → and   7 is → are
8 are → is   9 is → are
10 or you will be late
11 Although(Though, Even though) he apologized
12 Not only I but also Luke wants
13 and you won't be hungry later
14 and you'll get green
15 or others won't respect you

Unit 3 명사절 접속사, 간접의문문

✔ 바로 개념 확인하기   p.135

A   1 that   2 that   3 whether   4 where

B   1 what his address is
   2 whether I locked the door

C   1 ~인지   2 ~하면   3 ~인지

서술형 기본 유형 익히기   pp.135~136

1 believe that our team will win
2 don't think it's your fault
3 wants to know if I will come late
4 I wonder when he arrived.
5 I hope that you will have a great time.
6 are his hobbies → his hobbies are
7 that → if(whether)
8 did you buy → you bought
9 heard (that) you were sick

10 wonder how he fixed the computer

11 are not(aren't) sure whether they liked

12 I think (that) Jenny has many friends.

13 He remembers (that) he met Sally last year.

14 Do you know what time it is?

15 I wonder if(whether) she accepted my idea.

기출에서 뽑은 **난이도별 서술형 문제**   pp.138~139

01 since

02 (1) She explained what the problem was.
    (2) I wonder whether you invited him.

03 (1) or you will get hurt
    (2) and you can make anything happen

04 so hot that, ate ice cream

05 (1) Minho and Lily are 15 years old
    (2) Minho and Lily enjoy swimming

06 As soon as he got home, he turned on the TV.
    또는 He turned on the TV as soon as he got home.

07 Neither I nor Brian ate them.

08 (1) When he arrives, I'll tell him something.
    (2) We will go to the zoo unless it is cold. 또는
        We will go to the zoo if it isn't cold.

09 (1) if he will come to the party
    (2) if he comes to the party

10 (1) since I was born (2) until you come
    (3) or you will get fat

함정이 있는 문제

01 you hurry up, you will be late for school

02 because → because of

03 Either you or he has to help them.

---

01 since는 시간(~한 이후로)과 이유(~ 때문에)를 나타내는 접속사이다.

해석 • 우리가 이 마을로 이사 온 이후로 5년이 지났다.
• 나는 머리가 아팠기 때문에 약을 좀 먹었다.

02 문장의 주어와 동사 뒤에 목적어로 (1)은 「의문사(what)+주어+동사」를, (2)는 「whether+주어+동사 ~」를 쓴다.

03 (1) '~해라, 그렇지 않으면 …할 것이다'라는 의미의 「명령문, or ...」로 바꿔 쓸 수 있다.

(2) '~해라, 그러면 …할 것이다'라는 의미의 「명령문, and ...」로 바꿔 쓸 수 있다.

해석 (1) 네가 조심하지 않으면, 너는 다칠 것이다.
(2) 네가 긍정적으로 생각하면, 너는 무슨 일이든 일어나게 할 수 있다.

04 「so+형용사+that+주어+동사 ~」의 형태로 문장을 완성한다. 문장의 시제가 과거이므로 that절의 동사도 과거형으로 쓰는 것에 유의한다.

해석 너무 더워서 나는 아이스크림을 먹었다.

05 두 사람의 공통점은 15살이고 수영을 좋아하는 것이다. 'A와 B 둘 다'라는 의미의 both A and B를 주어로 쓰고, 동사는 복수 동사로 써서 문장을 완성한다.

해석 민호 나는 한국 출신이야. 나는 열다섯 살이야. 나는 수영하는 것을 좋아해.

Lily 나는 캐나다 출신이야. 나는 열다섯 살이야. 나는 수영하는 것과 스키 타는 것을 좋아해.

(1) 민호와 Lily 둘 다 열다섯 살이다.
(2) 민호와 Lily 둘 다 수영하는 것을 즐긴다.

06 '~하자마자'라는 의미의 as soon as를 사용한다.

07 'A도 B도 아닌'은 neither A nor B의 형태로 쓴다. neither는 부정의 의미가 포함되어 있기 때문에 동사를 부정형으로 쓰지 않는다.

해석 A 누가 탁자 위의 쿠키를 먹었니? 너니 아니면 Brian이니?

B 저도 Brian도 그것들을 먹지 않았어요.

08 (1) 시간의 부사절에서는 미래 상황을 현재시제로 쓴다. (will arrive → arrives)

(2) unless는 if ~ not의 의미이므로 동사를 부정형으로 쓰지 않는다.

09 (1) '~인지'의 의미의 접속사 if는 「if+주어+동사」의 형태로 쓰여 명사절을 이끈다. 그가 파티에 올지 아닐지는 미래 상황이므로 미래시제로 쓴다.

(2) '~하면'의 의미의 접속사 if는 조건의 부사절을 이끈다. 조건의 부사절에서는 미래 상황을 현재시제로 쓴다.

10 (1) since: ~한 이후로
(2) until: ~할 때까지
(3) 「명령문, or …」: ~해라, 그렇지 않으면 …할 것이다

해석 (1) 내가 태어난 이후로 서울에서 살아 왔다.
(2) 나는 네가 올 때까지 여기에서 기다릴 것이다.
(3) 패스트푸드를 너무 많이 먹지 마라, 그렇지 않으면 너는 뚱뚱해질 것이다.

01 ①	02 ④	03 ③, ④	04 ⑤	05 ④
06 ②	07 ④	08 ③, ④	09 ④	10 ③

서술형 **1** why the sky is blue

서술형 **2** Because → Although(Though, Even though)

서술형 **3** (1) until(till) they fell asleep
　　　　(2) so strong that I closed the windows

서술형 **4** (1) When the musical is over, the actors will come onto the stage.
　　　　(2) I was late for the concert because of the traffic jam.

서술형 **5** if(whether) Oliver will come

서술형 **6** (1) you don't have a passport, you can't travel abroad
　　　　(2) you put the ice cream in the refrigerator now, it will melt

서술형 **7** (1) and you will get a good sleep
　　　　(2) or you will feel tired the next day

서술형 **8** (1) Do you know who broke the window?
　　　　(2) I think (that) either Paul or Chris did it.

서술형 **9** were → was

서술형 **10** as soon as ghosts appeared, I screamed
　　　　또는 I screamed as soon as ghosts appeared

01 as는 시간(~할 때, ~하면서)과 이유(~ 때문에)를 나타내는 접속사이다.
　해석　• Jessica는 요리하면서 행복하게 노래를 불렀다.
　　　• 너무 추웠기 때문에 나는 목도리를 하고 장갑을 꼈다.

02 unless는 '만약 ~하지 않는다면(if ~ not)'의 의미이다.
　해석　필요하지 않으면 외출하지 마라.

03 '~인지'의 의미로 명사절을 이끄는 접속사는 if(whether)이다.

04 ⑤ 밑줄 친 if는 '~인지'의 의미로 명사절을 이끄는 접속사이다. 나머지는 모두 '~하면'의 의미로 조건의 부사절을 이끄는 접속사이다.
　해석　① 네가 원하면 여기에 앉아도 된다.
　　② 피곤하면 쉬어라.
　　③ 내가 시간이 있으면, 나는 그를 방문할 것이다.
　　④ 내일 날씨가 좋으면 우리는 하이킹하러 갈 것이다.
　　⑤ 나는 나에게 또 다른 기회가 있을지 모르겠다.

05 '비록 그들은 최선을 다했지만 그 일을 끝낼 수 없었다.', '그 사고가 일어난 이후로 11년이 되었다.'라는 의미이므로 각각 Though(비록 ~지만)와 since(~한 이후로)가 알맞다.

06 ②의 that은 '그, 저'를 의미하는 지시형용사이고, I보기와 나머지의 that은 명사절을 이끄는 접속사이다.
　해석　I보기 우리는 그녀가 우리를 도울 수 있다고 믿는다.
　　① 그가 천재인 것은 사실이다.
　　② 너는 그 원피스를 어떻게 구했니?
　　③ 그는 그것이 좋은 생각이 아니라고 말했다.
　　④ 그녀는 그 직업을 얻을 것을 희망한다.
　　⑤ 너는 그들이 쌍둥이인 것을 알고 있니?

07 ④ '더 크게 말해라, 그렇지 않으면 아무도 네 말을 들을 수 없다.'의 의미가 되어야 자연스러우므로 빈칸에 or가 들어간다. 나머지는 '~해라, 그러면 …'의 의미이므로 빈칸에 and가 들어간다.
　해석　① 열심히 일해라, 그러면 너는 성공할 것이다.
　　② 택시를 타라, 그러면 너는 늦지 않을 것이다.
　　③ 조심해라, 그러면 너는 다치지 않을 것이다.
　　⑤ 충분히 자라, 그러면 너는 피곤하지 않을 것이다.

08 ③ both A and B가 주어일 때 동사를 복수 취급한다. (likes → like)
　④ B as well as A가 주어일 때 동사는 B에 일치시킨다. (are → is)
　해석　① Lisa와 Brad 둘 중 한 명은 거짓말을 하고 있다.
　　② 나뿐 아니라 내 여동생도 키가 크다.
　　③ 지나와 민호 둘 다 힙합 음악을 좋아한다.
　　④ 너뿐 아니라 네 친구도 우리 동아리에 가입하는 것을 환영한다.
　　⑤ John도 그의 학급 친구들도 교실에 없다.

09 ④ 'A도 B도 아닌'은 neither A nor B로 나타낸다. either A or B는 'A와 B 둘 중 하나'라는 의미이다.
　해석　① 당신이 바쁘지 않다면 나를 도와주세요.
　　② 그 케이크는 너무 맛있어서 나는 그것을 전부 먹었다.
　　③ 그녀는 똑똑할 뿐 아니라 친절하기도 하다.
　　④ Eric은 그 답을 모른다. Jacob도 그 답을 모른다.
　　≠ Eric과 Jacob 둘 중 한 명은 그 답을 알고 있다.
　　⑤ 나는 열심히 공부했지만 좋은 성적을 받지 못했다.

10 ⓒ 조건의 부사절을 이끄는 unless는 부정의 의미를 포함하므로 동사를 부정형으로 쓰지 않으며, 미래 상황을 현재시제로 나타낸다. (don't leave → leave)
　해석　• 나는 그들이 내일 올지 잘 모르겠다.
　　• 네가 어디에서 머물고 있는지 나에게 말해 줄래?
　　• 그 축제는 폭풍 때문에 취소되었다.
　　• 내일 비가 오면 아무도 그곳에 가지 않을 것이다.

서술형 **1** 의문사가 있는 의문문이 간접의문문으로 쓰일 때 「의문사+주어+동사」의 어순으로 쓴다.
　해석　"하늘은 왜 파랄까?"
　　→ 그는 하늘이 왜 파란지 궁금하다.

서술형 2 '내가 미안하다고 말했음에도 불구하고 여전히 화가 나 있다'는 의미가 되어야 자연스러우므로 Because를 '비록 ~지만'의 뜻을 가진 접속사 Although(Though, Even though)로 바꿔 쓴다.

해석 A 너 슬퍼 보여. 무슨 일이니?

B 나는 내 가장 친한 친구와 싸웠어. 내가 그녀에게 미안하다고 <u>했기 때문에(→ 했지만)</u>, 그녀는 나에게 여전히 화가 나 있어.

서술형 3 (1) until(till): ~할 때까지

(2) 「so+형용사+that+주어+동사」: 너무 ~해서 …하다

서술형 4 (1) 시간을 나타내는 부사절에서는 미래 상황을 현재 시제로 쓴다.

(2) the traffic jam은 명사구이므로 because를 because of로 써야 한다.

해석 (1) 뮤지컬이 끝날 때, 배우들이 무대 위로 올라올 것이다.

(2) 나는 교통 체증 때문에 콘서트에 늦었다.

서술형 5 'Amy는 Oliver가 파티에 올지 잘 모른다'는 의미가 되어야 하므로 '~인지'의 의미의 접속사 if(whether)를 사용하여 「if(whether)+주어+동사」의 형태로 문장을 완성한다.

해석 Mark Sarah가 파티에 올까?

Amy 응, 올 거야.

Mark Oliver는?

Amy 잘 모르겠어. 그에게 물어볼게.

→ Amy는 <u>Oliver가 파티에 올지</u> 잘 모른다.

서술형 6 (1) Unless는 If ~ not의 의미이므로 If가 이끄는 절의 동사를 부정형으로 쓴다.

(2) If ~ not을 Unless로 바꿔 쓸 경우, Unless가 이끄는 절의 동사를 부정형으로 쓰지 않는다.

해석 (1) 네가 여권을 가지고 있지 않으면, 너는 해외로 여행할 수 없다.

(2) 네가 지금 아이스크림을 냉장고에 넣지 않으면, 그것은 녹을 것이다.

서술형 7 (1) 「명령문, and ...」: ~해라, 그러면 …할 것이다

(2) 「명령문, or ...」: ~해라, 그렇지 않으면 …할 것이다

해석 (1) 자기 전에 스마트폰을 사용하지 마라, <u>그러면 너는 푹 잘 수 있을 것이다.</u>

(2) 자기 전에 스마트폰을 사용하지 마라, <u>그렇지 않으면 너는 다음날 피곤할 것이다.</u>

서술형 8 (1) '누가 창문을 깼는지'는 의문사(who)가 주어인 경우이므로 문장의 목적어를 「의문사(who)+동사 ~」의 형태로 쓴다.

(2) '나는 ~라고 생각한다'는 「I think (that)+주어+동사 ~」로 나타내며 접속사 that은 생략 가능하다. that절의 주어는 either A or B로 쓴다.

[서술형 9~10] **해석** 어제 나는 내 친구들 수지와 미나와 함께 놀이공원에 갔다. 수지뿐 아니라 미나도 롤러코스터를 무서워해서 우리는 롤러코스터를 타지 않았다. 대신, 우리는 유령의 집에 갔다. 나는 그것이 그렇게 무서울 거라고 생각하지 않았다. 하지만 유령들이 나타나자마자 나는 비명을 질렀다.

서술형 9 'A뿐만 아니라 B도'의 의미인 not only A but also B가 주어로 쓰이면 동사는 B에 일치시킨다.

서술형 10 '~하자마자'의 뜻을 가진 접속사 as soon as를 사용하며, 문장의 시제가 과거이므로 appear와 scream을 과거형으로 쓴다.

CHAPTER **11** 관계사 I

Unit 1 관계대명사의 개념

✔ **바로 개념 확인하기** p.145

A 1 The movie(that)

2 the teacher(whom)

3 the vase(which)

4 The boy(who)

B 1 바이올린을 연주하고 있는 남자아이

2 그녀가 산 원피스

3 LA에 사는 나의 삼촌

C 1 which   2 who   3 who

서술형 기본 유형 익히기 pp.145~146

1 the boy who lives in that house

2 the T-shirt that he is wearing

3 some students who were from

4 stories which have unhappy endings

5 the cheese that was in the refrigerator

6 which → who(that)   7 who → which(that)

8 which → who(that)   9 a man who has

10 the woman who moved

11 a house which has   12 the boy who stole

13 who saved her children from a fire

14 which has a great view

✔ **바로 개념** 확인하기　　　　　　　　　p.148

A　**1** which　　**2** whose　　**3** who　　**4** which

B　**1** were　　**2** makes　　**3** are　　**4** grows

C　**1** a boy who won the contest
　　2 the bag that I lost
　　3 the house whose roof is blue

서술형 기본 유형 익히기　　　　　　pp.148~149

1 a man who is a singer

2 a man whose sister is a singer

3 The boy who is dancing

4 Some of the people whom I invited to the party

5 the pictures he drew　　**6** whom → who(that)

7 were → was　　　　　　**8** made it → made

9 sit → sits　　　　　　 **10** who → whose

11 who speaks three languages

12 which Tony lent to me

13 who(m) she teaches

14 which I sent yesterday

15 whose brother is a soccer player

기출에서 뽑은 **난이도별** 서술형 문제　　pp.150~151

01 that

02 (1) who　(2) whose　(3) which

03 whose son is

04 (1) which → who(that)
　　(2) make → makes

05 (1) The buses that go to the airport come
　　(2) The pizza she made was very delicious.

06 (1) a friend who has　(2) a cat whose name is

07 (1) The man who(m) Julie invited
　　(2) the plate which she made herself

08 (1) someone who(that) writes news articles
　　(2) someone who(that) makes coffee

09 The students who(that) are sitting in the front row are from China.

10 ⓑ bought it → bought, ⓒ that → whose

함정이 있는 문제

01 the toy which(that) I made

02 is → are

03 whose

01 첫 번째 빈칸에는 the bike를 선행사로 하고 I bought의 목적어 역할을 하는 목적격 관계대명사 which나 that이 알맞다. 두 번째 빈칸에는 The people을 선행사로 하고 work in the shop의 주어 역할을 하는 주격 관계대명사 who나 that이 알맞다. 따라서 공통으로 들어갈 관계대명사는 that이다.
　해석 • 나는 내가 작년에 산 자전거를 잃어버렸다.
　• 그 가게에서 일하는 사람들은 친절하다.

02 (1) 선행사 the person이 사람이고, invented Hangeul의 주어 역할을 하므로 주격 관계대명사 who가 알맞다.
　(2) 친구의 별명이 걸어 다니는 사전이라는 의미이므로 소유격 역할을 하는 소유격 관계대명사 whose가 알맞다.
　(3) 선행사 the book이 사물이고, I recommended의 목적어 역할을 하므로 목적격 관계대명사 which가 알맞다.
　해석 (1) 한글을 발명한 사람은 세종대왕이다.
　(2) 나는 별명이 걸어다니는 사전인 친구가 있다.
　(3) 너는 내가 추천한 책을 다 읽었니?

03 그림으로 보아, White 씨의 아들이 배우이므로 the woman's를 대신하는 소유격 관계대명사 whose를 사용하여 문장을 완성한다.

04 (1) 선행사 The girl이 사람이고 관계대명사가 has long hair의 주어 역할을 하므로 주격 관계대명사 who나 that을 써야 한다.
　(2) 관계대명사절의 동사는 선행사의 인칭과 수에 일치시켜야 한다. 선행사가 a company이므로 관계대명사절의 동사를 단수로 써야 한다.
　해석 (1) 머리가 긴 그 여자아이는 내 여동생이다.
　(2) 그는 인형을 만드는 회사에서 일한다.

05 (1) 선행사 The buses 뒤에 「주격 관계대명사(that)+동사 ~」의 순으로 배열한다. 문장의 동사는 come이다.
　(2) 목적격 관계대명사가 생략된 경우로, 선행사 The pizza 뒤에 「주어(she)+동사(made) ~」의 순으로 배열한다.

06 (1) a friend를 선행사로 하고, has a twin sister의 주어 역할을 하는 주격 관계대명사 who를 사용한다.
　(2) 고양이의 이름이 Toby이므로, a cat을 선행사로 하고 소유격 역할을 하는 소유격 관계대명사 whose를 사용한다.

07 (1) The man과 him이 같은 대상이고 him이 문장에서 목적어이므로, The man을 선행사로 하는 목적격 관계대명사 who(m)를 사용한다.

(2) the plate와 it이 같은 대상이고 it이 문장에서 목적어이므로, the plate를 선행사로 하는 목적격 관계대명사 which를 사용한다.

해석 (1) 그 남자는 공손했다. Julie가 그를 초대했다.

→ Julie가 초대한 그 남자는 공손했다.

(2) 그녀는 그 접시를 떨어뜨렸다. 그녀는 그것을 직접 만들었다.

→ 그녀는 그녀가 직접 만든 접시를 떨어뜨렸다.

08 선행사가 someone이고 선행사 뒤에 올 관계대명사가 주어 역할을 하므로 주격 관계대명사 who 또는 that을 사용한다. 관계대명사절의 동사는 선행사의 수에 일치시키므로 각각 writes, makes로 써야 한다.

09 문장의 주어인 The students를 선행사로 하고 are sitting in the front row의 주어 역할을 하는 주격 관계대명사 who 또는 that이 필요하다. 또한, 문장의 주어가 The students 이므로 동사는 복수 동사로 써야 한다. (is → are)

10 ⓑ 목적격 관계대명사절 안에 목적어를 쓰지 않아야 한다.

ⓒ '어머니가 경찰관인 여자아이'라는 의미가 되려면 the girl's를 대신하는 소유격 관계대명사 whose를 써야 한다.

해석 ⓐ Alex는 호주에서 온 남자아이다.

ⓓ James는 내가 가장 존경하는 사람이다.

함정이 있는 문제

01 **해석** 이것은 그 장난감이다. 내가 그것을 만들었다.

→ 이것은 내가 만든 장난감이다.

02 **해석** 아이스크림을 먹고 있는 남자아이들은 내 사촌들이다.

03 **해석** 지갑을 도난당한 여자는 Green 씨이다.

시험에 강해지는 실전 TEST　　pp.152~154

| 01 ① | 02 ⑤ | 03 ⑤ | 04 ③, ⑤ | 05 ④ |
| 06 ③ | 07 ① | 08 ⑤ | 09 ③ | 10 ② |

서술형 **1** that

서술형 **2** who is playing the drums

서술형 **3** (1) which(that) he recommended

(2) who(m)(that) Noah is talking to

서술형 **4** (1) hate it → hate (2) who → whose

서술형 **5** which(that) I'm reading is

서술형 **6** which(that) Jake got from his parents

서술형 **7** (1) who is sitting on the bench

(2) which the boy is flying

서술형 **8** (1) an animal which has a long neck

(2) an animal whose ears are long

(3) the man who works at the zoo

서술형 **9** a figure skater who won the gold medal

서술형 **10** want to be(become) a figure skater who(m)(that) many people admire

01 선행사 the people이 사람이고, are singing on the street의 주어 역할을 하는 주격 관계대명사 who가 알맞다.

해석 거리에서 노래하고 있는 사람들을 봐.

02 빈칸 뒤에 목적격 관계대명사 which가 쓰였으므로 빈칸에 들어갈 선행사는 사물이나 동물이어야 한다.

해석 이것이 네가 이야기했던 _____이니?

① 개 ② 영화 ③ 책 ④ 장소 ⑤ 작가

03 사람 선행사(the boy)와 사물 선행사(The story) 뒤에 쓸 수 있고, 관계대명사절에서 주어와 목적어 역할을 하는 것은 관계대명사 that이다.

해석 • 나는 경주에서 이긴 남자아이를 만났다.

• 그녀가 어제 나에게 말해 준 이야기는 놀라웠다.

04 a movie와 It이 같은 대상이고 It이 문장에서 주어이므로, a movie를 선행사로 하는 주격 관계대명사 which 또는 that을 사용하여 문장을 연결할 수 있다.

해석 나는 영화 한 편을 봤다. 그것은 어제 개봉되었다.

③, ⑤ 나는 어제 개봉된 영화 한 편을 보았다.

05 I보기와 ④는 주격 관계대명사이다. 나머지는 모두 '누구, 누가'의 뜻을 가진 의문사이다.

해석 I보기 선글라스를 끼고 있는 여자는 유명한 여배우이다.

① 저 예쁜 여자아이는 누구니?

② 나는 그가 누구인지 모른다.

③ 그 시를 누가 썼는지 너에게 말해 줄게.

④ 그는 랩 음악을 좋아하는 남자아이다.

⑤ 너는 누가 다음 대통령이 될지 추측할 수 있니?

06 ③ 소설의 결말이 놀라웠다는 의미이므로 소유격 역할을 할 수 있는 소유격 관계대명사 whose를 사용해야 한다.

해석 ① 그가 만든 수프는 짰다.

② 그녀는 외국에서 공부하고 있는 아들이 있다.

④ 이곳은 주인이 가수인 식당이다.

⑤ 그가 어제 산 신발은 멋져 보인다.

07 주어진 말을 배열하면 The man who took this picture is here.이므로 ★에 들어갈 단어는 is이다.

08 첫 번째 문장의 빈칸은 문장의 동사가 들어갈 자리이다. 목적격 관계대명사절 whom I met at the English camp가 주어인 Some students를 수식하고 있으므로, 동사는 주어 Some students와 일치시켜 were가 알맞다. 두 번째 문장의 빈칸은 관계대명사절의 동사가 들어갈 자리이다. 선행사 the person과 일치시켜야 하므로 lives가 알맞다.

해석 • 내가 영어 캠프에서 만난 몇몇 학생들은 인도 출신이었다.

• 나는 옆집에 사는 사람을 전혀 본 적이 없다.

09 목적격 관계대명사(ⓐ, ⓑ, ⓔ)는 생략할 수 있지만 소유격 관계대명사(ⓒ)와 주격 관계대명사(ⓓ)는 생략할 수 없다.

해석 ⓐ 이것은 나의 아버지가 지으신 집이다.

ⓑ 그녀는 내가 가장 존경하는 사람이다.

ⓒ 너는 이름이 Brad인 남자아이를 아니?

ⓓ 독서를 좋아하는 사람은 누구나 그 동아리에 가입할 수 있다.

ⓔ 그가 나에게 준 시계가 작동하지 않는다.

10 ⓐ 그 불쌍한 새의 다리가 다쳤다는 의미이므로 the poor bird's를 대신할 수 있는 소유격 관계대명사 whose가 알맞다.

ⓑ an animal을 선행사로 하고 has eight legs의 주어 역할을 하는 주격 관계대명사 which가 알맞다.

ⓒ the person을 선행사로 하고 invented a light bulb의 주어 역할을 하는 주격 관계대명사 who가 알맞다.

ⓓ 그 여자아이의 꿈은 모델이 되는 것이라는 의미이므로 the girl's의 역할을 할 수 있는 소유격 관계대명사 whose가 알맞다.

해석 ⓐ 다리를 다친 불쌍한 새를 봐.

ⓑ 거미는 다리가 여덟 개 있는 동물이다.

ⓒ Thomas Edison은 전구를 발명한 사람이다.

ⓓ Anna는 모델이 되는 것이 꿈인 여자아이다.

서술형 1 사물 선행사(the chocolate ice cream)와 사람 선행사(The people) 뒤에 쓸 수 있고, 관계대명사절의 목적어 역할을 하는 것은 관계대명사 that이다.

해석 • 나는 저 가게에서 파는 초콜릿 아이스크림을 아주 좋아한다.

• 우리가 어젯밤에 만난 사람들은 아주 친절했다.

서술형 2 선행사 that boy 뒤에 「주격 관계대명사(who)+동사 ~」의 순으로 배열한다.

해석 **A** 너는 드럼을 치고 있는 저 남자아이를 아니?

B 저 아이는 Harry야.

서술형 3 (1) 선행사 the title of the musical이 사물이고, he recommended의 목적어 역할을 하는 목적격 관계대명사 which 또는 that을 사용한다.

(2) 선행사 The girl이 사람이고, Noah is talking to의 목적어 역할을 하는 목적격 관계대명사 who(m) 또는 that을 사용한다.

서술형 4 (1) 목적격 관계대명사 which가 관계대명사절에서 목적어의 역할을 하므로 관계대명사절 안에 목적어를 쓰지 않는다.

(2) 친구의 취미가 요리하기이므로 소유격 역할을 하는 소유격 관계대명사 whose를 써야 한다.

서술형 5 선행사 The book이 사물이고, 관계대명사가 I'm

reading의 목적어 역할을 해야 하므로 목적격 관계대명사 which나 that을 사용하여 문장을 완성한다. 문장의 동사 is를 빠뜨리지 않도록 주의한다.

해석 그 책은 한국 전쟁에 관한 것이다. 나는 그 책을 읽고 있다.

→ 내가 읽고 있는 책은 한국 전쟁에 관한 것이다.

서술형 6 'Jake가 부모님으로부터 받은 선물은 새로운 스마트 폰이다.'라는 문장이 되어야 한다. 선행사 The gift가 사물이고, Jake got from his parents의 목적어 역할을 하는 목적격 관계대명사 which 또는 that을 사용한다.

해석 **Cindy** 네 생일에 무엇을 받았니?

Jake 나는 부모님으로부터 새 스마트폰을 받았어.

서술형 7 (1) 선행사 The girl이 사람이고, 관계대명사가 주어 역할을 해야 하므로 주격 관계대명사 who를 사용한다.

(2) 선행사 The kite가 사물이고, 관계대명사가 목적어 역할을 해야 하므로 목적격 관계대명사 which를 사용한다.

해석 (1) 벤치에 앉아 있는 여자아이는 머리가 길다.

(2) 남자아이가 날리고 있는 연은 멋져 보인다.

서술형 8 (1) an animal을 선행사로 하고, has a long neck의 주어 역할을 하는 주격 관계대명사 which를 사용한다.

(2) an animal을 선행사로 하고, '동물의 귀'라는 의미가 되도록 소유격 역할을 하는 소유격 관계대명사 whose를 사용한다.

(3) the man을 선행사로 하고, works at the zoo의 주어 역할을 하는 주격 관계대명사 who를 사용한다.

해석 (1) 기린은 아주 긴 목을 가지고 있는 동물이다.

(2) 토끼는 귀가 긴 동물이다.

(3) Harris 씨는 동물원에서 일하는 남자이다.

[서술형 9~10] 해석 당신은 김연아를 아는가? 그녀는 나의 롤모델이다. 그녀는 피겨 스케이팅 선수였다. 그녀는 밴쿠버 올림픽에서 금메달을 땄다. 그녀가 은퇴했을 때, 많은 사람들이 슬퍼했다. 나도 그녀처럼 많은 사람들이 존경하는 피겨 스케이팅 선수가 되고 싶다.

서술형 9 첫 번째 문장의 a figure skater와 두 번째 문장의 She는 같은 대상이고 She가 문장에서 주어이므로, a figure skater를 선행사로 하는 주격 관계대명사 who를 사용하여 문장을 연결한다.

해석 그녀는 밴쿠버 올림픽에서 금메달을 딴 피겨 스케이팅 선수였다.

서술형 10 want의 목적어로 to부정사를 쓰며, a figure skater를 선행사로 하고 many people admire의 목적어 역할을 하는 목적격 관계대명사 who(m) 또는 that을 사용하여 문장을 완성한다.

Unit 1 관계대명사 what, that

✔ 바로 개념 확인하기　　　　　　　　　　p.157

A **1** that　　**2** what　　**3** that　　**4** what

B **1** 목적어　　**2** 주어　　**3** 보어

C **1** the first novel that he wrote
　　2 the funniest movie that I've ever watched
　　3 a kid and a cat that were sleeping

서술형 기본 유형 익히기　　　　　　　pp.157~158

1 what I read　　　　　　**2** What he wants is
3 what I want to do　　　**4** anything that I wanted
5 The biggest city that I've ever visited
6 that → what(the thing that)
7 what → that 또는 what 삭제
8 that → what(the thing that)
9 what he wanted to eat
10 was not(wasn't) what I expected
11 What I need is your love.
12 All the stories (that) I read were
13 The only thing (that) I remember is
14 the boy and the dog that are playing with a ball
15 the most horrible story (that) I have ever heard

Unit 2 관계부사

✔ 바로 개념 확인하기　　　　　　　　　　p.160

A **1** the reason(why)
　　2 the day(when)
　　3 The restaurant(where)

B **1** where　　**2** when　　**3** why　　**4** how

C **1** the year　　　　　**2** the reason
　　3 the place　　　　　**4** the way

서술형 기본 유형 익히기　　　　　　　pp.160~161

1 the day when the vacation starts
2 The place where I stayed
3 the reason why he went there
4 the year when she started that job
5 how the machine works
6 the house where Mozart lived
7 last summer when we traveled to
8 how she passed the audition
9 the reason why he left the country
10 the day when we went to his concert
11 the time when we should help each other
12 the market where you can buy fresh fruits
13 the place where I can fly a drone
14 the reason why he called me

기출에서 뽑은 난이도별 서술형 문제　　pp.162~163

01 (1) What　(2) that　(3) where
02 Do you remember what I told you?
03 why Kate is upset
04 which → that
05 (1) Don't forget what you learned today.
　　(2) Everything that I dreamed of came true.
06 (1) Tell me what you saw last night.
　　(2) This is the last chance that I have.
07 (1) the city where I want to live
　　(2) the season when many people go on a picnic
08 (1) the gift (that) he gave　(2) what he gave
09 (1) the island where a lot of Koreans spend their vacations
　　(2) the season when a lot of Koreans spend their vacations in Jeju-do
10 ⓑ that → what, ⓓ the way how → how(the way)

함정이 있는 문제

01 what → that(which) 또는 what 삭제
02 everything (that) I needed
03 where I grew up in → where I grew up

01 (1) 선행사가 없으므로 선행사를 포함한 관계대명사 what이 알맞다.

(2) 선행사가 the first painting이므로 관계대명사 that이 알맞다.

(3) 선행사 the store가 장소를 나타내므로 관계부사 where가 알맞다.

02 the thing that은 선행사를 포함하는 관계대명사 what으로 바꿔 쓸 수 있다.

해석 너는 내가 너에게 말한 것을 기억하니?

03 선행사가 the reason이므로 관계부사 why를 사용하여 문장을 완성한다.

해석 Chris는 Kate가 화난 이유를 모른다.

04 선행사 the baby and the dog는 「사람+동물」이므로 관계대명사 that을 써야 한다.

해석 A 나비를 쫓고 있는 아기와 개를 봐.
B 귀여워.

05 (1) 문장의 목적어로 「관계대명사(what)+주어+동사 ~」 순으로 배열한다.

(2) 「선행사(Everything)+관계대명사(that)+주어+동사 ~」 순으로 배열한다.

06 (1) 문장의 직접목적어 자리에 「관계대명사(what)+주어+동사 ~」를 쓴다.

(2) the last chance를 선행사로 하는 목적격 관계대명사 that을 사용한다.

07 (1) the city를 선행사로 하는 관계부사 where를 사용한다.
(2) the season을 선행사로 하는 관계부사 when을 사용한다.

해석 (1) 올랜도는 도시이다. 나는 그 도시에서 살고 싶다.
→ 올랜도는 내가 살고 싶은 도시이다.
(2) 봄은 계절이다. 많은 사람들은 그 계절에 소풍을 간다.
→ 봄은 많은 사람들이 소풍을 가는 계절이다.

08 (1) '선물'이라는 선행사가 필요한 문장이므로 선행사 the gift 뒤에 목적격 관계대명사 that을 사용한다. 목적격 관계대명사 that은 생략할 수 있다.

(2) 선행사를 포함하여 '~한 것'이라는 의미를 나타내는 관계대명사 what을 사용한다.

09 (1) 선행사 the island는 장소를 나타내므로 관계부사 where를 사용한다.

(2) 선행사 the season은 시간을 나타내므로 관계부사 when을 사용한다.

해석 (1) 많은 한국인들이 제주도에서 휴가를 보낸다.
→ 제주도는 많은 한국인들이 휴가를 보내는 섬이다.
(2) 많은 한국인들이 여름에 제주도에서 휴가를 보낸다.
→ 여름은 많은 한국인들이 제주도에서 휴가를 보내는 계절이다.

10 ⓑ 선행사가 없으므로 선행사를 포함한 관계대명사 what을 써야 한다.

ⓓ the way와 관계부사 how는 동시에 쓸 수 없고 둘 중 하나만 쓴다.

해석 ⓐ 내가 너에게 말한 것은 비밀이다.
ⓓ 나는 내가 살았던 마을이 그립다.

━━ 함정이 있는 문제 ━━

03 해석 나는 그 도시에 방문했다. 나는 그 도시에서 자랐다.
→ 나는 내가 태어난 도시를 방문했다.

시험에 강해지는 실전 TEST			pp.164~166
01 ③, ⑤	02 ④	03 ③	04 ②	05 ①
06 ①	07 ④	08 ④	09 ①	10 ④

서술형 1 What I want

서술형 2 (1) who → that
(2) the way how → how(the way)

서술형 3 (1) everything he knew
(2) was not what I expected

서술형 4 the time when the movie starts

서술형 5 (1) The sport (that) I want to do
(2) What I want to do

서술형 6 (A) that (B) where

서술형 7 the place where I feel at home

서술형 8 the reason why I like

서술형 9 (1) August 30 is the day when
(2) Star Theater is the place where

서술형 10 (1) that(which) John tasted
(2) how Kate made

01 선행사가 없으므로 선행사를 포함하는 관계대명사 What이 들어갈 수 있다. 또는 '것'을 의미하는 선행사 the thing과 I was waiting for의 목적어 역할을 하는 목적격 관계대명사를 써서 The thing which(that)도 가능하다.

02 선행사 the cutest baby는 사람, the first movie는 사물이고, 빈칸 뒤에 이어지는 절의 목적어 역할을 하는 관계대명사가 필요하므로 목적격 관계대명사 that이 들어갈 수 있다. 선행사에 최상급이나 서수 등이 쓰인 경우, 주로 관계대명사 that을 사용한다.

해석 · 그는 지금껏 내가 본 가장 귀여운 아기이다.
· 네가 영화관에서 본 첫 번째 영화는 무엇이었니?

03 ③의 What은 '무엇'을 의미하는 의문사이다. 나머지는 모두 선행사를 포함하여 '~한 것'의 의미를 나타내는 관계대명사 what이다.

해석 ① 그녀가 한 것은 잘못된 행동이었다.

② 아무도 내가 말한 것을 믿지 않았다.

③ 너는 네 생일에 무엇을 원하니?

④ 음악을 듣는 것은 나를 행복하게 만드는 것이다.

⑤ 그가 제안한 것은 흥미롭게 들렸다.

04 선행사 the day가 시간이므로 관계부사 when을 사용하여 바꿔 쓰면 Monday is the day when most people are busy.이므로 다섯 번째로 오는 단어는 when이다.

해석 월요일은 날이다. 대부분의 사람들이 그날 바쁘다.

05 ① 선행사가 없으므로 선행사를 포함하는 관계대명사 what이 들어가야 한다. 나머지는 모두 that이 들어간다.

해석 ① 나는 내가 읽고 있는 것에 집중할 수 없다.

② 나는 너를 위해 내가 할 수 있는 어떤 것이든 할 것이다.

③ 그는 쿠키 병에 있던 마지막 쿠키를 먹었다.

④ 이것은 네가 해야 하는 가장 중요한 것이다.

⑤ 나는 공원에서 조깅하고 있던 한 커플과 그들의 개를 보았다.

06 첫 번째 빈칸에는 the machine을 선행사로 하고, you can use to order food의 목적어 역할을 하는 목적격 관계대명사 that(which)이 알맞다. 그다음 문장은 '그것을 사용하는 방법을 보여 줄게.'라는 의미이므로 두 번째 빈칸에는 the way가 알맞다. the way와 관계부사 how는 동시에 쓸 수 없다.

해석 A 너는 이 기계가 무엇을 위한 것인지 아니?

B 그것은 네가 음식을 주문할 수 있는 기계야. 네가 그것을 사용하는 방법을 보여 줄게.

07 ④ 선행사가 없으므로 선행사를 포함하는 관계대명사 what을 써야 한다. (that → what) ③은 목적격 관계대명사가 생략된 문장이다.

08 ④ the way와 관계부사 how는 동시에 쓸 수 없고, 둘 중 하나만 쓴다.

해석 ① 독서는 내가 가장 하기 좋아하는 것이다.

② 그것이 내가 너를 사랑하는 이유이다.

③ 그녀는 그녀가 중학교에 입학했던 날을 기억한다.

⑤ 도서관은 네가 책을 빌릴 수 있는 장소이다.

09 (A) 선행사 the day가 시간을 나타내므로 관계부사 when이 알맞다.

(B) everything을 선행사로 하고 you tell me의 목적어 역할을 하는 목적격 관계대명사 that이 알맞다.

(C) 선행사 the beach가 장소를 나타내므로 관계부사 where가 알맞다.

해석 • 내일은 우리가 수학여행을 가는 날이다.

• 나는 네가 나에게 말한 모든 것을 기억할 수 없다.

• 우리는 지난여름 휴가를 보냈던 해변에 갔다.

10 ⓓ 선행사가 없으므로 선행사를 포함하는 관계대명사 what

을 써야 한다. (that → what)

해석 ⓐ 나는 그녀가 말하는 방식을 좋아한다.

ⓑ 10월은 학교 축제가 열리는 달이다.

ⓒ 나는 모나리자가 전시되어 있는 박물관을 방문하고 싶다.

서술형 1 '내가 원하는 것은'의 의미가 되어야 하므로, 선행사를 포함하고 '~한 것'의 의미를 나타내는 관계대명사 what을 사용한다.

해석 A 너는 크리스마스에 무엇을 원하니?

B 크리스마스에 내가 원하는 것은 새 겨울 부츠야.

서술형 2 (1) 선행사가 「사람+동물」인 경우, 주로 관계대명사 that을 사용한다.

(2) the way와 관계부사 how는 동시에 쓸 수 없고, 둘 중 하나만 쓴다.

해석 (1) 그는 길을 건너고 있던 개와 남자의 사진을 찍었다.

(2) 너는 고대 사람들이 피라미드를 만든 방법을 아니?

서술형 3 (1) 목적격 관계대명사가 생략된 경우로, 「선행사 (everything)+주어+동사」 순으로 배열한다.

(2) was not 뒤에 보어 역할을 하는 명사절 「관계대명사 (what)+주어+동사」를 배열한다.

서술형 4 선행사가 the time이 시간이므로 관계부사 when을 사용하여 문장을 완성한다.

해석 나는 시간을 모른다. 그 영화는 그 시간에 시작된다.

→ 나는 그 영화가 시작되는 시간을 모른다.

서술형 5 (1) '스포츠'라는 선행사가 필요한 문장이므로 선행사 The sport 뒤에 목적격 관계대명사 that을 사용하여 문장을 완성한다. 목적격 관계대명사 that은 생략할 수 있다.

(2) 선행사를 포함하여 '~한 것'이라는 의미를 나타내는 관계대명사 what을 사용하여 문장을 완성한다.

[서술형 6~8] 해석 여름은 내가 가장 좋아하는 계절이다. 여름 방학이 시작되면, 나는 내 고향을 방문한다. 나는 내 고향이 그 장소이기 때문에 내 고향을 아주 좋아한다. 나는 그 장소에서 마음이 편안하다. 나의 조부모님은 내가 자랐던 똑같은 집에서 사신다. 나는 내 방학의 대부분을 그곳에서 머물면서 보낸다. 그것이 내가 여름을 좋아하는 이유이다.

서술형 6 (A) 선행사 the season이 있고, I like most의 목적어 역할을 하는 목적격 관계대명사 that이 알맞다.

(B) 선행사 the same house는 장소를 나타내므로 관계부사 where가 알맞다.

서술형 7 '마음이 편안한 장소'라는 의미가 되도록 the place를 선행사로 하는 관계부사 where를 사용하여 문장을 완성한다.

해석 나는 내 고향이 마음이 편안한 장소이기 때문에 내 고향을 아주 좋아한다.

서술형 8 the reason을 선행사로 쓰고 관계부사 why를 사용하여 문장을 완성한다.

서술형 **9** (1) 선행사 the day는 시간을 나타내므로 관계부사 when을 사용한다.

(2) 선행사 the place는 장소를 나타내므로 관계부사 where를 사용한다.

해석 (1) 8월 30일은 Daniel이 Alice를 만날 날이다.

(2) Star Theater는 Daniel이 Alice를 만날 장소이다.

서술형 **10** (1) 'John이 맛본 (쿠키들)'의 의미가 되도록 선행사 The cookies 뒤에 목적격 관계대명사 that(which)을 사용한다.

(2) 'Kate가 (그것들을) 만든 방법'의 의미가 되도록 관계부사 how를 사용한다.

해석 **Kate** 여기 너를 위한 쿠키가 좀 있어. 내가 구웠어.

John 고마워. 이것들은 내가 지금까지 먹어 본 최고의 쿠키야. 어떻게 만들었니?

Kate 쉬워. 내가 너에게 가르쳐 주기를 원하니?

John 좋아.

→ John이 먹어본 쿠키가 매우 맛있어서 그는 Kate가 그것들을 만든 방법을 알고 싶어 한다.

제 **3** 회 **누적 TEST**   pp.167~168

01 ④   02 ②   03 ④   04 ④   05 ③

06 ③   07 ③, ⑤ 08 ②

09 (1) Drink some tea, and you will feel better.

(2) That's the reason why I don't talk to him.

10 (1) you eat less, you will gain weight

(2) Rachel was full, she didn't eat anything

(3) Jacob studied hard, he failed the test

11 (1) the letter which Lily sent from Bali

(2) the boy who sent you the flowers

12 My grandfather taught Korean history to me.

13 ⓒ is her birthday → her birthday is, ⓓ whom → who(that)

14 (A) who (B) beating (C) love

15 I will never forget the day when I first went to his concert.

01 ④ 사역동사 let은 목적격보어로 동사원형을 쓴다. (→ go)

해석 ① 그 초콜릿은 단맛이 난다.

② 나의 어머니는 나에게 인형을 만들어 주셨다.

③ 나는 누군가가 내 이름을 부르는 것을 들었다.

⑤ 그는 내가 새 전화기를 사는 것을 허락하지 않는다.

02 unless: ~하지 않으면 / although: 비록 ~지만

03 각각 '내가 말하고 있는 것', '네가 뉴스에서 들은 것'이라는 의미이고, 빈칸 앞에 선행사가 없으므로 선행사를 포함하는 관계대명사 what이 알맞다.

해석 ・너는 내가 말하고 있는 것을 이해하니?

・네가 뉴스에서 들은 것은 사실이 아니다.

04 ④ 시간의 부사절에서는 미래 상황을 현재시제로 쓴다. (will come → comes)

해석 ① 네가 지금 바쁘지 않으면, 네 엄마에게 전화해라.

② 우리는 폭풍 때문에 집에 있었다.

③ 나의 여동생뿐 아니라 나도 캐나다에서 태어났다.

⑤ 그도 그의 부모님도 영어를 말하지 못한다.

05 주어진 말을 배열하면 Did you see her dancing?이므로 다섯 번째로 오는 단어는 dancing이다.

06 ③은 명사절을 이끄는 접속사 that이다. 나머지는 모두 관계대명사로, ①, ④, ⑤는 목적격 관계대명사, ②는 주격 관계대명사이다.

해석 ① 이것은 내가 가진 가장 비싼 원피스이다.

② 너를 웃게 만드는 것은 무엇이니?

③ 나는 모두가 안전하게 지내고 있기를 바란다.

④ 이것은 내가 지금껏 맛본 최고의 피자이다.

⑤ 우리가 본 영화에 대해 어떻게 생각하니?

07 ⓒ whose는 the girl's를 대신하는 소유격 관계대명사이며 who로 바꿔 쓸 수 없다.

ⓔ that은 주격 관계대명사로 쓰였으며, who로 바꿔 쓸 수 있다. whom은 목적격 관계대명사이다.

해석 ・나는 내가 본 것을 믿을 수 없다.

・그는 어제 산 가방을 잃어버렸다.

・우리는 이름이 Ella인 여자아이를 안다.

・그녀는 그녀를 도와준 사람들에게 감사를 표했다.

・나는 많이 웃는 사람들을 좋아한다.

08 ⓐ와 ⓒ는 선행사가 장소이므로 빈칸에 where가 들어간다. ⓑ는 선행사가 이유이므로 why, ⓓ는 선행사가 시간이므로 when이 들어간다.

해석 ⓐ 그녀는 내가 핸드폰 케이스를 살 수 있는 가게를 추천해 주었다.

ⓑ Tom은 Ashley가 울고 있는 이유를 모른다.

ⓒ 인천은 국제공항이 있는 도시이다.

ⓓ 금요일 밤은 대부분의 사람들이 즐기는 때이다.

09 (1) 「명령문, and ...」: ~해라, 그러면 …할 것이다

(2) 선행사 the reason 뒤에 「관계부사 why+주어+동사 ~」 순으로 배열한다.

10 (1) unless: ~하지 않으면 (명령문 Eat less를 부사절로 바꿔 쓸 때, 주어 you를 써야 하는 것에 유의한다.)

(2) since: ~ 때문에

(3) even though: 비록 ~지만

해석 (1) 적게 먹어라, 그렇지 않으면 너는 살이 찔 것이다.

→ 네가 적게 먹지 않으면, 너는 살이 찔 것이다.

(2) Rachel은 배가 불러서 아무것도 먹지 않았다.

→ Rachel은 배가 불렀기 때문에 아무것도 먹지 않았다.

(3) Jacob은 열심히 공부했지만, 시험에서 떨어졌다.

→ Jacob은 열심히 공부했음에도 불구하고 시험에서 떨어졌다.

11 (1) the letter와 it이 같은 대상이고 it이 문장에서 목적어이므로, the letter를 선행사로 하는 목적격 관계대명사 which를 사용한다.

(2) the boy와 He가 같은 대상이고 He가 문장에서 주어이므로, the boy를 선행사로 하는 주격 관계대명사 who를 사용한다.

해석 (1) 나는 편지를 받았다. Lily는 발리에서 그것을 보냈다.

→ 나는 Lily가 발리에서 보낸 편지를 받았다.

(2) Jack은 그 남자아이다. 그는 너에게 꽃을 보냈다.

→ Jack은 너에게 꽃을 보낸 남자아이다.

12 간접목적어(me)와 직접목적어(Korean history)의 순서를 바꾸고 간접목적어 앞에 전치사 to를 쓴다.

해석 나의 할아버지는 나에게 한국사를 가르쳐 주셨다.

13 ⓒ 의문사가 있는 의문문이 간접의문문에 쓰일 때 「의문사＋주어＋동사」의 순으로 쓴다.

ⓓ The boy를 선행사로 하고, sits next to me at school의 주어 역할을 하는 주격 관계대명사 who(that)를 써야 한다.

해석 ⓐ 엄마는 내가 쓰레기를 내다 버리게 했다.

ⓑ 그는 비가 그칠 때까지 집에 있었다.

[14~15] 해석 내가 가장 좋아하는 힙합 뮤지션은 Jay이다. 그는 평화에 관한 노래를 작곡하는 뮤지션이다. 나는 그날을 잊지 않을 것이다. 나는 그날 처음으로 그의 콘서트에 갔다. 나는 콘서트 동안에 내 심장이 빠르게 뛰고 있는 것을 느꼈다. 그의 공연은 내가 힙합을 더 사랑하게 만들었다.

14 (A) 선행사 a musician이 사람이고, writes songs about peace의 주어 역할을 하므로 주격 관계대명사 who가 알맞다.

(B) 지각동사 feel은 목적격보어로 동사원형이나 현재분사를 쓴다.

(C) 사역동사 make는 목적격보어로 동사원형을 쓴다.

15 두 문장의 공통되는 말인 the day를 선행사로 하고, 관계부사 when을 사용하여 한 문장으로 쓴다.

해석 나는 내가 처음으로 그의 콘서트에 간 날을 잊지 않을 것이다.

WORKBOOK ANSWERS

CHAPTER 01 현재완료

Unit 1 현재완료의 개념과 형태 p.2

A 1 been 2 gone 3 bought
4 caught 5 come 6 done
7 lost 8 eaten 9 seen
10 sent 11 taken 12 given
13 had 14 known 15 left
16 made 17 read 18 found
19 heard 20 written

B 1 Olivia has not(hasn't) found her bag.
2 Dave has never seen a rainbow.
3 Have they lived in London?
4 Has Emily met him before?

Unit 2 현재완료의 의미 p.3

A 1 have already finished
2 has worked, for
3 has lost
4 have never been to
5 has just left
6 Have you ever tried

B 1 has taken my watch
2 has gone to
3 has taught science since
4 have been to
5 has done yoga for

CHAPTER 02 조동사

Unit 1 can, may, will p.4

A 1 It may snow tomorrow.
2 Can I watch TV after dinner?
3 I will not join the club.
4 She can't play the violin.
5 The children may not watch the movie.
6 He will be able to fix the computer.

B 1 Julie is able to speak Chinese.
2 You cannot(can't) bring food into this gallery.
3 I am going to meet my old friend tonight.
4 Will you help me with my math homework?

Unit 2 must, should, had better, used to p.5

A 1 must not use
2 had better do
3 used to be
4 doesn't have to attend

B 1 You will be able to pass the exam.
2 I had to take care of my brother.
3 Every student will have to wear a school uniform.
4 You had better not listen to her.
5 You don't have to pay for the movie on your TV.

CHAPTER 03 to부정사

Unit 1 to부정사의 명사적 용법   p.6

A 1 My dream is to build
2 To keep pets is
3 I decided to learn Chinese
4 She wants to go
5 tell me where to go
6 doesn't know how to drive

B 1 It is bad for your teeth to eat a lot of sweets.
2 It is fun to watch comedy films.
3 It is impossible to live without water.
4 It is good for your health to drink lots of water.
5 It is not easy to write Chinese characters.

Unit 2 to부정사의 형용사적·부사적 용법   p.7

A 1 something important to do
2 someone to help
3 any chairs to sit on
4 a house to live in
5 anything interesting to read
6 a friend to play with

B 1 to pass the test
2 to become(be) a famous soccer player
3 to win first prize
4 to solve the difficult questions
5 to buy some bread

Unit 3 to부정사 구문   p.8

A 1 of him to cross   2 for me to get
3 of Amy to forgive   4 for us to arrive
5 of Chris to carry   6 for her to understand

B 1 tall enough to be   2 too full to eat
3 too cold to play   4 old enough to enter

CHAPTER 04 동명사

Unit 1 동명사의 쓰임   p.9

A 1 Eating healthy food is important.
2 Her job is taking care of animals.
3 Would you mind turning down the volume?
4 Thank you for inviting me.
5 He enjoys watching American dramas.
6 He avoids talking to her.

B 1 are looking forward to visiting
2 don't feel like studying
3 is worth watching
4 had trouble preparing for the party

Unit 2 동명사와 to부정사   p.10

A 1 playing
2 to tell
3 listening(to listen)
4 to go
5 to come
6 cleaning
7 looking for
8 to help
9 to receive
10 working(to work)

B 1 forget to bring
2 remember visiting
3 tried putting on
4 forgot meeting
5 Stop playing

CHAPTER 05 분사와 분사구문

Unit 1 현재분사와 과거분사 p.11

A 1 fallen
2 shocking
3 touching
4 excited
5 stolen
6 interesting
7 barking
8 disappointed
9 interested
10 sitting

B 1 She is reading a book written in French.
2 Put the potatoes in the boiling water.
3 I don't like to eat frozen food.
4 Who is the girl standing on the stage?
5 Olivia has a dog named Max.

Unit 2 분사구문 p.12

A 1 Watching the baseball game
2 Listening to music
3 Walking along the street
4 Being very tired
5 After cleaning the house

B 1 Entering the room
2 Being sick
3 While having coffee
4 Not practicing hard
5 Before going out
6 Watching a shopping channel on TV

CHAPTER 06 수동태

Unit 1 수동태의 의미와 형태 p.13

A 1 The band is liked by many teenagers.
2 The song is not sung by young people.
3 Mr. Davis is respected by the workers in the office.
4 Seoul is visited by a lot of tourists every year.
5 English and French are spoken (by people) in Canada.

B 1 The kitchen is cleaned by her.
2 The gym is used by many people.
3 Is the museum closed on Mondays?
4 The shoes are not sold
5 Many parcels are delivered
6 A lot of masks are made

Unit 2 주의해야 할 수동태 p.14

A 1 was stolen
2 will be invited
3 were published
4 will not(won't) be held
5 will be taken care of
6 is looked up to by

B 1 is filled with
2 were surprised at
3 is worried about
4 am interested in

CHAPTER 07 대명사

Unit 1 one, another, the other p.15

A 1 one
2 it
3 ones
4 the other
5 another, the other
6 Some
7 the others
8 One, the other

B 1 lost a pen, can't find it
2 the others ordered spaghetti
3 One is, and the other is
4 Some played, and others played
5 another is American, the other is Korean

Unit 2 each, every, both, all, 재귀대명사 p.16

A 1 He drew himself during art class.
2 Every house in this town has a garden.
3 All of my friends like hip-hop music.
4 Each of the students is wearing glasses.
5 Emily introduced herself to us.
6 Did you make this pizza by yourself?

B 1 Every student has to follow
2 We enjoyed ourselves
3 Both (of) my parents work
4 talk to myself
5 All (of) the food at the restaurant was

CHAPTER 08 비교

Unit 1 원급, 비교급, 최상급 p.17

A 1 the strongest of the three
2 This box is as heavy as
3 much busier than his brother
4 Science is more interesting than math
5 the most popular boy in his class

B 1 as beautiful as Mia
2 larger than Australia
3 much lighter than mine
4 a lot more diligent than Mike
5 the hottest month in Korea
6 the best grades of the three

Unit 2 여러 가지 비교 표현 p.18

A 1 leave as soon as possible
2 washes her hands as often as she can
3 The bigger the TV is, the more expensive
4 got better and better
5 became more and more popular
6 one of the greatest musicians in the world

B 1 as fast as possible
2 stronger and stronger
3 more and more interesting
4 The harder, the better
5 one of the longest bridges in the world

Unit 1 보어·목적어가 있는 문장 p.19

A 1 I told him the secret.
2 Her voice sounds beautiful.
3 The teacher gave me a prize.
4 Your scarf feels very soft.
5 He looked angry in the morning.
6 She read her students a poem.

B 1 sent a Christmas card to me
2 cooked rice noodles for us
3 showed her ID card to the librarian
4 asked some questions of me

Unit 2 목적격보어가 있는 문장 p.20

A 1 call the cat Leo
2 found the movie boring
3 wants me to invite her
4 advised him to drink enough water
5 let her children play outside
6 saw Teddy walking his dog

B 1 felt the building shake(shaking)
2 made us read the book
3 expect me to pass the exam
4 heard someone say(saying) my name
5 had me wash the dishes

Unit 1 시간·조건·이유의 접속사 p.21

A 1 until
2 If
3 while
4 Unless
5 because

B 1 when I have free time
2 As soon as he got home
3 If you are busy
4 Unless he agrees
5 because(as, since) he got up late

Unit 2 양보·결과·상관 접속사 p.22

A 1 Although
2 that
3 or
4 and
5 so

B 1 Both she and I like
2 Neither Henry nor Oliver knows
3 not only swimming but also surfing
4 either Wednesday or Saturday

Unit 3 명사절 접속사, 간접의문문 p.23

A 1 I think that he is generous.
2 Do you know that today is Parents' Day?
3 She wonders what his favorite song is.
4 I don't know who made this pie.
5 He asked me if I like curry.
6 I'm not sure whether he'll visit us.

B 1 (that) you went to Jeju-do last weekend
2 where Olivia lives
3 how he fixed the clock
4 if(whether) I closed the windows
5 if(whether) she is telling the truth

Unit 1 관계대명사의 개념   p.24

A 1 the man who
  2 The girl who
  3 a restaurant which
  4 The boy who
  5 The dog which
  6 the sweater which

B 1 the boy who is good at basketball
  2 The bag which is on the table
  3 the zoo that opened last weekend
  4 an uncle who lives in Rome
  5 The movie which we watched yesterday

Unit 1 관계대명사 **what, that**   p.26

A 1 forgot what she told me
  2 What he said is
  3 the first novel that she wrote
  4 understand what you learned
  5 all the letters that she wrote to me
  6 the best movie that you've ever watched

B 1 what(the thing that) I made for her
  2 what(the thing that) she told us
  3 What(The thing that) I always carry
  4 the book that he recommended
  5 the only thing that you need to know

Unit 2 주격·목적격·소유격 관계대명사   p.25

A 1 a girl who
  2 a boy whose
  3 the books which
  4 the man whom

B 1 a house which has five rooms
  2 the movie star whom I like most
  3 The boy who won the contest
  4 a friend whose father is a chef
  5 the article that you talked about
  6 the pictures you took

Unit 2 관계부사   p.27

A 1 the park where
  2 the time when
  3 the reason why
  4 the zoo where
  5 the reason why

B 1 the day when my sister was born
  2 the bakery where I bought the cake
  3 how Emily solved the puzzle
  4 the place where he parked his car
  5 the way I can save money

MEMO

서술형에
더 강해지는
중학 영문법

Answers LEVEL 2

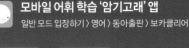

동아출판 영어 교재 가이드

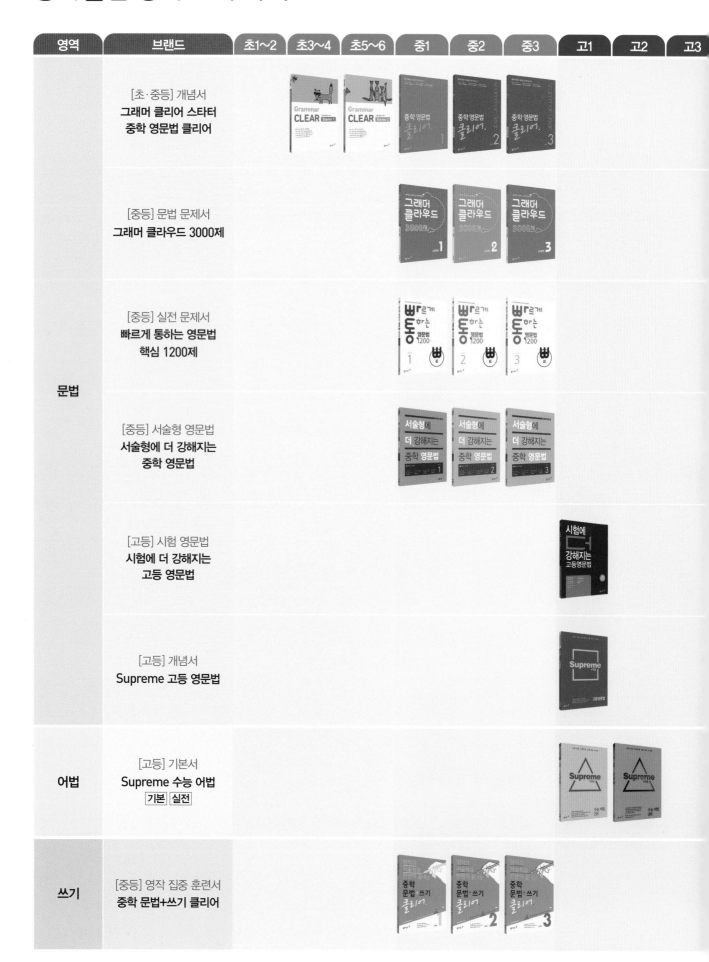

영역	브랜드	초1~2	초3~4	초5~6	중1	중2	중3	고1	고2	고3
문법	[초·중등] 개념서 **그래머 클리어 스타터 중학 영문법 클리어**									
	[중등] 문법 문제서 **그래머 클라우드 3000제**									
	[중등] 실전 문제서 **빠르게 통하는 영문법 핵심 1200제**									
	[중등] 서술형 영문법 **서술형에 더 강해지는 중학 영문법**									
	[고등] 시험 영문법 **시험에 더 강해지는 고등 영문법**									
	[고등] 개념서 **Supreme 고등 영문법**									
어법	[고등] 기본서 **Supreme 수능 어법** 기본 실전									
쓰기	[중등] 영작 집중 훈련서 **중학 문법+쓰기 클리어**									

서술형에
더 강해지는
중학 영문법

문장 쓰기
WORKBOOK

LEVEL
2

동아출판

서술형에
더 강해지는
중학 영문법

문장 쓰기
WORKBOOK
LEVEL 2

Unit **1** 현재완료의 개념과 형태

A 동사의 과거분사형(p.p.) 쓰기

1	am/are/is	—	_____	11	take	—	_____
2	go	—	_____	12	give	—	_____
3	buy	—	_____	13	have	—	_____
4	catch	—	_____	14	know	—	_____
5	come	—	_____	15	leave	—	_____
6	do	—	_____	16	make	—	_____
7	lose	—	_____	17	read	—	_____
8	eat	—	_____	18	find	—	_____
9	see	—	_____	19	hear	—	_____
10	send	—	_____	20	write	—	_____

B 현재완료의 부정문과 의문문 쓰기

1 Olivia has found her bag. (부정문으로 쓸 것)

→ _____

2 Dave has seen a rainbow. (never를 사용한 부정문으로 쓸 것)

→ _____

3 They have lived in London. (의문문으로 쓸 것)

→ _____

4 Emily has met him before. (의문문으로 쓸 것)

→ _____

Unit **2** 현재완료의 의미

A 주어진 말을 활용하여 현재완료 문장 완성하기

1 학생들은 이미 점심 식사를 마쳤다. (already, finish)

→ The students _____ their lunch.

2 나의 아빠는 20년 동안 우체국에서 일해 오셨다. (work)

→ My dad _____ at the post office _____ 20 years.

3 그는 영어 교과서를 잃어버렸다. (그래서 지금 가지고 있지 않다.) (lose)

→ He _____ his English textbook.

4 우리는 파리에 가 본 적이 전혀 없다. (never, be)

→ We _____ Paris.

5 기차가 방금 떠났다. (just, leave)

→ The train _____.

6 너는 한국 음식을 먹어 본 적이 있니? (ever, try)

→ _____ Korean food?

B 주어진 두 문장을 현재완료 문장으로 바꿔 쓰기

1 Somebody took my watch. I can't find it now.

→ Somebody _____.

2 Judy went to New York last week. She isn't here now.

→ Judy _____ New York.

3 Mason began teaching science in 2010. He still teaches science now.

→ Mason _____ 2010.

4 We went to Hawaii in 2015 for the first time. We went there again last year.

→ We _____ Hawaii twice.

5 She started to do yoga five years ago. She still does yoga now.

→ She _____ five years.

Unit **1** can, may, will

A	주어진 말을 배열하여 문장 쓰기

1 내일 눈이 올지도 모른다. (may, tomorrow, snow, it)

→ _____

2 저녁 식사 후에 TV를 봐도 되나요? (watch, after dinner, can, TV, I)

→ _____

3 나는 그 동아리에 가입하지 않을 것이다. (join, will, I, the club, not)

→ _____

4 그녀는 바이올린을 연주할 수 없다. (can't, the violin, she, play)

→ _____

5 그 아이들은 그 영화를 보면 안 된다. (the children, the movie, not, watch, may)

→ _____

6 그는 그 컴퓨터를 고칠 수 있을 것이다. (fix, will, he, the computer, able, be, to)

→ _____

B	주어진 말을 사용하여 같은 의미의 문장으로 바꿔 쓰기

1 Julie can speak Chinese. (be able to)

→ _____

2 You may not bring food into this gallery. (can)

→ _____

3 I will meet my old friend tonight. (be going to)

→ _____

4 Can you help me with my math homework? (will)

→ _____

Unit **2** must, should, had better, used to

| **A** | 주어진 말과 |보기|의 표현을 활용하여 문장 완성하기 |

|보기|	must	used to	have to	had better

1 너는 수업 시간에 전화기를 사용해서는 안 된다. (use)

→ You _____ your phone during class.

2 너는 먼저 네 숙제를 하는 게 좋겠다. (do)

→ You _____ your homework first.

3 마당에 사과나무가 있었다. (be)

→ There _____ an apple tree in the yard.

4 그녀는 회의에 참석할 필요가 없다. (attend)

→ She _____ the meeting.

| **B** | 밑줄 친 부분에 유의하여 지시에 맞게 문장 바꿔 쓰기 |

1 You <u>can</u> pass the exam. (미래시제로 쓸 것)

→ _____

2 I <u>have to</u> take care of my brother. (과거시제로 쓸 것)

→ _____

3 Every student <u>must</u> wear a school uniform. (미래시제로 쓸 것)

→ _____

4 You <u>had better</u> listen to her. (부정문으로 쓸 것)

→ _____

5 You <u>must</u> pay for the movie on your TV. ('불필요'를 의미하는 문장으로 쓸 것)

→ _____

Unit **1** to부정사의 명사적 용법

A · to부정사와 주어진 말을 활용하여 문장 완성하기

1 나의 꿈은 내 집을 짓는 것이다. (my dream, build)

→ _____ my own house.

2 애완동물을 기르는 것은 쉽지 않다. (keep pets)

→ _____ not easy.

3 나는 방학 동안에 중국어를 배우기로 결심했다. (decide, learn Chinese)

→ _____ during the vacation.

4 그녀는 콘서트에 가기를 원한다. (want, go)

→ _____ to the concert.

5 어디로 가야 할지 나에게 말해 주세요. (tell, go)

→ Please _____.

6 나의 엄마는 운전하는 방법을 모르신다. (know, drive)

→ My mom _____.

B · 가주어 It을 사용하여 문장 바꿔 쓰기

1 To eat a lot of sweets is bad for your teeth.

→ _____

2 To watch comedy films is fun.

→ _____

3 To live without water is impossible.

→ _____

4 To drink lots of water is good for your health.

→ _____

5 To write Chinese characters is not easy.

→ _____

Unit **2** to부정사의 형용사적·부사적 용법

A 주어진 말을 배열하여 문장 완성하기

1 나는 오늘 해야 할 중요한 무언가가 있다. (important, to, something, do)

→ I have _____ today.

2 그녀는 그녀를 도와줄 누군가가 필요하다. (help, to, someone)

→ She needs _____ her.

3 강당에 앉을 의자가 없다. (chairs, any, on, to, sit)

→ There aren't _____ in the hall.

4 그들은 살 집을 찾고 있다. (in, a, house, live, to)

→ They are looking for _____.

5 너는 읽을 재미있는 무언가가 있니? (anything, read, to, interesting)

→ Do you have _____?

6 Teddy는 함께 놀 친구를 원한다. (to, play, a friend, with)

→ Teddy wants _____.

B to부정사를 사용하여 같은 의미의 문장으로 바꿔 쓰기

1 Liam studied hard because he wanted to pass the test.

→ Liam studied hard _____.

2 His son grew up and he became a famous soccer player.

→ His son grew up _____.

3 She was very happy because she won first prize.

→ She was very happy _____.

4 Andy must be smart because he solved the difficult questions.

→ Andy must be smart _____.

5 I went to the bakery because I wanted to buy some bread.

→ I went to the bakery _____.

Unit **3** to부정사 구문

A ⋮ 주어진 말을 활용하여 의미상의 주어가 있는 문장 완성하기

1 그가 거기에서 길을 건넌 것은 부주의했다. (cross)

→ It was careless _____ the street there.

2 내가 만점을 받기는 불가능하다. (get)

→ It is impossible _____ a perfect score.

3 Amy가 우리를 용서한 것은 관대했다. (forgive)

→ It was generous _____ us.

4 우리가 제시간에 거기에 도착하는 것은 힘들다. (arrive)

→ It is hard _____ there on time.

5 Chris가 내 짐을 들어준 것은 친절했다. (carry)

→ It was kind _____ my luggage.

6 그녀가 그 상황을 이해하기는 어려울 것이다. (understand)

→ It will be difficult _____ the situation.

B ⋮ 주어진 말을 배열하여 문장 완성하기

1 Sarah는 모델이 될 만큼 충분히 키가 크다. (enough, be, tall, to)

→ Sarah is _____ a model.

2 나는 너무 배불러서 더 이상 먹을 수 없다. (to, eat, too, full)

→ I'm _____ any more.

3 너무 추워서 밖에서 놀 수 없었다. (play, too, to, cold)

→ It was _____ outside.

4 내 여동생은 초등학교에 입학할 만큼 충분히 나이가 들었다. (to, enough, enter, old)

→ My sister is _____ elementary school.

Unit **1** 동명사의 쓰임

| **A** | 주어진 말을 배열하여 문장 쓰기 |

1 건강한 음식을 먹는 것은 중요하다. (eating, food, is, important, healthy)

→ _____

2 그녀의 직업은 동물들을 돌보는 것이다. (is, animals, taking, job, her, care, of)

→ _____

3 소리 좀 줄여 주시겠습니까? (mind, the volume, would, turning down, you)

→ _____

4 나를 초대해 줘서 고마워. (for, you, inviting, thank, me)

→ _____

5 그는 미국 드라마를 보는 것을 즐긴다. (enjoys, American dramas, he, watching)

→ _____

6 그는 그녀에게 이야기하기를 피한다. (talking, he, avoids, to, her)

→ _____

| **B** | 주어진 말과 |보기|의 표현을 활용하여 문장 완성하기 |

| |보기| | worth | feel like | have trouble | look forward |

1 우리는 루브르 박물관에 방문하기를 기대하고 있다. (visit) *시제 주의

→ We _____ the Louvre Museum.

2 나는 오늘 공부하고 싶지 않다. (study) *부정형 주의

→ I _____ today.

3 이 영화는 여러 번 볼 만한 가치가 있다. (watch)

→ This movie _____ several times.

4 그녀는 파티를 준비하는 데 어려움을 겪었다. (prepare for the party) *시제 주의

→ She _____ .

Unit **2** 동명사와 to부정사

| **A** | 목적어를 동명사나 to부정사 형태로 쓰기 |

1 I practice _____ the cello every day. (play)

2 She decided _____ the truth. (tell)

3 Emily likes _____ to hip-hop music. (listen)

4 They plan _____ swimming tomorrow. (go)

5 He promised _____ to my birthday party. (come)

6 David finished _____ his room. (clean)

7 She gave up _____ her earrings. (look for)

8 We all agreed _____ him. (help)

9 I expect _____ the package in two weeks. (receive)

10 They continued _____ without a break. (work)

| **B** | 주어진 말을 활용하여 문장 완성하기 |

1 과학 교과서 가져오는 것을 잊지 마라. (forget, bring)

→ Don't _____ your science textbook.

2 나는 어렸을 때 제주도에 갔던 것을 기억한다. (remember, visit)

→ I _____ Jeju-do when I was little.

3 나는 그의 재킷을 한번 입어봤다. (try, put on)

→ I _____ his jacket.

4 그녀는 작년에 John을 만났던 것을 잊었다. (forget, meet)

→ She _____ John last year.

5 컴퓨터 게임하는 것을 그만해라. (stop, play)

→ _____ the computer game.

Unit **1** 현재분사와 과거분사

| **A** | 주어진 말을 현재분사나 과거분사 형태로 쓰기 |

1 We walked on the _____ leaves. (fall)

2 It was _____ news to me. (shock)

3 His speech was very _____. (touch)

4 The students are _____ about the school field trip. (excite)

5 He found his _____ watch. (steal)

6 I read an _____ article yesterday. (interest)

7 I'm scared of _____ dogs. (bark)

8 The teacher was _____ with my report. (disappoint)

9 Luke is _____ in learning to play the drums. (interest)

10 The girl _____ next to me on the bus talked loudly. (sit)

| **B** | 주어진 말을 배열하여 문장 쓰기 |

1 그녀는 프랑스어로 쓰인 책을 읽고 있다. (in French, a book, reading, is, written, she)
→ _____

2 끓고 있는 물에 감자를 넣어라. (the potatoes, water, put, boiling, the, in)
→ _____

3 나는 냉동식품을 먹는 것을 좋아하지 않는다. (I, food, to, like, don't, eat, frozen)
→ _____

4 무대 위에 서 있는 여자아이는 누구니? (the girl, on the stage, standing, who, is)
→ _____

5 Olivia는 Max라고 이름 지어진 개가 있다. (has, Max, named, a dog, Olivia)
→ _____

Unit **2** 분사구문

A 주어진 말을 배열하여 분사구문 쓰기

1 야구 경기를 볼 때 우리는 피자를 먹었다. (the, watching, baseball, game)

→ _____, we ate pizza.

2 음악을 들으면서 그는 수학 숙제를 했다. (to, music, listening)

→ _____, he did his math homework.

3 길을 걷다가 나는 담임 선생님을 만났다. (along, walking, street, the)

→ _____, I met my homeroom teacher.

4 매우 피곤해서 나는 그날 밤 일찍 잠자리에 들었다. (very, being, tired)

→ _____, I went to bed early that night.

5 집을 청소한 후에 그녀는 꽃에 물을 주었다. (cleaning, the, house, after)

→ _____, she watered the flowers.

B 밑줄 친 부사절을 분사구문으로 바꿔 쓰기

1 When I entered the room, I turned on the light.

→ _____, I turned on the light.

2 Because she was sick, she couldn't go to work.

→ _____, she couldn't go to work.

3 While he had coffee, he read the newspaper. *접속사를 남겨둘 것

→ _____, he read the newspaper.

4 As they didn't practice hard, they lost the game.

→ _____, they lost the game.

5 Before I went out, I checked the weather forecast. *접속사를 남겨둘 것

→ _____, I checked the weather forecast.

6 While she watched a shopping channel on TV, she ordered the clothes.

→ _____, she ordered the clothes.

Unit **1** 수동태의 의미와 형태

| **A** | 수동태 문장으로 바꿔 쓰기 |

1 Many teenagers like the band.

→ _____

2 Young people don't sing the song.

→ _____

3 The workers in the office respect Mr. Davis.

→ _____

4 A lot of tourists visit Seoul every year.

→ _____

5 People speak English and French in Canada.

→ _____

| **B** | 주어진 말을 배열하여 수동태 문장 쓰기 |

1 부엌은 그녀에 의해 청소된다. (the kitchen, by, cleaned, her, is)

→ _____

2 그 체육관은 많은 사람들에 의해 사용된다. (the gym, used, by, many, is, people)

→ _____

3 그 박물관은 월요일마다 문을 닫나요? (on Mondays, the museum, is, closed)

→ _____

4 그 신발은 온라인으로 판매되지 않는다. (are, the shoes, not, sold)

→ _____ online.

5 매일 많은 택배가 배달된다. (are, parcels, delivered, many)

→ _____ every day.

6 그 공장에서는 많은 마스크가 만들어진다. (made, a lot of, are, masks)

→ _____ in the factory.

Unit **2** 주의해야 할 수동태

| **A** | 주어진 말을 활용하여 수동태 문장 완성하기 |

1 나의 새 자전거가 어제 도둑맞았다. (steal)

→ My new bike _____ yesterday.

2 몇 사람들이 그 결혼식에 초대될 것이다. (invite)

→ Some people _____ to the wedding.

3 그 책들은 작년에 출판되었다. (publish)

→ The books _____ last year.

4 벚꽃 축제는 올해 열리지 않을 것이다. (hold)

→ The cherry blossom festival _____ this year.

5 그 개는 그 동물보호소에서 돌봐질 것이다. (take care of)

→ The dog _____ at the animal shelter.

6 그 지도자는 팀 구성원들에 의해 존경받는다. (look up to)

→ The leader _____ the team members.

| **B** | 주어진 말과 |보기|의 전치사를 활용하여 수동태 문장 완성하기 |

|보기|	at	in	with	about

1 그 상자는 장난감들로 가득 차 있다. (fill)

→ The box _____ _____ _____ toys.

2 우리는 그의 방문에 놀랐다. (surprise)

→ We _____ _____ _____ his visit.

3 Johnny는 면접이 걱정된다. (worry)

→ Johnny _____ _____ _____ the interview.

4 나는 예술 학교에 가는 것에 관심이 있다. (interest)

→ I _____ _____ _____ going to an art school.

Unit **1** one, another, the other

| A | |보기|에서 알맞은 대명사를 골라 빈칸에 쓰기 (중복 사용 가능) |

|보기|	it	one	ones	another
	some	others	the other	the others

1 My bag is too old. I want to buy a new _____.

2 He bought me a bag, but I don't like _____.

3 I like your sunglasses. Are they new _____?

4 There are two cars in the parking lot. One is white, and _____ is black.

5 She has three pets. One is a dog, _____ is a cat, and _____ is a hamster.

6 _____ like cream pasta, and others like tomato pasta.

7 The students took a test. Some failed the test, and _____ passed the test.

8 My parents are teachers. _____ is a math teacher, and _____ is a science teacher.

| B | 주어진 말을 배열하여 문장 완성하기 |

1 나는 펜을 잃어버렸다. 나는 그것을 찾을 수 없다. (can't, a pen, it, find, lost)

→ I _____. I _____.

2 몇 명은 스테이크를 주문했고, 나머지 전부는 스파게티를 주문했다. (spaghetti, others, the, ordered)

→ Some ordered steak, and _____.

3 한 명은 간호사이고, 나머지 한 명은 의사이다. (one, is, and, other, is, the)

→ _____ a nurse, _____ a doctor.

4 몇몇은 야구를 했고, 다른 몇몇은 축구를 했다. (played, others, some, and, played)

→ _____ baseball, _____ soccer.

5 한 명은 영국인이고, 또 다른 한 명은 미국인이고, 나머지 한 명은 한국인이다.

(Korean, the, is, American, is, another, other)

→ One is British, _____, and _____.

Unit **2** each, every, both, all, 재귀대명사

A	주어진 말을 배열하여 문장 쓰기

1 그는 미술 시간에 자기 자신을 그렸다. (drew, he, during, art class, himself)

→ _____

2 이 마을에 있는 모든 집은 정원이 있다. (this town, in, a garden, house, every, has)

→ _____

3 내 친구들 모두 힙합 음악을 좋아한다. (like, of, my friends, all, hip-hop music)

→ _____

4 그 학생들 각각은 안경을 쓰고 있다. (the students, glasses, wearing, of, is, each)

→ _____

5 Emily는 우리에게 자기소개를 했다. (herself, us, introduced, to, Emily)

→ _____

6 너는 혼자서 이 피자를 만들었니? (you, this, pizza, yourself, did, by, make)

→ _____

B	주어진 말을 활용하여 문장 완성하기

1 모든 학생은 교칙을 따라야 한다. (every, student, have to follow)

→ _____ the school rules.

2 우리는 콘서트에서 즐거운 시간을 보냈다. (enjoy)

→ _____ at the concert.

3 나의 부모님 두 분 다 그 병원에서 근무하신다. (my parents, work)

→ _____ at the hospital.

4 나는 공부할 때 종종 혼잣말을 한다. (talk to)

→ I often _____ when I study.

5 그 식당의 모든 음식은 너무 짰다. (all, the food, at the restaurant)

→ _____ too salty.

Unit **1** 원급, 비교급, 최상급

A 주어진 말을 배열하여 비교하는 문장 완성하기

1 Angela는 셋 중에서 가장 힘이 세다. (the three, strongest, the, of)

→ Angela is _____.

2 이 상자는 저 상자만큼 무겁다. (as, box, heavy, this, is, as)

→ _____ that one.

3 Daniel은 그의 형보다 훨씬 더 바쁘다. (than, much, busier, brother, his)

→ Daniel is _____.

4 나에게는 과학이 수학보다 더 흥미롭다. (than, more, is, math, interesting, science)

→ _____ for me.

5 Mark는 그의 반에서 가장 인기가 많은 남자아이이다. (in, his, the, class, popular, boy, most)

→ Mark is _____.

B 주어진 말을 활용하여 비교하는 문장 완성하기

1 Mia의 언니는 Mia만큼 아름답다. (beautiful)

→ Mia's sister is _____.

2 브라질은 호주보다 더 크다. (large, Australia)

→ Brazil is _____.

3 네 스마트폰이 내 것보다 훨씬 더 가볍다. (much, light)

→ Your smartphone is _____.

4 Kate는 Mike보다 훨씬 더 부지런하다. (a lot, diligent)

→ Kate is _____.

5 8월은 한국에서 가장 더운 달이다. (hot, month, in Korea)

→ August is _____.

6 Lily는 셋 중에서 가장 좋은 성적을 받았다. (good, grades, the three)

→ Lily got _____.

Unit **2** 여러 가지 비교 표현

A 주어진 말을 배열하여 문장 완성하기

1 나는 가능한 한 빨리 떠날 것이다. (as, leave, possible, soon, as)

→ I'll _____.

2 그녀는 가능한 한 자주 손을 씻는다. (often, can, washes, as, she, her hands, as)

→ She _____.

3 TV가 더 클수록 더 비싸다. (the, is, more, expensive, bigger, the TV, the)

→ _____, _____ it is.

4 그 환자는 상태가 점점 더 좋아졌다. (better, got, and, better)

→ The patient _____.

5 그 노래는 점점 더 인기가 많아졌다. (more, popular, became, more, and)

→ The song _____.

6 모차르트는 세계에서 가장 훌륭한 음악가 중 한 명이었다. (the, of, greatest, musicians, in, the world, one)

→ Mozart was _____.

B 주어진 말을 활용하여 문장 완성하기

1 우리는 버스 정류장까지 가능한 한 빠르게 뛰었다. (fast, possible)

→ We ran to the bus stop _____.

2 바람이 점점 더 세지고 있다. (strong)

→ The wind is getting _____.

3 그 이야기는 점점 더 흥미로워졌다. (interesting)

→ The story became _____.

4 그 시험을 위해 네가 더 열심히 공부할수록 너는 더 잘 할 것이다. (hard, well)

→ _____ you study for the exam, _____ you will do.

5 그것은 세계에서 가장 긴 다리 중 하나이다. (long, bridge, world)

→ It is _____.

Unit **1** 보어·목적어가 있는 문장

| **A** | 주어진 말을 배열하여 문장 쓰기 |

1 나는 그에게 비밀을 말해 주었다. (the secret, him, I, told)

→ _____

2 그녀의 목소리는 아름답게 들린다. (sounds, voice, beautiful, her)

→ _____

3 그 선생님이 나에게 상을 주셨다. (me, the teacher, a prize, gave)

→ _____

4 너의 스카프는 무척 부드러운 느낌이다. (very, feels, scarf, your, soft)

→ _____

5 그는 아침에 화난 것처럼 보였다. (angry, in the morning, looked, he)

→ _____

6 그녀는 그녀의 학생들에게 시 한 편을 읽어 주었다. (she, a poem, read, her students)

→ _____

| **B** | |보기|의 전치사를 사용하여 3형식 문장으로 바꿔 쓰기 |

|보기|	to	for	of

1 Emma sent me a Christmas card.

→ Emma _____ .

2 My aunt cooked us rice noodles.

→ My aunt _____ .

3 Jenny showed the librarian her ID card.

→ Jenny _____ .

4 The teacher asked me some questions.

→ The teacher _____ .

Unit **2** 목적격보어가 있는 문장

A 주어진 말을 배열하여 문장 완성하기

1 그들은 그 고양이를 Leo라고 부른다. (call, Leo, the cat)

→ They _____ .

2 그는 그 영화가 지루하다는 것을 알게 되었다. (the movie, found, boring)

→ He _____ .

3 Jake는 내가 그녀를 초대하기를 바란다. (wants, me, her, invite, to)

→ Jake _____ .

4 의사는 그에게 충분한 물을 마시라고 충고했다. (him, enough water, to, advised, drink)

→ The doctor _____ .

5 그녀는 그녀의 아이들이 밖에서 노는 것을 허락했다. (play, her, children, outside, let)

→ She _____ .

6 나는 Teddy가 그의 개를 산책시키는 것을 보았다. (Teddy, his dog, walking, saw)

→ I _____ .

B 주어진 말을 활용하여 문장 쓰기

1 그녀는 건물이 흔들리는 것을 느꼈다. (feel, shake, the building)

→ She _____ .

2 Jones 선생님은 우리가 그 책을 읽도록 시켰다. (make, read the book)

→ Mr. Jones _____ .

3 내 부모님은 내가 시험에 합격하기를 기대하신다. (expect, pass the exam)

→ My parents _____ .

4 나는 누군가가 내 이름을 말하는 것을 들었다. (hear, say my name, someone)

→ I _____ .

5 엄마는 내가 설거지를 하게 했다. (have, wash the dishes)

→ Mom _____ .

Unit **1** 시간·조건·이유의 접속사

A |보기|에서 알맞은 접속사를 골라 빈칸에 쓰기

|보기|	while	if	unless	until	because

1 엄마는 내가 잠들 때까지 동화책을 읽어 주셨다.

→ Mom read me a storybook _____ I fell asleep.

2 내일 날씨가 맑으면 우리는 소풍을 갈 것이다.

→ _____ it is sunny tomorrow, we'll go on a picnic.

3 그녀는 저녁을 먹는 동안 TV를 봤다.

→ She watched TV _____ she was having dinner.

4 우리가 지금 떠나지 않으면 기차를 놓칠 것이다.

→ _____ we leave now, we'll miss the train.

5 눈이 많이 왔기 때문에 비행기가 연착되었다.

→ The flight was delayed _____ it snowed heavily.

B 주어진 말을 활용하여 문장 완성하기

1 나는 한가할 때 영화를 본다. (have free time)

→ I watch a movie _____.

2 그는 집에 오자마자 샤워를 했다. (get home) *시제 주의

→ _____, he took a shower.

3 네가 바쁘면 나중에 전화할게. (if, busy)

→ _____, I'll call you later.

4 그가 동의하지 않으면 우리는 그곳에 갈 수 없다. (unless, agree)

→ _____, we can't go there.

5 그는 늦잠을 잤기 때문에 학교에 지각했다. (get up late) *시제 주의

→ He was late for school _____.

Unit **2** 양보·결과·상관 접속사

A |보기|에서 알맞은 접속사를 골라 빈칸에 쓰기

|보기|	and	or	so	that	although

1 비록 그것은 사실이었지만 아무도 믿지 않았다.

→ _____ it was true, nobody believed it.

2 너무 추워서 우리는 집에 머물러 있었다.

→ It was so cold _____ we stayed at home.

3 조용히 해라, 그렇지 않으면 아기가 깰 것이다.

→ Be quiet, _____ the baby will wake up.

4 파란색과 빨간색을 섞어라, 그러면 보라색이 나올 것이다.

→ Mix blue and red, _____ you'll get purple.

5 그 문제가 너무 어려워서 나는 그것을 풀 수 없었다.

→ The question was _____ difficult that I couldn't answer it.

B 주어진 말과 |보기|의 표현을 활용하여 문장 완성하기

|보기|	both ~ and	either ~ or	neither ~ nor	not only ~ but also

1 그녀와 나 둘 다 야구를 좋아한다. (like)

→ _____ baseball.

2 Henry도 Oliver도 그녀의 번호를 모른다. (know)

→ _____ her number.

3 그는 수영뿐만 아니라 서핑도 즐긴다. (swimming, surfing)

→ He enjoys _____ .

4 우리는 수요일과 토요일 중 하루에 만날 것이다. (Wednesday, Saturday)

→ We will meet on _____ .

Unit **3** 명사절 접속사, 간접의문문

A 주어진 말을 배열하여 문장 쓰기

1 나는 그가 관대하다고 생각한다. (think, generous, that, he, I, is)

→ _____

2 너는 오늘이 어버이날인 것을 알고 있니? (Parents' Day, know, today, you, is, do, that)

→ _____

3 그녀는 그가 가장 좋아하는 노래가 무엇인지 궁금하다. (what, is, song, wonders, favorite, she, his)

→ _____

4 나는 누가 이 파이를 만들었는지 모른다. (don't, this, who, pie, I, made, know)

→ _____

5 그는 내가 카레를 좋아하는지 물어봤다. (me, if, asked, like, I, curry, he)

→ _____

6 나는 그가 우리를 방문할지 모르겠다. (whether, visit, not, us, I'm, sure, he'll)

→ _____

B 두 문장을 연결하여 한 문장으로 쓰기

1 I heard. + You went to Jeju-do last weekend.

→ I heard _____ .

2 Do you know? + Where does Olivia live? *동사의 수 일치 주의

→ Do you know _____ ?

3 I wonder. + How did he fix the clock? *시제 주의

→ I wonder _____ .

4 I don't remember. + Did I close the windows? *시제 주의

→ I don't remember _____ .

5 I'm not sure. + Is she telling the truth?

→ I'm not sure _____ .

Unit **1** 관계대명사의 개념

A 주어진 말과 관계대명사 who나 which를 사용하여 문장 완성하기

1 너는 바이올린을 연주하고 있는 남자를 아니? (the man)

→ Do you know _____ is playing the violin?

2 검정 치마를 입고 있는 여자아이는 Judy이다. (the girl)

→ _____ is wearing a black skirt is Judy.

3 그들은 어린이 메뉴가 있는 식당을 찾고 있다. (a restaurant)

→ They're looking for _____ has a children's menu.

4 옆집에 사는 남자아이가 나에게 선물을 주었다. (the boy)

→ _____ lives next door gave me a present.

5 Grace가 키우는 개는 밤마다 짖는다. (the dog)

→ _____ Grace has barks every night.

6 나는 나의 할머니가 만드신 스웨터가 마음에 든다. (the sweater)

→ I like _____ my grandmother made.

B 주어진 말을 배열하여 문장 완성하기

1 그는 농구를 잘하는 남자아이다. (good at, the boy, is, basketball, who)

→ He is _____.

2 탁자 위에 있는 가방은 내 것이다. (which, the table, the bag, is, on)

→ _____ is mine.

3 우리는 지난 주말에 개장한 동물원에 갔다. (opened, the zoo, last weekend, that)

→ We went to _____.

4 나는 로마에 사는 삼촌이 있다. (Rome, who, an uncle, lives, in)

→ I have _____.

5 우리가 어제 본 영화는 감동적이었다. (we, yesterday, the movie, which, watched)

→ _____ was touching.

Unit **2** 주격·목적격·소유격 관계대명사

| A | |보기|의 관계대명사를 한 번씩 사용하여 한 문장으로 바꿔 쓰기 |

| |보기| | who | whom | whose | which |

1 I know a girl. She speaks French well.

→ I know _____ speaks French well.

2 I met a boy. His brother draws webtoons.

→ I met _____ brother draws webtoons.

3 Jane likes the books. The author wrote them.

→ Jane likes _____ the author wrote.

4 He is the man. I can trust him.

→ He is _____ I can trust.

| B | 주어진 말을 배열하여 문장 완성하기 |

1 그들은 방이 다섯 개인 집에 산다. (has, a house, five, which, rooms)

→ They live in _____.

2 그는 내가 가장 좋아하는 영화배우이다. (most, whom, the movie star, like, I)

→ He is _____.

3 경연 대회에서 우승한 남자아이는 내 남동생이다. (the contest, the boy, who, won)

→ _____ is my brother.

4 나는 아버지가 요리사인 친구가 한 명 있다. (a friend, whose, is, father, a, chef)

→ I have _____.

5 나는 네가 이야기했던 기사를 읽었다. (talked about, you, the article, that)

→ I read _____.

6 네가 찍은 사진들을 나에게 보여 줘. (you, the pictures, took)

→ Show me _____.

Unit **1** 관계대명사 what, that

| **A** | 주어진 말을 배열하여 문장 완성하기 |

1 나는 그녀가 나에게 말한 것을 잊었다. (what, forgot, told, she, me)

→ I _____ .

2 그가 말한 것은 사실이 아니다. (is, he, what, said)

→ _____ not true.

3 이것은 그녀가 쓴 첫 번째 소설이다. (the first novel, she, wrote, that)

→ This is _____ .

4 너는 오늘 배운 것을 이해했니? (learned, understand, what, you)

→ Did you _____ today?

5 나는 그녀가 나에게 써 준 모든 편지들을 가지고 있다. (to me, all, the letters, that, she, wrote)

→ I keep _____ .

6 지금껏 네가 본 최고의 영화는 무엇이니? (that, watched, you've, the best movie, ever)

→ What is _____ ?

| **B** | 주어진 말과 관계대명사 what이나 that을 활용하여 문장 완성하기 |

1 그녀는 내가 그녀를 위해 만든 것을 마음에 들어 했다. (make, for her)

→ She liked _____ .

2 너는 그녀가 우리에게 말한 것을 믿을 수 있니? (tell us)

→ Can you believe _____ ?

3 내가 항상 가지고 다니는 것은 내 스마트폰이다. (always, carry)

→ _____ is my smartphone.

4 이것은 그가 추천했던 책이다. (the book, recommend)

→ This is _____ .

5 그것은 네가 알아야 하는 유일한 것이다. (the only thing, need to know)

→ That is _____ .

Unit **2** 관계부사

| **A** | |보기|의 관계부사를 사용하여 한 문장으로 바꿔 쓰기 (중복 사용 가능) |

| |보기| | when | where | why |

1 We went to the park. We used to play at the park.

→ We went to _____ we used to play.

2 This is the time. You have to make a decision at the time.

→ This is _____ you have to make a decision.

3 She told me the reason. She went there for the reason.

→ She told me _____ she went there.

4 I want to go to the zoo. I can see pandas at the zoo.

→ I want to go to _____ I can see pandas.

5 I don't know the reason. You don't like him for the reason.

→ I don't know _____ you don't like him.

| **B** | 주어진 말을 배열하여 문장 완성하기 |

1 나는 여동생이 태어난 날을 기억한다. (when, was born, the day, my sister)

→ I remember _____.

2 이곳이 내가 그 케이크를 산 빵집이다. (I, the cake, bought, where, the bakery)

→ This is _____.

3 나는 Emily가 그 퍼즐을 어떻게 풀었는지 알고 싶다. (the puzzle, how, solved, Emily)

→ I want to know _____.

4 그는 그의 자동차를 주차한 장소를 잊었다. (where, he, the place, his car, parked)

→ He forgot _____.

5 아빠는 나에게 돈을 절약할 수 있는 방법을 가르쳐 주셨다. (save, can, I, the way, money)

→ Dad taught me _____.

MEMO

서술형에
더 강해지는
중학 영문법

문장 쓰기
WORKBOOK LEVEL 2

영역	브랜드	초1~2	초3~4	초5~6	중1	중2	중3	고1	고2	고3
독해	[중등] 기본서 READING CLEAR				READING CLEAR 1	READING CLEAR 2	READING CLEAR 3			
	[고등] 기본서 Supreme 구문독해 / 유형독해							Supreme 구문독해	Supreme 유형독해	
	[중·고등] 문장독해 공식으로 통하는 문장독해 기본 완성							공통문 기본	공통문 완성	
듣기	[중등] 듣기모의고사 LISTENING CLEAR 중학영어 듣기모의고사				LISTENING CLEAR 1	LISTENING CLEAR 2	LISTENING CLEAR 3			
	[고등] 듣기모의고사 Supreme 수능 영어 듣기 모의고사 기본 실전							Supreme 기본	Supreme 실전	
기출	[중등] 기출예상문제집 특급기출 (중간, 기말) 윤정미, 이병민				특급기출 중학영어 2-1	특급기출 중학영어 3-2				
어휘	[초·중·고등] 영단어, 영숙어 뜯어먹는 시리즈	뜯어먹는 필수 영단어 1	뜯어먹는 필수 영단어 2		뜯어먹는 1200	뜯어먹는 1800	뜯어먹는 중학 PACK 1000	뜯어먹는 수능 1800	뜯어먹는 수능 1800	뜯어먹는 수능 1200
	[중·고등] 영단어 보카클리어				보카클리어	보카클리어	보카클리어	보카클리어 고교필수편	보카클리어 수능편	

더 강해지는 중·고등 영문법 시리즈